중학교

도덕②
자습서

추병완 교과서편

구성과 특징

교과서 해설편

내용 정리
교과서의 내용을 한눈에 파악할 수 있도록 정리하였습니다.

활동 해설
교과서에 수록된 모든 활동에 관한 자세한 풀이와 예시 답안을 제시하였습니다. '친절한 활동 안내', '이것이 핵심!' 코너를 통해 활동에 관한 자세한 설명과 핵심 내용을 안내하였습니다.

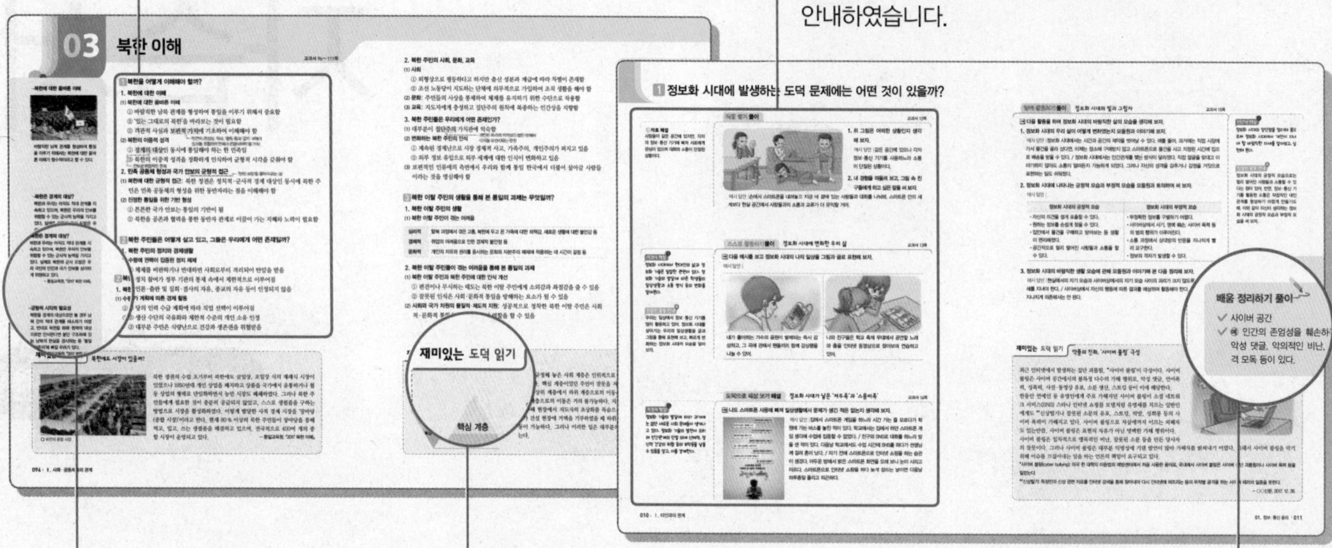

보조단 보충 자료
교과 내용을 이해하는 데 도움이 되는 추가 자료를 제시하였습니다.

재미있는 도덕 읽기
교과 내용을 보충하거나 심화한 내용을 자료로 다루었습니다.

배움 정리하기 풀이
교과서에 수록된 '배움 정리하기' 문항의 답안을 제시하였습니다.

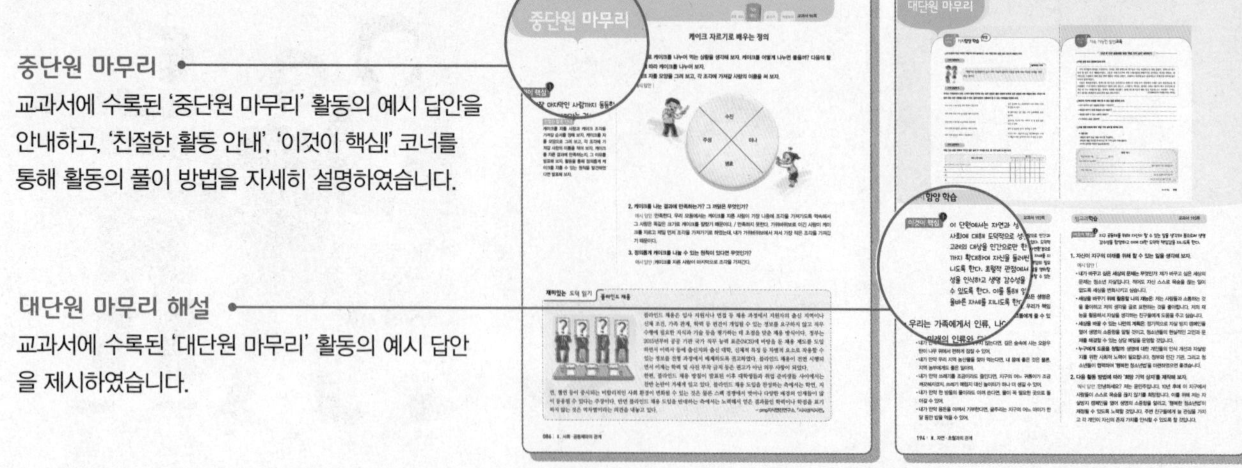

중단원 마무리
교과서에 수록된 '중단원 마무리' 활동의 예시 답안을 안내하고, '친절한 활동 안내', '이것이 핵심!' 코너를 통해 활동의 풀이 방법을 자세히 설명하였습니다.

대단원 마무리 해설
교과서에 수록된 '대단원 마무리' 활동의 예시 답안을 제시하였습니다.

교과서 심화편

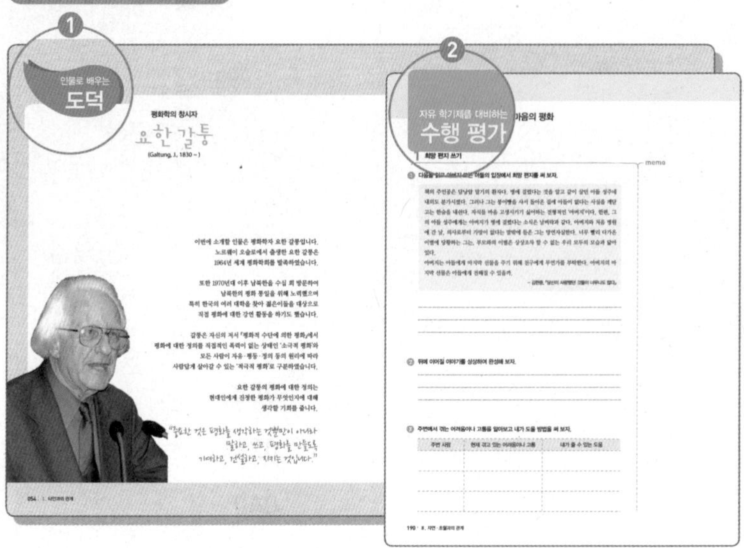

❶ 인물로 배우는 도덕
중단원과 관련 있는 사상가의 생애와 주요 사상을 해설하여, 학습 내용을 깊이 있게 이해할 수 있습니다.

❷ 자유 학기제를 대비하는 수행 평가
다양한 수행 평가를 제시하여 자유 학기 동안 시행할 활동에 대비할 수 있습니다.

문제 & 해설편

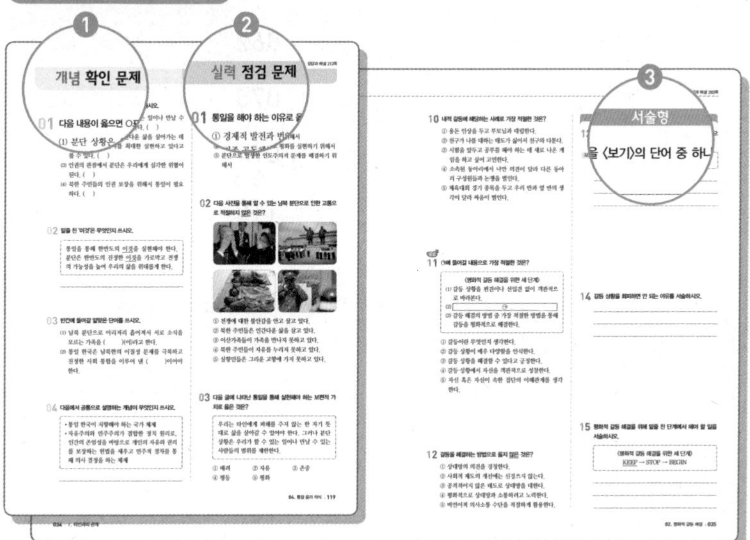

❶ 개념 확인 문제
중단원에서 꼭 알아야 할 기본 개념들을 확인할 수 있도록 간단한 확인 문제를 구성하였습니다.

❷ 실력 점검 문제
중단원 학습 내용을 다양한 난이도와 유형별 문항으로 구성하여 학습 내용을 점검하고 학교 시험을 대비할 수 있게 하였습니다.

❸ 서술형 · 논술형 문제
학교 시험에서 큰 비중을 차지하는 서술형 · 논술형 문제를 구성하여 다양한 시험 문제에 대비할 수 있게 하였습니다.

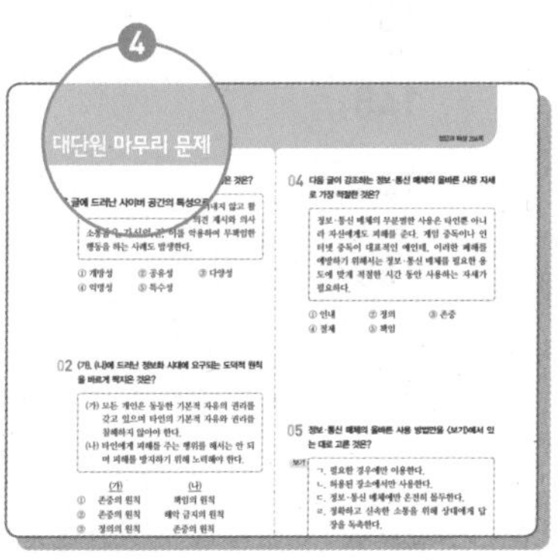

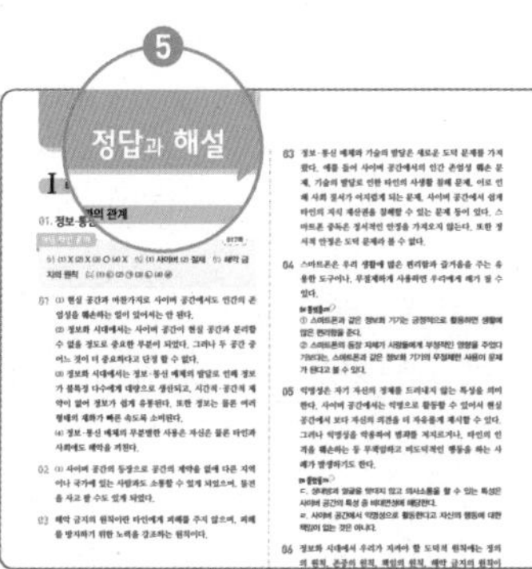

❹ 대단원 마무리 문제
대단원 학습 내용 중 출제될 문제들만 모아 학교 내신 시험을 대비할 수 있게 하였습니다.

❺ 정답과 해설
문제마다 명확하고 친절한 해설을 제공하였습니다. 서술형 · 논술형 문제의 경우 채점 기준도 제공하였습니다.

차례

Ⅰ. 타인과의 관계

Ⅱ. 사회 · 공동체와의 관계

Ⅲ. 자연 · 초월과의 관계

수행 평가

인물로 배우는 도덕

I

타인과의 관계

교과서 | 10쪽 ~ 61쪽

이 단원의 활동 구성

	중단원	활동 주제		
		스스로 활동하기	함께 활동하기	중단원 마무리
01	정보·통신 윤리	• 정보화 시대에 변화한 우리 삶 • 사이버 공간의 특성은? • 사이버 공간의 특성으로 인한 문제와 책임 • '똑똑한 검지' 활용법 • 정보·통신 매체를 올바르게 사용하기 위한 나의 약속	• 정보화 시대의 빛과 그림자 • 행복한 정보화 시대를 위한 '우리 함께' 캠페인 • '따뜻한 엄지'로 실천하는 마음을 담은 소통	'잊힐 권리'와 '알 권리', 어느 것이 더 중요할까?
02	평화적 갈등 해결	• 갈등, 어떤 의미가 있을까? • 나의 갈등 분석하기 • 제로섬 게임과 윈윈 게임 • 나도 갈등 해결사! • 평화적 갈등 해결을 위한 소통 • 갈등 해결의 방법 적용하기	• 우리 사회의 가장 심각한 갈등은 무엇일까? • 평화적 갈등 해결을 위한 비폭력 대화 • 평화적 갈등 해결 이야기	나도 또래 조정자!
03	폭력의 문제	• 폭력의 사례 분류하기 • 이런 것도 폭력이야? • 우리나라 국민이 생각하는 학교 폭력의 원인 • 폭력 상황에 처해 있나요? 도움을 요청하세요! • 학교 폭력 예방 주사	• 구조적 폭력 해결하기 • 폭력, 더 알아보기 • 학교 폭력 예방 현수막 만들기	애플 데이(Apple Day)란?

01 정보 · 통신 윤리

교과서 12~27쪽

• **사이버 범죄**
- 의미: 인터넷이나 사이버 공간을 이용하여 공공복리와 사이버 문화에 해를 끼치는 것
- 종류
  - 사이버 테러형 범죄 ㉮ 해킹, 컴퓨터 바이러스 전파 등
  - 일반 사이버 범죄 ㉮ 악성 댓글, 개인 정보 침해, 전자 상거래 사기 등

• **익명(匿名)**

익명은 본래의 이름을 숨기거나 자기의 정체성을 숨기는 것을 말한다. 익명으로 자선 활동을 하거나 범죄 상황을 목격한 증인의 익명을 보장하는 등 익명을 사용하는 이유는 다양하며 사회적으로 용인되기도 한다. 반면, 자신의 범죄 사실을 숨기거나 도피하기 위해 익명을 이용하는 부정적인 사례도 있다.

1 정보화 시대에 발생하는 도덕 문제에는 어떤 것이 있을까?

1. 정보화 시대와 우리 삶

(1) 정보화 시대의 특징 ─ 여럿이라는 멀티(multi)와 정보의 유형을 뜻하는 미디어(media)의 합성어로 여러 정보의 형태를 컴퓨터로 다룰 수 있는 것을 뜻함

① 컴퓨터, 다중 매체, 통신 수단의 발달 → 정보의 대량 생산, 소비 등이 빨라짐

② 사이버 공간의 등장 → 장거리 의사소통 및 정보 교류, 상품의 매매 가능
└ 공간의 제약이 없어져 다른 지역이나 국가의 사람들과도 실시간 소통이 가능함

2. 정보화 시대의 도덕 문제

(1) 악의적 비방, 욕설, 악성 댓글 등 사이버 공간에서의 인간의 존엄성 훼손

(2) 정보·통신 기술의 불법적인 사용 → 타인의 사생활 침해 및 사회 질서를 어지럽힘

(3) 타인의 지식 재산권 침해 ─ ㉮ 타인이 개발한 프로그램, 사진, 그림, 보고서, 연구 결과 등을 사전 허락 없이 복제하여 사용하거나 유포함

(4) 인터넷이나 스마트폰의 중독

2 정보화 시대에 도덕적 책임이 필요한 이유는 무엇일까?

1. 사이버 공간의 특성과 도덕적 책임의 필요성

(1) 사이버 공간의 특성

① 익명성: 나의 정체를 드러내지 않고 활동할 수 있음

② 개방성: 누구에게나 개방되어 있어 자유로운 의견 제시가 가능함

③ 공유성: 실시간으로 많은 사람과 정보를 공유할 수 있음

④ 비대면성: 상대방과 얼굴을 맞대지 않고 의사소통이 가능함

(2) 도덕적 책임의 필요성

① 익명성을 악용하여 무책임한 행동을 함

② 잘못된 정보의 개방과 공유로 인한 피해가 발생함

③ 비대면성의 특성으로 현실 공간에서 하기 어려운 말이나 행동을 쉽게 함

재미있는 도덕 읽기 | 밥 한 번, 스마트폰 한 번

– 출처: 공익광고협의회

자료 해설

과거 구두쇠들은 식비를 아끼려고 굴비를 천장에 매달아 놓고 밥 한 번, 굴비 한 번 보면서 밥을 먹었다고 한다. 광고는 스마트폰을 굴비처럼 매달아 놓은 모습과 '밥 한 번, 스마트폰 한 번'이라는 문구를 통해 식사할 때도 스마트폰에 시선을 빼긴 현대인들에게 '스마트폰 사용만큼은 구두쇠가 되어도 좋다'며 스마트폰 사용을 줄일 것을 권하고 있다.

이렇게 이해하세요

스마트폰 사용을 절제하지 못한다면 조화로운 인간관계를 유지하기 어려운 것은 물론 스마트폰 중독 증세까지 보일 수 있지요. 스마트폰은 꼭 필요한 경우에, 꼭 필요한 만큼만 사용하도록 합시다.

2. 정보화 시대에 요구되는 도덕적 원칙

(1) **존중의 원칙**: 나 자신이 존중받기를 원하는 것처럼 타인을 존중해야 함

(2) **책임의 원칙**: 내 행동으로 인한 결과를 생각하여 행동하고, 결과에 책임질 수 있어야 함

(3) **정의의 원칙**

① 타인의 기본적 자유와 권리를 침해하지 않아야 함

② 자신이 제공하는 정보의 진실성, 비편향성, 공정한 표현을 추구해야 함

비편향성: 한쪽으로 치우친 성질이 없음을 뜻함

(4) **해악 금지의 원칙**: 타인에게 피해를 주는 행위를 하지 않고, 피해 방지를 위해 노력해야 함

3 정보·통신 매체를 올바르게 사용하기 위해 어떠한 태도가 필요할까?

1. 정보·통신 매체의 올바른 사용 자세

(1) **정보·통신 매체의 무분별한 사용 문제**

① 게임 중독이나 인터넷 중독 → 자신이 할 일을 하지 못함

② 현실 공간에서 타인과 소통할 기회가 줄어듦 → 조화로운 인간관계 유지가 힘듦

(2) **정보·통신 매체의 올바른 사용 자세**

① 필요한 용도에 맞게 적절한 시간 동안 사용하는 절제의 자세가 필요함

② 긍정적으로 활용하려는 자세가 필요함

긍정적으로 활용하려는 자세: 예 개인의 정보 수집, 학습, 자기 계발, 여가 활동, 사회 문제에 대한 시민과의 소통, 친목 단체에서의 봉사 활동 등

정보·통신 매체의 활용이 증가하면서 여러 가지 문제가 발생하고 있다.

2. 정보·통신 매체의 올바른 사용 방법

(1) 필요한 경우에만 사용함

(2) 사용이 허용되는 시간과 장소를 분명히 인식하며 사용함

(3) 타인을 배려하고 성찰하는 자세를 지니고 사용함

(4) 사용에 몰두하기보다 나에게 소중한 사람들의 관계를 신경써야 함

• 인터넷 중독

지나친 인터넷 사용 때문에 일상생활에 장애가 발생하거나 심리적 문제가 발생하는 질환을 뜻한다.
인터넷 중독에 빠지면 시간 감각이 없어진다. 낮과 밤의 구분이 모호해지며, 사용 시간을 조절하는 능력이 떨어지고, 인터넷 사용을 절제하려는 시도는 매번 실패한다.
인터넷을 지나치게 오래 사용하면 현실 세계에서 해야 할 학업, 업무의 성과가 떨어지며, 대인관계가 줄어든다. 소아와 청소년의 경우 가족과 갈등을 일으키고, 폭언과 공격적 행동을 하는 등 반항적 태도를 보이는 경우가 많다.

재미있는 도덕 읽기 | **디지털 디톡스 선언**

스마트폰에 중독된 사람들을 지칭하는 신조어들이 등장하고 있다. '스몸비족(스마트폰 좀비족)'은 스마트폰에 열중하면서 걷는 사람들을 좀비에 빗댄 표현이다. '노모포비아'는 휴대 전화와 가까이 있지 않으면 불안감을 느끼는 사람을 뜻한다. 디지털 기기에 익숙해져 뇌가 현실에 무감각해지거나 무기력해지는 현상을 일컫는 '팝콘 브레인'도 있다.
스마트폰을 장시간 사용하면서 생기는 심리적, 신체적 질환들도 하나둘씩 밝혀지고 있다. 디지털 치매, 우울증, 손가락이나 목과 어깨의 통증 등이 대표적이다.
이와 같은 스마트폰 중독에서 벗어나기 위해 '디지털 디톡스'를 실천하는 사람들이 늘어나고 있다. 디톡스란 독소를 빼는 것으로, 디지털 디톡스는 디지털 기기의 사용 시간을 줄여 심신을 치유한다는 뜻이다. 디지털 단식, 디지털 금식이라고도 한다.
대학생 A 씨는 최근 디지털 디톡스를 맹렬하게 실천하고 있다. 이전에는 매일 십여 시간을 스마트폰을 사용했으나 요즘은 전화나 문자를 주고받는 일 외에 스마트폰을 들여다보지 않는다. A 씨는 "디지털 기기 사용을 과감하게 줄이고 시간이 나면 책을 읽거나 산책한다."라며, "장시간 눈이 침침해지는 현상이 사라지고 뭉친 근육들이 운동을 통해 풀어지면서 몸이 가벼워지고 있다."라고 전했다.

– ○○신문, 2017. 12. 28.

1 정보화 시대에 발생하는 도덕 문제에는 어떤 것이 있을까?

마음 열기 풀이

교과서 12쪽

자료 해설
사람들이 같은 공간에 있지만, 각자의 정보·통신 기기에 빠져 서로에게 관심이 없으며 대화와 소통이 단절된 상황이다.

1. 위 그림은 어떠한 상황인지 생각해 보자.

예시 답안 | 같은 공간에 있으나 각자 정보·통신 기기를 사용하느라 소통이 단절된 상황이다.

2. 내 경험을 떠올려 보고, 그림 속 친구들에게 하고 싶은 말을 써 보자.

예시 답안 | 손에서 스마트폰을 내려놓고 지금 네 곁에 있는 사람들과 대화를 나눠봐. 스마트폰 안의 세계보다 현실 공간에서 사람들과의 소통과 교류가 더 유익할 거야.

스스로 활동하기 풀이 정보화 시대에 변화한 우리 삶

교과서 13쪽

이것이 핵심
정보화 시대에서 현대인의 삶과 정보화 기술은 밀접한 관련이 있다. 정보화 기술의 발달에 따른 학생들의 일상생활과 소통 방식 등의 변화를 알아본다.

친절한 활동 안내
우리는 일상에서 정보·통신 기기를 많이 활용하고 있어. 정보화 시대를 살아가는 우리의 일상생활을 글과 그림을 통해 표현해 보고, 빠르게 변화하는 정보화 시대의 모습을 알아보자.

➔ 다음 예시를 보고 정보화 시대의 나의 일상을 그림과 글로 표현해 보자.

예시 답안 |

내가 좋아하는 가수의 음원이 발매되는 즉시 감상하고, 그 곡에 관해서 팬들끼리 함께 감상평을 나눌 수 있어.	나와 친구들은 학교 축제 무대에서 공연할 노래와 춤을 인터넷 동영상으로 찾아보며 연습하고 있어.

도덕으로 세상 보기 해설 정보화 시대가 낳은 '저두족'과 '스몸비족'

교과서 14쪽

이것이 핵심
정보화 기술의 발달에 따라 과거에는 없던 새로운 사회 문제들이 생겨나고 있다. 정보화 기술의 발전이 오히려 인간관계의 단절 외에 신체적, 정신적 건강의 위협 등의 부작용을 낳을 수 있음을 알고, 이를 경계한다.

➔ 나도 스마트폰 사용에 빠져 일상생활에서 문제가 생긴 적은 없는지 생각해 보자.

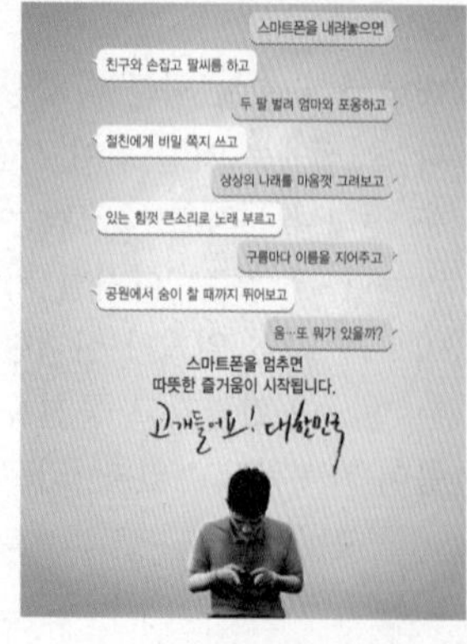

예시 답안 | 집에서 스마트폰 게임을 하느라 시간 가는 줄 모르다가 학원에 가는 버스를 놓친 적이 있다. 학교에서는 집에서 하던 스마트폰 게임 생각에 수업에 집중할 수 없었다. / 친구와 SNS로 대화를 하느라 밤을 샌 적이 있다. 다음날 학교에서도 수업 시간에 SNS를 하다가 선생님께 걸려 혼이 났다. / 자기 전에 스마트폰으로 인터넷 쇼핑을 하는 습관이 생겼다. 어두운 방에서 밝은 스마트폰 화면을 오래 보니 눈이 시리고 아프다. 스마트폰으로 인터넷 쇼핑을 하다 늦게 잠드는 날이면 다음날 하루종일 졸리고 피곤하다.

함께 활동하기 풀이 정보화 시대의 빛과 그림자

교과서 15쪽

→ 다음 활동을 하며 정보화 시대의 바람직한 삶의 모습을 생각해 보자.

1. 정보화 시대의 우리 삶이 어떻게 변하였는지 모둠원과 이야기해 보자.

예시 답안 | 정보화 시대에서는 시간과 공간의 제약을 벗어날 수 있다. 예를 들어, 과거에는 직접 시장에 가서 물건을 골라 샀다면, 이제는 장소에 구애받지 않고 스마트폰으로 물건을 사고 지정된 시간에 집으로 배송을 받을 수 있다. / 정보화 시대에서는 인간관계를 맺는 방식이 달라졌다. 직접 얼굴을 맞대고 이야기하지 않아도 소통이 얼마든지 가능하게 되었다. 그러나 자신의 성격을 감추거나 감정을 거짓으로 표현하는 일도 쉬워졌다.

2. 정보화 시대에 나타나는 긍정적 모습과 부정적 모습을 모둠원과 토의하여 써 보자.

예시 답안 |

정보화 시대의 긍정적 모습	정보화 시대의 부정적 모습
• 자신의 의견을 쉽게 표출할 수 있다. • 원하는 정보를 손쉽게 찾을 수 있다. • 집안에서 물건을 구매하고 받아보는 등 생활이 편리해졌다. • 공간적으로 멀리 떨어진 사람들과 소통을 할 수 있다.	• 부정확한 정보를 구별하기 어렵다. • 사이버상에서 사기, 명예 훼손, 사이버 폭력 등의 범죄 행위가 이루어진다. • 소통 과정에서 상대방의 반응을 지나치게 빨리 요구한다. • 정보의 격차가 발생할 수 있다.

3. 정보화 시대의 바람직한 생활 모습에 관해 모둠원과 이야기해 본 다음 정리해 보자.

예시 답안 | 현실에서의 자기 모습과 사이버상에서의 자기 모습 사이의 괴리가 크지 않도록 책임 있는 자세를 지녀야 한다. / 사이버상에서 자신의 행동에 따른 결과를 예상하며 활동해야 한다. / 정보화 기기에 지나치게 의존해서는 안 된다.

이것이 핵심

정보화 시대의 장단점을 정리해 봄으로써 정보화 시대에서 개인이 지녀야 할 바람직한 자세를 알아보고, 실천해 본다.

친절한 활동 안내

정보화 시대의 긍정적 모습으로는 멀리 떨어진 사람들과 소통할 수 있다는 점이 있어. 반면, 정보·통신 기기를 활용한 소통은 직접적인 대인 관계를 형성하기 어렵게 만들기도 해. 이와 같이 자신이 생각하는 정보화 시대의 긍정적 모습과 부정적 모습을 써 보자.

배움 정리하기 풀이

✔ 사이버 공간

✔ 예 인간의 존엄성을 훼손하는 악성 댓글, 악의적인 비난, 인격 모독 등이 있다.

재미있는 도덕 읽기 악플의 진화, '사이버 불링' 극성

최근 인터넷에서 발생하는 집단 괴롭힘, *'사이버 불링'이 극성이다. 사이버 불링은 사이버 공간에서의 불특정 다수의 가해 행위로, 악성 댓글, 언어폭력, 성폭력, 사진·동영상 유포, 소문 생산, 스토킹 등이 이에 해당한다.

한동안 연예인 등 유명인에게 주로 가해지던 사이버 불링이 소셜 네트워크 서비스(SNS) 스타나 인터넷 쇼핑몰 모델처럼 유명세를 치르는 일반인에게도 **신상털기나 잘못된 소문의 유포, 스토킹, 막말, 성희롱 등의 사이버 폭력이 가해지고 있다. 사이버 불링으로 자살에까지 이르는 피해자도 있는만큼, 사이버 불링은 표현의 자유가 아닌 명백한 가해 행위이다.

사이버 불링은 일차적으로 맹목적인 비난, 잘못된 소문 등을 만든 당사자의 잘못이다. 그러나 사이버 불링은 대부분 익명성에 기댄 발언이 많아 가해자를 밝혀내기 어렵다. 그래서 사이버 불링을 막기 위해 이슈를 끄집어내는 일을 하는 언론의 책임이 요구되고 있다.

*사이버 불링(cyber bullying): 미국 한 대학의 아동범죄 예방센터에서 처음 사용한 용어로, 국내에서 사이버 불링은 사이버 집단 괴롭힘이나 사이버 폭력 등을 일컫는다.

**신상털기: 특정인의 신상 관련 자료를 인터넷 검색을 통해 찾아내어 다시 인터넷에 퍼뜨리는 등의 무차별 공격을 하는 사이버 테러의 일종을 뜻한다.

– ○○신문, 2017. 12. 26.

2 정보화 시대에 도덕적 책임이 필요한 이유는 무엇일까?

마음 열기 풀이

교과서 16쪽

자료 해설
인터넷에서 중고 물품 거래를 한 사람이 사이버 사기를 당한 상황이다. 사이버 공간에서는 상대방과 직접 얼굴을 맞대고 소통이 이루어지지 않는다는 특성 때문에 사용자의 책임감이 약화될 수 있다.

1. 만약 내가 위와 같은 경험을 한다면 기분이 어떨지 써 보자.

예시 답안 | 판매자를 철저히 확인하지 않고 인터넷 거래를 한 자신이 원망스러울 것이다. / 나를 속인 사람에게 매우 화가 날 것 같다.

2. 사이버 공간에서도 책임이 요구되는 까닭은 무엇인지 생각해 보자.

예시 답안 | 사이버 공간에서도 사람 간의 소통이 이루어지며, 사람과 사람 사이의 관계에는 책임이 요구되기 때문이다.

스스로 활동하기 풀이 사이버 공간의 특성은?

교과서 17쪽

이것이 핵심
사이버 공간의 특성으로 인해 발생하는 악성 댓글에 대해 생각해 보고, 악성 댓글과 같은 범죄가 개인과 사회에 미치는 부정적 영향을 제시한다.

친절한 활동 안내
악성 댓글은 개인은 물론 사회에 부정적인 영향을 줄 수 있어. 내 모습이 쉽게 드러나지 않는 사이버 공간이라도 도덕적 책임을 지는 자세가 필요함을 깨닫도록 하자.

1. 사이버 공간에서 '악성 댓글'을 다는 까닭은 무엇일까?

예시 답안 | 보이지 않는 상대에게 하고 싶은 말을 거르지 않고 해도 내가 누구인지 드러나지 않기 때문이다. / 악성 댓글을 통해 나의 스트레스를 해소하기 때문이다. / 현실의 내 모습이 드러나지 않은 상태에서는 누군가를 공격하기 쉽기 때문이다.

2. 악성 댓글이 개인과 사회에 미치는 부정적 영향에 관해 생각해 보자.

예시 답안 |

개인에게 미치는 부정적 영향	사회에 미치는 부정적 영향
• 자신의 인격을 스스로 침해한다. • 타인의 명예를 훼손한다. • 타인의 마음에 큰 상처를 준다.	• 잘못된 정보의 유통으로 사회 혼란을 일으킬 수 있다. • 비도덕적인 사회 분위기를 조장한다.

스스로 활동하기 풀이 사이버 공간의 특성으로 인한 문제와 책임

교과서 18쪽

이것이 핵심
정보화 시대에서 꼭 필요한 도덕적 원칙에 대해 고민해 보고, 사이버 공간에서 일어날 수 있는 문제에 책임지는 자세를 지닌다.

친절한 활동 안내
사이버 공간은 개방성, 공유성으로 인해 누구나 잘못된 정보를 올릴 수 있고 잘못된 정보가 널리 퍼질 수 있어. 그리고 그 피해 정도는 생각보다 매우 클 수 있어. 사이버 공간에서 나로 인한 피해자가 발생하지 않도록 조심하자.

1. '트루먼 스쿨'의 학생이 되어 '트루먼의 진실' 사이트가 생긴 후의 문제에 대해 건의하는 글을 남겨 보자.

예시 답안 | 안녕하세요. 최근 '트루먼의 진실' 사이트가 운영자의 의도와는 전혀 다른 공간으로 전락하여 정말 안타까웠습니다. 얼마 전, 이 사이트에 같은 학교 학생을 괴롭히는 악의적이고 부도덕한 글이 올라왔었습니다. 앞으로는 이 사이트에서 정확하지 않은 정보를 마치 사실인 것처럼 게시하는 글을 쓰거나, 다른 사람의 인격이나 명예를 훼손하는 글을 게시하는 사람은 사이트 내에서 활동을 중단시키는 규칙을 만들었으면 합니다. 그리고 활동 중단 규정을 세 번 받으면 운영자가 강제 탈퇴시키는 규칙도 제안합니다.

2. 내가 인터넷 사이트를 운영할 경우, 이용자들이 지켜야 할 규칙 세 가지를 구체적으로 제시해 보자.

예시 답안 | 첫째, 다른 사람의 인격이나 명예를 훼손하는 게시글이나 댓글을 금지한다. 둘째, 정확하지 않은 정보를 사실인 것처럼 게시하는 글을 금지한다. 셋째, 위의 두 규칙을 세 번 이상 어긴 사용자는 운영자가 강제로 탈퇴시킨다.

함께 활동하기 풀이 행복한 정보화 시대를 위한 '우리 함께' 캠페인

교과서 19쪽

➡ 우리 모두가 행복한 정보화 시대를 만들기 위한 등굣길 캠페인을 계획하여 실천해 보자.

1. 행복한 정보화 시대를 위해 우리가 지켜야 할 점을 모둠원과 토의하여 써 보자.

예시 답안 |

정보는 진위를 살핀 다음에 올바른 것만을 활용한다. / 사이버 공간에서도 타인의 기본적인 권리를 침해하지 않는다. / 정확하지 않은 정보는 공유하지 않는다. / 스마트폰을 지나치게 많이 사용하지 않는다. / 현실 공간에서의 인간관계도 소중하게 생각한다.

2. 토의한 내용을 바탕으로 '우리 함께' 캠페인에서 사용할 세 가지 구호를 만들고 팻말을 꾸며 보자.

예시 답안 |

3. 완성한 팻말을 들고 등굣길 캠페인을 한 후 소감을 써 보자.

예시 답안 |

친구들이 관심을 주어 기분이 좋았다. 특히 나의 팻말 내용에 친구들이 공감하는 반응을 보여서 매우 뿌듯하고 기뻤다.

이것이 핵심

정보화 시대를 살아가는 현대인으로서 나와 타인의 인격과 명예를 존중하는 캠페인을 계획해 보고, 실행한다.

친절한 활동 안내

행복한 정보화 사회를 만들기 위한 캠페인을 직접 계획하고 실천해 보자. 이러한 활동을 통해 바람직한 정보화 사회의 시민으로 성장할 수 있을 거야.

배움 정리하기 풀이

✔ 개방성, 공유성, 비대면성
✔ 책임, 정의, 해악 금지

재미있는 도덕 읽기 "저 범인 아니에요." SNS으로 퍼진 허위 사실에 엉뚱한 시민 피해 속출

며칠 전 소셜 네트워크 서비스(SNS)에 10대들이 또래를 폭행한 사건의 가해 학생 중 한 명이 경찰의 딸이라는 글이 올라왔다. 전날 오전부터 급속도로 퍼진 이 소문은 언론 보도로 불거진 경찰의 수사 축소 논란과 연관 지어져 걷잡을 수 없이 번졌다. 그러나 이는 잘못된 소문이었고 경찰이 '허위 사실'임을 공표하면서 해당 글은 삭제되고 있다. 그러나 이 소식을 모르는 누리꾼들은 여전히 잘못된 정보를 확대·재생산하고 있다.

잘못된 정보가 파급력이 큰 소셜 네트워크 서비스를 통해 삽시간에 퍼지면서 사건과 무관한 2차 피해자들의 고통도 커지고 있다. 가해 학생과 같은 학교에 다니는 한 여학생은 '가해자와 같은 학교'라는 이유만으로 지나가던 행인에게 뺨을 맞기도 했다. 해당 학교에는 매일 수백 통씩 항의 전화가 걸려오거나 해당 학교의 학생들은 택시 승차를 거부당하기도 하는 것으로 전해졌다. 해당 학교의 한 학부모는 궁여지책으로 일정 기간 학생들에게 사복을 입히는 방안을 건의하기도 했다.

– ○○신문, 2017. 9. 7.

3 정보·통신 매체를 올바르게 사용하기 위해 어떠한 태도가 필요할까?

마음 열기 풀이

교과서 20쪽

자료 해설
오늘날 많은 현대인이 정보·통신 매체를 무분별하게 사용하는 습관으로 스마트폰 중독, 가족이나 가까운 사람들과의 소통 단절 등의 문제를 겪고 있음을 지적하는 공익 광고이다.

1. 위의 공익 광고가 전달하고자 하는 것은 무엇인지 써 보자.

예시 답안 | 정보·통신 매체의 사용을 스스로 조절하지 못하고 무분별하게 사용하여 중독에까지 이를 수 있음을 경고하는 내용으로, 지나친 스마트폰 사용 문제를 지적하고 있다.

2. 나의 정보·통신 매체 사용 습관은 어떤지 성찰해 보자.

예시 답안 | 스마트폰으로 게임을 하거나 소셜 네트워크 서비스(SNS)를 통해 친구들과 대화하느라 스마트폰을 많은 시간 사용하는 편이다. 스마트폰 사용을 절제하려고 노력하지만 뜻대로 되지 않을 때가 많다.

스스로 활동하기 풀이 '똑똑한 검지' 활용법

교과서 21쪽

이것이 핵심
애플리케이션, 웹 사이트와 같이 현대인에게 친숙한 정보·통신 매체를 바람직하게 활용할 수 있는 실제적 방안을 고민한다.

친절한 활동 안내
정보화 사회의 수많은 매체를 바람직하게 활용하면 우리 생활에 많은 도움을 받을 수 있어. 유용한 애플리케이션, 추천할 만한 웹 사이트를 찾아보고 친구들에게도 소개해 보자.

➡ 각 분야의 유용한 애플리케이션이나 웹 사이트를 소개하고 바람직한 활용 방법을 정리해 보자.

예시 답안 |

분야	애플리케이션 또는 웹 사이트 명칭	바람직한 활용 방법
정보 수집	(가칭) 예비 고딩, 여기 다!	고등학교 진로에 도움이 되는 각종 정보를 얻는다.
학습	(가칭) 똑똑한 수학 닷컴	자기 수준에 맞는 수학 문제를 풀며 실력을 쌓는다.
자기 계발	(가칭) 독서 클럽	좋은 책을 서로 추천하며 감상평을 나눈다.
여가 활동	(가칭) 자전거 타는 사람	자전거를 좋아하는 사람들끼리 모여 한강에서 자전거를 탄다.

스스로 활동하기 풀이 정보·통신 매체를 올바르게 사용하기 위한 나의 약속

교과서 23쪽

이것이 핵심
정보·통신 매체의 올바른 사용에 대한 필요성을 인식하고, 책임감을 지니고 이를 활용하도록 자기 다짐을 한다.

친절한 활동 안내
정보·통신 매체는 잘못 사용하면 독이 되지만 바람직한 방향으로 활용한다면 생활에 많은 도움을 받을 수 있어. 정보·통신 매체를 올바른 방향으로 사용할 수 있도록 스스로 다짐해 보자.

➡ 나의 정보·통신 매체 사용에 대해 성찰하고, 정보·통신 매체를 올바르게 사용하는 데 필요한 구체적인 실천 방법 세 가지를 써 보자.

예시 답안 |

• **나의 약속**

– 첫째, 정보·통신 매체를 지나치게 사용하여 일상생활에 지장을 주지 않을 것입니다.
– 둘째, 정보·통신 매체를 나의 발전에 도움이 되는 방향으로 사용할 것입니다.
– 셋째, 정보·통신 매체를 통해 만난 사람들에게 예의를 지킬 것입니다.

• **친구들의 격려와 서명**

– 너의 약속이 꼭 지켜지길 응원할게.
– 자신과의 약속을 잘 지키는 내 친구가 되길 바라.
– 훌륭한 생각을 해낸 것 같아. 옆에서 응원할게.

함께 활동하기 풀이 '따뜻한 엄지'로 실천하는 마음을 담은 소통

교과서 24쪽

➔ 정보·통신 매체를 활용하여 내 주변 사람에게 사랑, 감사, 사과 등의 따뜻한 마음을 전해 보자.

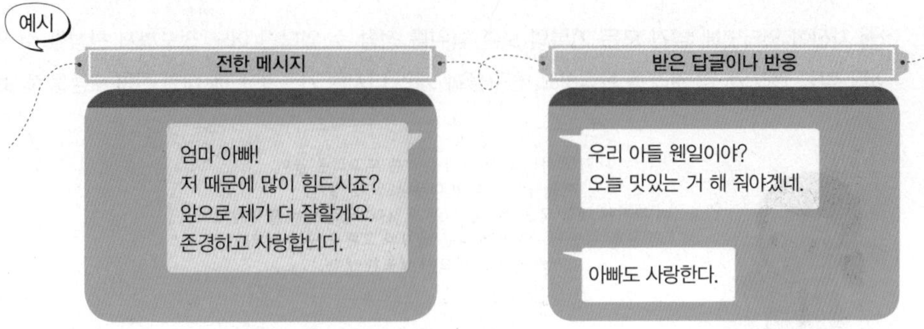

1. 내가 전한 메시지와 상대방에게서 받은 반응을 기록해 보자.

예시 답안 |

전한 메시지	받은 답글이나 반응
○○야, 나와 많은 시간 함께 해 주어 고마워. 너처럼 좋은 친구가 있어서 행복하게 학교에 다니고 있어.	뜬금없이 무슨 소리야? 하하. 사실은 나도 네가 있어서 너무 좋아!
선생님, 지난 수업 시간에 집중하지 않고 수업에 방해가 되는 행동을 해서 죄송합니다. 앞으로는 더 잘 하겠습니다.	그래. 반성하고 있다니 다행이구나. 앞으로 지켜볼게.

2. 이 활동을 통해 느낀 점을 모둠원과 돌아가며 이야기해 보자.

예시 답안 | 쑥스럽고 부끄러웠지만, 속마음을 표현할 수 있어서 후련했다. / 평소 지니고 있던 마음을 문자로 표현할 수 있어서 좋았다.

이것이 핵심

정보·통신 매체는 인간관계를 단절시키는 수단이 아니라 서로의 소통과 관계를 돕는 연결 고리가 되어야 한다. 정보·통신 매체를 통해 주변 사람들과 소통해 본다.

친절한 활동 안내

직접 얼굴을 맞대고 속마음을 나누는 일은 어려울 때가 많아. 정보·통신 매체의 특성인 비대면성을 활용하여 평소 하지 못했던 따뜻한 진심을 전해 보자.

배움 정리하기 풀이

✔ 절제
✔ 예 스마트폰을 사용할 때에는 스스로 정한 시간까지만 사용하겠다.

재미있는 도덕 읽기 선플 달기 운동

'선플'이란 '善'과 'Reply'의 합성어로, '선의적인 댓글'을 의미하며 '악의적인 댓글'인 '악플'의 반대어이다. 인터넷상에 악성 댓글이 올라와도 누군가 선플을 달면 악성 댓글의 수가 급격히 떨어진다. 또한 선플은 악성 댓글을 달며 감정적으로 상대를 매도하고 공격하는 네티즌들에게 다시 한번 자신을 돌아볼 기회를 준다. 이처럼 선플은 악성 댓글이 주도하는 댓글 문화를 건전한 토론 문화로 바꾸는 역할을 한다.

선플 달기 운동은 악성 댓글로 고통받는 사람들에게 용기와 희망을 주는 선플을 달아주는 운동이다. 이 운동의 취지는 인터넷 이용자들에게 근거 없는 악플이 당사자들에게 얼마나 큰 고통과 피해를 주는지를 인식하게 하여 아름다운 인터넷 문화, 아름다운 사회를 가꾸어 나가자는 것이다. 선플 달기 운동은 생명을 소중하게 생각하는 생명 운동인 동시에 바르고 아름다운 언어 사용을 통해 생각과 행동을 바꾸는 사이버 시대의 정신 문화 운동이다.

선플의 종류

1. 칭찬이 필요한 사람에게 먼저 다는 칭찬 선플
2. 격려가 필요한 사람에게 먼저 다는 격려 선플
3. 친절을 베푼 사람에게 먼저 다는 감사 선플
4. 슬픔을 겪고 있는 사람에게 먼저 다는 위로 선플
5. 사과하고 싶은 사람에게 먼저 다는 사과 선플
6. 용서하고 싶은 사람에게 먼저 다는 용서 선플
7. 화해하고 싶은 사람에게 먼저 다는 화해 선플

중단원 마무리

토론·토의 체험 활동 글쓰기 역할놀이 교과서 26쪽

'잊힐 권리'와 '알 권리', 어느 것이 더 중요할까?

이것이 핵심

'잊힐 권리'와 '알 권리'에 대한 자신의 입장과 근거를 제시한다. 나와 다른 의견을 가진 친구의 주장도 경청하며 나의 최종 의견을 정리한다.

친절한 활동 안내

사이버 공간에서 개인의 기록에 대한 보존 범위는 어디까지 허용되어야 할까? '잊힐 권리'와 '알 권리'의 가치 중 더 중요시되어야 할 가치는 무엇일까? 이에 대한 나의 의견을 정리하고, 토론에 적극적으로 참여해 보자.

→ 자신이 인터넷에 남긴 모든 기록의 보존 범위를 정할 수 있다면 어느 정도까지 찬성할 수 있을까? '잊힐 권리'와 '알 권리'를 학습하고, 친구들과 '개인 디지털 기록 보존'에 대한 찬반 토론을 해 보자.

1. 모둠원과 '개인 디지털 기록 보존'에 관한 의견을 정리하고 토론해 보자.

예시 답안 |

나의 의견	나와 다른 의견
• **주장**: '알 권리'가 우선이다. • **근거**: 개인의 사생활이 아닌 공인의 과거 행적에 관해서는 '알 권리'가 우선이다. 공인에게 과거의 행적을 지울 권리를 준다는 것은 그 사람에 대한 공정한 평가를 어렵게 만든다.	• **주장**: '잊힐 권리'가 우선이다. • **근거**: 개인의 정보에 관한 권리는 그 개인에게 있다. 과거의 잘못이나 잊고 싶은 경험들을 타인이 알 수 있게 남겨두는 것은 개인에게는 형벌이 될 수 있다.

2. 토론을 마친 후 나의 최종 의견을 정리해 보자.

예시 답안 | 타인에게 큰 피해가 가지 않았지만 스스로 부끄러웠던 행동과 같은 개인적인 부분에 대해서는 잊힐 권리를 적용해도 무관하다. 그러나 범죄 사실, 사회적인 물의를 일으킨 사건 등 공적인 부분에서는 잊힐 권리가 주장되어서는 안 된다. 그렇지 않으면 범죄자나 비도덕적인 인물이 우리 사회에 뻔뻔하게 잘 사는 것을 지켜볼 수밖에 없게 될 것이다.

재미있는 도덕 읽기 '잊힐 권리'와 '알 권리'

과거에 올린 사진 한 장, 댓글 하나가 발목을 잡는 일이 잦아졌다. 피해자들은 과거 게시물을 아무리 지우려 해도 불가능한 현실에 절망한다. 이에 온라인 게시물 관리자 등에게 자신과 관련된 게시물을 지워달라고 요청할 수 있는 '잊힐 권리'가 부상 중이다.

이 권리는 3년 전 스페인 변호사 마리오 곤잘레스가 '과거에 빚 때문에 집이 경매된 내용의 기사가 구글에서 검색되지 않도록 해달라.'는 소송에서 승소한 뒤부터 본격 대두되었다.

그러나 모두 잊힐 권리를 명분으로 삭제할 수 있다면 범죄자는 전과 기록을, 권력자는 자신에게 불리한 게시물을 모두 없애 '알 권리'도 훼손될 것이다.

이에 우리나라 방송통신위원회 지침은 본인이 작성한 게시물에 한해 삭제 요청을 할 수 있도록 하고 있다. 그러나 모든 게시물을 삭제할 수 있는 것은 아니다. 공익적 게시물이나 언론사 기사는 삭제 대상에서 제외된다.

- ○○신문, 2017. 8. 31.

개념 확인 문제

01 다음 내용이 옳으면 ○표, 틀리면 X표 하시오.

(1) 사이버 공간에서는 인간의 존엄성을 훼손하는 일이 있더라도 어느 정도 허용된다. ( )
(2) 사이버 공간은 현실 공간과 분리될 수 있으며 현실 공간보다 더욱 중요한 위치를 차지한다. ( )
(3) 정보화 시대에는 통신 수단 등의 발달로 정보의 유통, 소비 등이 더욱 빠르게 이루어진다. ( )
(4) 정보·통신 매체의 무분별한 사용은 자신에게 피해를 주지만 타인에게 미치는 영향은 없다. ( )

02 빈칸에 들어갈 알맞은 단어를 쓰시오.

(1) (   ) 공간의 등장은 공간의 제약 없이 멀리 떨어진 사람과도 소통하고 정보를 주고받도록 만들었다.
(2) 정보·통신 매체를 사용할 때는 필요한 용도에 맞게 적절한 시간 동안 사용하는 (   )의 자세가 필요하다.

03 밑줄 친 '이것'은 무엇인지 쓰시오.

> <u>이것</u>은 정보화 시대에 우리가 지켜야 할 도덕적 원칙 중 타인에게 피해를 주는 행위를 하지 않아야 하며, 피해를 방지하기 위해 노력해야 함을 뜻하는 원칙이다.

04 사이버 공간의 특성에 대한 설명을 바르게 연결하시오.

(1) 익명성 •	• ㉠ 누구에게나 개방되어 있음
(2) 개방성 •	• ㉡ 정보를 많은 사람과 공유함
(3) 공유성 •	• ㉢ 자신의 정체를 드러내지 않고 활동함
(4) 비대면성 •	• ㉣ 상대방과 얼굴을 맞대지 않고 소통함

실력 점검 문제

01 정보화 시대에 대한 설명으로 가장 적절한 것은?

① 멀리 떨어진 사람과 소통이 불가능하다.
② 정보의 대량 생산, 유통, 소비 등이 더디게 이루어진다.
③ 정보를 주고받는 것은 가능하지만 상품을 거래할 수는 없다.
④ 사이버 공간의 등장은 다양한 인간관계를 맺는 것을 방해한다.
⑤ 사이버 공간은 현실 공간과 분리할 수 없을 정도로 중요한 공간이 되었다.

02 밑줄 친 부분에 해당하는 사례로 적절하지 <u>않은</u> 것은?

> 정보화 시대에는 컴퓨터나 다중 매체, 통신 수단 등이 발달한다. 특히, 사이버 공간의 등장은 <u>많은 것을 가능하게 하고 삶의 방식을 다양하게 변화</u>시키고 있다.

① 멀리 떨어진 사람과 소통한다.
② 다른 나라의 상품을 구매한다.
③ 나이의 제한 없이 인간관계를 맺는다.
④ 타 지역 사람들과 정보를 주고받는다.
⑤ 전 세계의 화폐를 통일하여 사용한다.

중요
03 밑줄 친 '도덕 문제'에 해당하는 예로 옳지 <u>않은</u> 것은?

> 정보·통신 매체와 기술의 발달로 우리 생활은 편리해졌지만 새로운 <u>도덕 문제</u>가 발생하고 있다.

① 인간의 존엄성 훼손
② 타인의 사생활 침해
③ 타인의 지식 재산권 침해
④ 정보·통신 기술의 불법적 사용
⑤ 스마트폰 중독으로 인한 정서적 안정

실력 점검 문제

04 다음 글을 읽고 얻을 수 있는 교훈으로 가장 적절한 것은?

> '스몸비족'은 '스마트폰'과 '좀비'의 합성어로, 스마트폰 사용에 푹 빠져 외부 세계와 단절된 사람을 일컫는다. 핀란드의 한 사회학자가 "휴대 전화는 서로 멀리 떨어져 있는 사람들이 접촉할 수 있도록 해 주고, 접촉하고 있는 사람들이 따로 떨어져 있도록 해 준다."라고 말한 것처럼, 스마트폰에는 순기능도 있고 역기능도 있다.

① 스마트폰은 이로울 것이 없는 기기이다.
② 스마트폰의 등장으로 많은 사람이 피해를 보았다.
③ 스마트폰을 사용할 때는 그 순기능을 살릴 수 있도록 해야 한다.
④ 스마트폰 사용에 빠지는 사람이 많은 사회일수록 사회 발전이 빠르다.
⑤ 정보·통신 매체는 중독성이 강하기 때문에 정부에서 사용에 제한을 두어야 한다.

05 사이버 공간의 익명성에 대한 올바른 설명만을 〈보기〉에서 있는 대로 고른 것은?

보기

ㄱ. 익명으로 인해 자유로운 의견 제시가 가능하다.
ㄴ. 익명성을 악용하여 무책임한 행동을 하는 사례가 발생하기도 한다.
ㄷ. 익명성은 '상대방과 얼굴을 맞대지 않고 의사소통을 할 수 있는 특성'을 뜻한다.
ㄹ. 사이버 공간에서는 익명성으로 인해 불법적인 행동을 할지라도 큰 책임을 지지는 않는다.

① ㄱ, ㄴ ② ㄱ, ㄷ ③ ㄴ, ㄷ
④ ㄱ, ㄴ, ㄷ ⑤ ㄴ, ㄷ, ㄹ

06 다음 대화에서 을의 대답으로 옳지 않은 것은?

> 갑: 정보화 시대에 우리가 지켜야 할 도덕적 원칙에는 어떤 것이 있을까?
> 을: [   ]

① 정의의 원칙을 지켜야 해.
② 존중의 원칙을 지켜야 해.
③ 책임의 원칙을 지켜야 해.
④ 해악 금지의 원칙을 지켜야 해.
⑤ 익명성 금지의 원칙을 지켜야 해.

07 정보화 시대에서 지켜야 할 정의의 원칙에 대한 설명으로 옳은 것은?

① 자신이 행동한 결과에 대한 책임을 져야 한다는 원칙이다.
② 자신이 존중받기를 원하는 것처럼 타인을 존중해야 한다는 원칙이다.
③ 자신의 행동으로 인한 결과를 생각하여 더욱 신중하게 행동해야 한다는 원칙이다.
④ 자신이 제공하는 정보의 진실성, 비편향성, 공정한 표현을 추구해야 한다는 원칙이다.
⑤ 타인에게 피해를 주는 행위를 해서는 안 되며, 피해를 방지하기 위해 노력해야 한다는 원칙이다.

08 다음 사례의 원인으로 가장 적절한 것은?

> • 게임 중독이나 인터넷 중독에 빠져 자신이 해야 할 공부나 협력 과제 등을 소홀히 함
> • 현실 공간에서 타인과 소통할 기회가 줄어들면서 조화로운 인간관계를 유지하기 어려움

① 사이버 공간의 비대면성
② 정보·통신 매체의 공급 부족
③ 정보·통신 매체의 지나친 절제
④ 정보·통신 매체의 무분별한 사용
⑤ 정보화 시대에서의 부익부 빈익빈 현상

중요

09 ㉠에 들어갈 용어로 옳은 것은?

> 정보·통신 매체를 사용할 때는 필요한 용도에 맞게 적절한 시간 동안 사용하는 [㉠]의 자세가 필요하다.

① 관용　② 배려　③ 절약
④ 절제　⑤ 헌신

10 정보·통신 매체를 올바르게 사용하는 인물만을 〈보기〉에서 있는 대로 고른 것은?

보기

> 갑: 스마트폰에서 꼭 필요한 애플리케이션을 내려받아 사용한다.
> 을: 수업 시간 중에 궁금한 내용을 확인하기 위해 스마트폰을 사용한다.
> 병: 전자 우편을 보낼 때 상대는 보이지 않으므로 예의를 갖추지 않았다.

① 갑　② 을　③ 병
④ 갑, 을　⑤ 을, 병

11 정보·통신 매체를 올바르게 사용하는 방안으로 적절하지 <u>않은</u> 것은?

① 필요한 경우에만 사용한다.
② 사용 시 타인을 배려하고 성찰하는 자세를 지닌다.
③ 사용이 허용되는 시간과 장소를 분명히 인식하며 사용한다.
④ 사용에 몰두하여 다른 사람과의 관계가 소원해지더라도 개의치 않는다.
⑤ 나에게 소중한 사람들의 관계를 먼저 생각하는 존중의 마음을 가진다.

서술형

12 밑줄 친 '도덕 문제'에 해당하는 사례를 <u>두 가지</u> 이상 서술하시오.

> 정보화 시대에 나타나는 <u>도덕 문제</u>는 자신과 타인 나아가 사회에 피해를 준다.

13 ㉠에 들어갈 알맞은 용어를 밝히고, ㉠의 특성으로 인해 발생할 수 있는 문제점을 서술하시오.

> 사이버 공간은 자신의 정체를 드러내지 않고 활동을 할 수 있는 [㉠](이)라는 특성을 지닌다.

14 A에게 필요한 올바른 정보·통신 매체 사용 자세를 서술하시오.

> A: 나는 스마트폰으로 많은 일을 한다. 친구에게 할 말이 있을 때는 같은 교실에 있어도 스마트폰의 대화창을 연다. 극장에서 영화를 보다가도 스마트폰을 꺼내 SNS를 확인하기도 한다.

자유 학기제를 대비하는

수행 평가

1 정보 · 통신 윤리

1 '올바른 스마트폰 사용 문화' 공익 광고 만들기

memo

➔ '올바른 스마트폰 사용 문화'를 주제로 한 공익 광고를 만들어 보자.

(1) 주제: 올바른 스마트폰 사용 문화
예 악성 댓글 금지, 스마트폰 중독 예방, 스마트폰으로 인한 인간관계 단절의 경계 등
(2) 광고 형태: 영상, 인쇄물, 웹툰 등
(3) 광고 시간: 15초~30초
(4) 참고 사이트: 한국방송광고공사(www.kobaco.co.kr)

제목	
주제	
광고 콘셉트	
모둠별 역할	• 감독: • 편집: • 촬영: • ( ): • 출연: • ( ):
줄거리	
주요 광고 문구	
광고를 통해 얻고자 하는 효과	

2 스마트폰 휴(休)요일 실천하기

memo

스마트폰 휴(休)요일이란?
일주일 중 스마트폰을 사용하지 않는 하루를 말합니다. 정보·통신 기기의 바람직한 활용을 위해 스마트폰 휴(休)요일을 정하고 실천해 봅시다.

1 나의 스마트폰 사용 습관을 되돌아보자.

- 나는 스마트폰을 (적절하게 사용한다. / 지나치게 많이 사용한다.)
  그 이유는 ________________ (이)다.
- 내가 스마트폰을 통해 주로 시간을 보내는 것은 무엇인가?
  ____
- 스마트폰 휴(休)요일에 스마트폰을 사용하는 대신 어떤 일을 할 수 있을까?
  ____

2 나의 스마트폰 휴(休)요일을 정하고, 이를 지키기 위한 각오를 적어 보자.

- 내가 정한 스마트폰 휴(休)요일: ________________
- 나의 각오: ________________

3 스마트폰 휴(休)요일을 한 달 동안 실천해 본 후 스스로 평가해 보자.

지켜야 할 일	시기	평가				
		매우 잘함	잘함	보통	미흡	매우 미흡
• 휴(休)요일에 스마트폰을 사용하지 않기 • 스마트폰을 사용하지 않는 시간을 다른 일을 하며 잘 활용하기	1주					
	2주					
	3주					
	4주					

4 스마트폰 휴(休)요일을 잘 지킨 비결과 잘 지키지 못한 원인을 생각해 보자.

잘 지킨 비결	잘 지키지 못한 원인

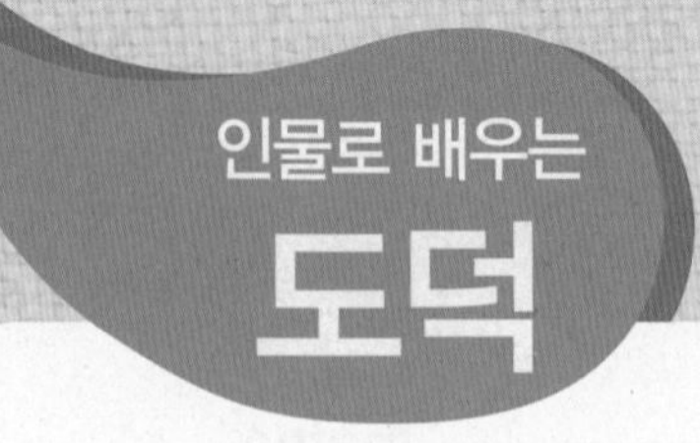

백성들의 삶을 먼저 살핀 실학자

정약용

(丁若鏞, 1762~1836)

이번에 소개할 인물은 정약용입니다.
정약용의 호는 다산(茶山)으로,
18세기 실학사상을 집대성한 한국 최대의 실학자이자 개혁가입니다.
오늘날 정약용은 조선 후기 사회가 배출한 대표적인 실학자로 평가받고 있습니다.

당시 조선의 양반 지주는 땅을 소유하여 부자로 지냈지만
정작 농사를 짓는 농민은 땅도 없이 힘겹게 사는 사람이 많았습니다.
이에 정약용은 토지 제도를 개혁해
실제로 농사를 짓는 사람들에게 토지를 나누어 주자고 주장하였습니다.

정약용은 정조를 도와 수원 화성을 지었습니다.
수원 화성과 같이 큰 규모의 성을 쌓으려면
당시 기술로는 약 10년이 필요했지만
정약용이 '거중기'라는 기계를 만들어 사용한 결과
실제 수원 화성의 건축 기간은 2년 9개월밖에 걸리지 않았습니다.
거중기 덕에 백성들의 노동력이 덜 사용된 것이지요.

이처럼 정약용은 백성들의 편안하고 안정된 삶을 위해
여러 방면에서 관심을 보이고 노력한 인물입니다.

"인간의 능력은 스스로의 힘으로 하는 데 있고,
인간의 권한은 스스로의 주인이 되는 데 있다."

조선 최대의 실학자 정약용을 만나다.

안녕하세요. 정약용 선생님.
선생님께서 말씀하신 토지 제도 개혁안인 '여전론'이란 무엇인가요?

여전론은 마을의 모든 사람이 모여서 공동으로 토지를 소유하고, 공동으로 농사를 짓고, 각자 자기가 일한 날짜에 따라 농작물을 나눠 가져가는 공동 농장 제도입니다. 이렇게 개혁하면 마을 사람들끼리 서로 돕게 되어 사회 풍속도 좋아질 것입니다.

이러한 주장을 하시게 된 배경이 있나요?

조선에서는 직접 농사를 짓는 농민들이 땅을 소유하지 못하고 오히려 농사를 짓지 않는 지주들이 땅을 소유하며 부자로 떵떵거리며 살았습니다. 저는 이것이 공정하지도, 옳지도 않다고 생각했습니다.

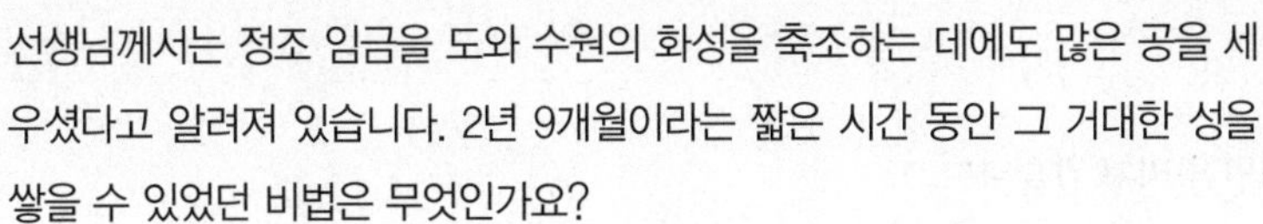

선생님께서는 정조 임금을 도와 수원의 화성을 축조하는 데에도 많은 공을 세우셨다고 알려져 있습니다. 2년 9개월이라는 짧은 시간 동안 그 거대한 성을 쌓을 수 있었던 비법은 무엇인가요?

*『기기도설』이라는 서양 책을 참고하였습니다. 그리하여 성을 쌓는 데 필요한 무거운 돌을 쉽게 들어 올리는 '거중기'라는 기계를 만들었어요. 그 덕에 수원 화성을 지을 때는 백성들의 노동력을 예전보다 훨씬 덜 사용하고도 큰 성을 빠르게 쌓을 수 있었습니다. 우리 백성들의 힘을 덜 수 있어서 기쁘고 뿌듯합니다.

* 『기기도설』: 16세기까지의 서양 기술을 최초로 중국에 소개한 책으로, 작은 힘으로 무거운 것을 들어 올리거나 운반하는 장치나 낮은 곳으로부터 높은 곳으로 물을 길어 올리는 장치 등이 50여 개의 그림과 함께 설명되어 있다.

02 평화적 갈등 해결

교과서 28～43쪽

1 갈등은 왜 발생할까?

1. 우리 삶과 갈등

(1) **갈등의 의미**: 서로 다른 요구나 성향으로 인해 해결하기 어려운 마음의 상태나 상황

(2) **갈등의 유형**

① 내적 갈등: 자기가 가진 여러 욕구나 목표로 인해 겪는 선택의 어려움

② 외적 갈등: 개인 간 갈등, 집단 내 갈등, 집단 간 갈등

집단 내 갈등: 집단 안에서의 갈등

집단 간 갈등: 서로 다른 집단 사이에서 이해관계나 의견 차이로 생기는 갈등

2. 갈등의 원인

(1) **제한된 자원이나 기회**: 주어진 자원이나 기회가 제한적일 때 더 나은 선택을 하고자 갈등이 발생함

(2) **가치관과 관점의 차이**: 말과 행동, 사회적 관습, 문화 등에 대해 서로 다른 관점과 가치관 때문에 갈등이 발생함

(3) **오해의 발생**: 원활하지 않은 소통으로 인해 의견이 제대로 전달되지 않거나 왜곡되면 오해가 생겨 갈등이 발생함

• **갈등이 우리 삶에 미치는 긍정적 영향과 부정적 영향**

• 긍정적 영향: 문제를 새로운 관점에서 볼 기회 제공, 사회 발전의 계기가 되기도 함
• 부정적 영향: 개인에게 불편함을 느끼게 함, 사회적 혼란으로 이어질 수 있음

2 갈등 상황을 평화적으로 해결해야 하는 이유는 무엇일까?

1. 갈등 상황에 대처하는 다양한 방법

방법	의미	특징
회피	갈등 자체를 드러내지 않고 회피함	일시적 갈등 해결은 가능하나 갈등의 근본적인 원인을 해결하기 어려움
공격	상대방을 공격하거나 자신의 주장만을 관철함	배려와 협력이 부족하여 합리적으로 갈등을 해결하기 어려움
의견 조정	갈등의 원인을 분석하고 의견을 조정함	갈등이 있다는 것을 인정하고 협력과 소통을 통해 해결하려 함

재미있는 도덕 읽기 서로 당기면 열리지 않습니다

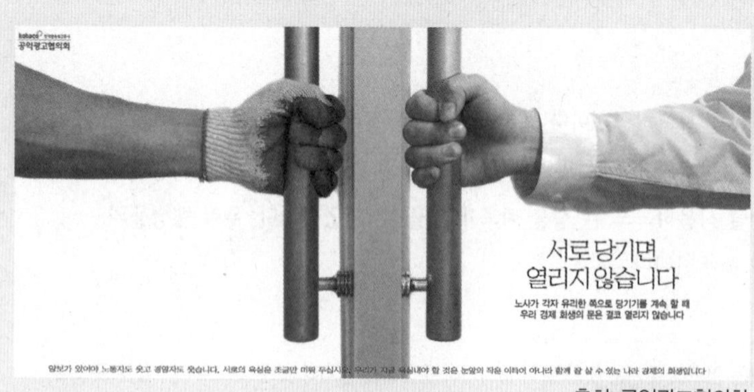

– 출처: 공익광고협의회

자료 해설

문 양쪽에 있는 사람이 각자에게 유리한 쪽으로만 문을 당긴다면 문은 절대 열리지 않는다는 것을 통해 노사가 갈등 상황에서 양보나 타협 없이 자신의 이익만 생각하면 안 됨을 주제로 한 공익 광고이다.

이렇게 이해하세요

갈등 상황에서 모두가 원하는 바람직한 목표를 달성하기 위해서는 서로가 어느 정도 양보하고, 상대방의 입장을 배려할 줄 아는 마음이 필요해요. 상대방을 위해 문을 열어주는 마음을 가져 봅시다.

2. 평화적 갈등 해결의 필요성

(1) **평화적 갈등 해결의 필요성:** 힘이나 폭력으로 갈등을 억누르면 갈등이 더 심화하고 더욱 폭력적인 상황으로 악화할 수 있음

(겉으로는 갈등을 해결한 것처럼 보여도 실제 갈등의 근본적 원인은 여전히 존재함)

(2) **평화적 갈등 해결의 의의:** 소통과 배려를 통해 가능하게 함, 서로 신뢰할 수 있는 토대를 마련함, 민주적인 사회로 발전하는 데 이바지함

3 평화적 갈등 해결을 위한 구체적인 방법은 무엇일까?

1. 평화적 갈등 해결을 위한 소통 방법

(1) 상대방의 의견을 경청하는 자세를 지님

(2) 공격적이지 않은 태도로 대화함

(3) 긍정적인 비언어적 의사 소통 수단을 이용함

(예 듣는 자세, 목소리, 표정, 시선, 미소, 손짓, 고개를 끄덕이는 것 등)

2. 평화적 갈등 해결을 위한 단계 적용하기

(1) **갈등 상황 바라보기(KEEP)**

① 갈등 상황을 편견이나 선입견 없이 객관적으로 바라보기

② 다양한 관점에서 갈등의 원인 찾기

(2) **멈추고 성찰하기(STOP)**

① 갈등 상황에 있는 자신을 객관적으로 성찰하기

② 갈등을 해결할 평화적 방법 모색하기

(3) **갈등 해결하기(BEGIN):** 갈등을 해결할 여러 방안 중 가장 적절한 방법으로 갈등을 평화적으로 해결하기

갈등 해결의 세 단계는 평화적 갈등 해결 방법을 찾아가는 과정이다.

- **노사 갈등과 역할 갈등**
  - 노사 갈등: 노동자와 회사 사이에서 발생하는 갈등으로, 노동자와 기업 간 임금, 근로 시간, 복지, 고용이나 해고, 기타 대우 등과 같은 근로 조건에 대해 서로 주장하는 내용이 다를 때 생긴다.
  - 역할 갈등: 역할 갈등은 크게 '역할 긴장'과 '역할 모순'의 두 가지 형태로 나타난다. 한 개인이 가지고 있는 하나의 지위에 대하여 기대되는 역할들이 서로 대립해 요구될 때 역할 긴장이 발생하고, 한 개인이 가지고 있는 여러 가지 지위에 대해 기대되는 역할들이 서로 상충할 때 역할 모순이 발생한다.

- **갈등 해결의 방법 – 타협**

  타협이란 어떤 일을 서로 양보해서 협의하는 것을 말한다. 타협은 민주주의 의사결정 과정에서 합의를 끌어내는 하나의 방식이며, 갈등 해결을 위한 중요한 열쇠가 될 수 있다. 현대 민주주의는 대화와 토론 등의 절차를 거쳐 타협을 이루어 가는 모습으로 발전해 가고 있다.

재미있는 도덕 읽기 『어린 왕자』에게 배우는 갈등 해결의 지혜

생텍쥐페리가 쓴 『어린 왕자』는 우리에게 갈등을 해결하기 위해 무엇을 해야 하는지에 관한 여러 시사점을 던져준다.
"나를 길들인다면, 우리는 서로를 필요로 하게 돼. 너의 장미꽃이 그토록 소중한 것은 그 꽃을 위해 네가 공들인 시간 때문이야. 길들인 것에 대해서는 책임을 져야 해." 책에서 여우는 어린 왕자에게 서로 관계가 형성되기 위해서는 많은 시간과 노력, 책임이 필요하다고 말한다.
또한 갈등을 해결하기 위해서는 먼저 감정의 통제가 필요하다. 일방적인 감정 표현은 상대방에게 되돌릴 수 없는 치명적인 상처를 남길 수 있다. 어린 왕자가 자신이 살던 행성을 떠난 이유도 바로 장미꽃의 일방적인 감정 표현 때문이었고, 어린 왕자는 그런 장미의 말을 공감하거나 이해하려고 하지 않았다.
갈등을 풀기 위해 일방적으로 솔직하게 감정을 표현하는 것은 오히려 갈등을 양산하고 단절을 불러일으킬 수도 있기에 감정의 상호 작용에 대해 먼저 균형을 맞추려는 감정 통제가 중요하다. 우리는 자신의 감정을 있는 그대로 쏟아내는 것이 아니라, 상대의 감정을 고려하는 대화를 해야 한다.
우리는 소통을 할 때, '너는 틀리기 때문에 나처럼 이렇게 해야 돼.'라고 충고하는 것을 좋아한다. 하지만, '틀린 것이 아니라 나와 다르기에 그럴 수도 있지.'라는 생각으로 자기 감정을 통제하며 소통하는 것이 갈등 해결의 출발점이 될 수 있다.

– ○○경제, 2017. 11. 7.

1 갈등은 왜 발생할까?

마음 열기 풀이

교과서 28쪽

자료 해설

논쟁 상황에서 자기 의견만을 주장하는 학생, 소통에 참여하고 있지 않은 학생의 모습으로, 서로의 의견 차이를 조율하거나 협력하여 해결하려 하지 않는 상황이다.

1. 위 상황에서 찾아볼 수 있는 문제는 무엇일까?

예시 답안 | 다른 사람의 의견을 경청하거나 대화를 통해 의견을 나누려는 시도 없이 각자 자기가 원하는 것만을 주장하고 있다.

2. 위와 같은 문제가 발생하게 된 원인을 써 보자.

예시 답안 | 다른 사람과의 의견을 듣지 않고 자기주장만을 내세우거나, 대화에 참여하려는 의지가 없는 태도를 지닌 학생들이 많기 때문이다.

스스로 활동하기 풀이 갈등, 어떤 의미가 있을까?

교과서 29쪽

이것이 핵심

갈등의 의미를 우리가 일상에서 마주하는 사물과 연결하여 파악한다.

친절한 활동 안내

사진 속의 사물과 갈등의 공통점을 생각해 보는 과정에서 갈등의 의미를 더 분명하게 파악해 보자.

➜ 다음 사진 중 한 장을 골라 갈등과의 공통점을 생각해 보고, 갈등의 뜻을 제시해 보자.

① 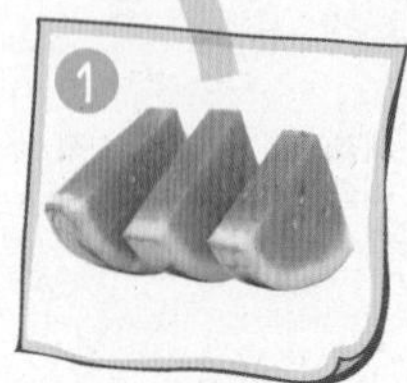

② 

③ 

④ 

예시 답안 |

사진 번호	갈등의 뜻을 생각해 보기
3	이 사진과 갈등의 공통점은 쉽지 않은 것이라고 생각한다. 왜냐하면, 갈등이 발생했을 때 그것을 해결하기는 쉽지 않은 것처럼 자동차를 운전하는 일도 역시 쉽지 않기 때문이다. 따라서, 갈등이란 발생했을 때 해결이 쉽지 않은 것이다.

스스로 활동하기 풀이 나의 갈등 분석하기

교과서 30쪽

이것이 핵심

자신이 경험한 갈등 상황의 원인과 유형을 분석해 본다.

친절한 활동 안내

갈등은 누구나 겪는 흔한 경험이야. 자신이 겪었던 갈등의 원인과 유형을 파악하고, 이를 토대로 갈등을 평화적으로 해결하고자 노력해 보자.

➜ 내가 경험했던 갈등을 떠올려 보고, 그 유형과 원인을 분석해 보자.

예시 답안 |

갈등 경험	
수행평가 준비를 위해 모둠원들과 모이기로 한 날, 할머니께서 위독하시다는 연락을 받았다. 지방에 계신 할머니를 뵙기 위해 서둘러 할머니 댁에 가느라 모둠원들과의 약속을 까맣게 잊고 말았다. 이러한 사정을 몰랐던 모둠원들은 나를 너무 오랫동안 기다리느라 화가 났다.	
유형	**원인**
외적 갈등(개인 간 갈등)	약속을 지키지 못하게 된 상황을 미리 전달하지 못하고 오해가 생김

함께 활동하기 풀이 우리 사회의 가장 심각한 갈등은 무엇일까?

교과서 31쪽

➔ 다음 통계 자료를 보고, 우리 사회의 갈등 분석 프로젝트를 진행해 보자.

청소년·대학생 국민 통합 인식 조사에 따르면, 응답자의 67.1%가 다른 나라와 비교하여 우리 사회의 갈등이 심각하다고 답했다. 28.6%는 보통이라고 답했으며, 심각하지 않다고 답한 응답자는 3.9%였다.

– 국민대통합위원회, 「2015 청소년·대학생 국민 통합 인식 조사」

다른 나라 대비, 우리 사회의 갈등 심각성 정도

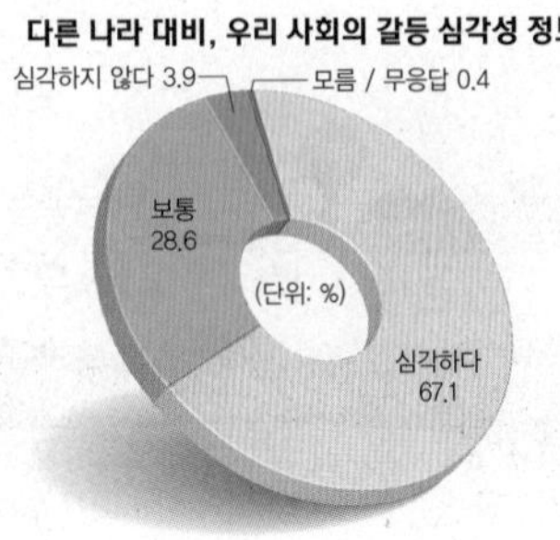

예시 답안 |

기사문 작성하기	새롭게 알게 된 우리 사회의 갈등
세대 간의 갈등은 우리 사회의 통합을 가로막는 장벽이 되고 있습니다. 옛날에도 어른들은 "요즘 젊은이들은 버릇이 없다."라고 말했다는 이야기가 있듯, 세대 간의 갈등은 옛날에도 지금에도 존재합니다. 그러나 과거와 비교하면 매우 빠르게 변화하는 현재의 정보화 시대에서는 청소년 세대와 기성세대 간의 세대 차이로 인한 갈등의 격차 역시 사회의 변화의 속도 만큼이나 빠르게 진행되고 있습니다.	• 이념 갈등: 이념 갈등에 따라 국가의 정책 결정이 지연되고, 각자의 이념만을 주장하여 소통의 부재가 생겨난다. • 성별에 대한 갈등: 남성과 여성이 서로를 이해하지 못하는 사례가 늘어난다. • 지역 감정: 일정 지역에 살거나 그 지역 출신인 사람들에게 가지는 편견은 국가 전체 통합을 가로막는다. • 빈부 격차에 따른 갈등: 사적 소유 재산의 격차가 커지면서 상대적 박탈감을 느끼는 사람들이 늘어난다.

이것이 핵심

내적 갈등, 개인 간의 갈등을 넘어서 우리 사회에서 발생하는 갈등에는 무엇이 있는지 조사해 보고, 새롭게 알게 된 사실을 정리한다.

친절한 활동 안내

우리 사회 내에 존재하는 다양한 갈등을 모둠원과 함께 조사하고 토의하는 과정에서 갈등의 심각성에 대해 생각해 보자. 갈등의 문제점에 대한 의견을 서로 나누고, 우리 사회가 지닌 갈등을 적극적으로 해결하려는 의지를 갖자.

배움 정리하기 풀이

✔ 갈등
✔ 예 제한된 자원이나 기회 때문이다.
✔ 예 사회 발전의 계기가 되기도 한다.

재미있는 도덕 읽기 갈등을 일으키는 것은 나쁜 일인가?

"갈등을 일으키는 것은 나쁜 일인가?"라는 질문에 대해 인텔은 다음과 같이 답했다.

"그렇지 않다. 좋은 일이고 필요한 일이다."

잘 알려진 바와 같이 인텔은 세계 최대의 반도체 제조 회사이다. 인텔이 1968년 *실리콘밸리의 작은 벤처 기업으로 출범하여 세계적인 거대 기업으로 성장한 배경에는 갈등에 대한 이와 같은 긍정적이고 적극적인 자세가 바탕에 깔려있다.

인텔의 기업 문화는 '건설적 대립(Constructive Confrontation)'이라는 신조로 압축된다. '건설적 대립'이란 회사 내부 또는 외부에 어떤 문제나 쟁점이 있을 때 그것을 덮어두지 않고 드러냄으로써 열띤 토론과 논쟁을 거쳐 발전적으로 해소되도록 하는 것을 말한다. '열린 대화'를 통해 '창조적 혼돈'을 거치면서 문제가 해결되고 진정한 화합과 발전이 이루어지는 것이다. 인텔은 갈등의 긍정적인 측면을 최대한 활용함으로써 '혁신의 문화'를 뿌리내린 것이다.

– 강영진, 『갈등 해결의 지혜』

*실리콘벨리(Silicon Valley): 반도체 재료인 실리콘(silicon)과 산타 클라라 인근 계곡(Valley)을 합친 말로, 벤처기업이 밀집해 있는 지역이다.

2 갈등 상황을 평화적으로 해결해야 하는 이유는 무엇일까?

마음 열기 풀이

교과서 32쪽

자료 해설
외나무다리에서 마주친 두 염소가 서로 먼저 다리를 건너겠다고 주장하는 상황이다. 그림을 통해 갈등 상황에서 평화적으로 해결했을 경우와 그렇지 못했을 경우를 상상해 볼 수 있다.

1. 두 염소가 평화적 해결에 이르렀을 경우와 그렇지 못한 경우의 상황을 예상해 보자.

예시 답안 | 갈등을 평화적으로 해결한다면 두 염소 모두 안전하게 다리를 건너갈 수 있을 것이다. 그러나 서로의 입장만을 주장하며 갈등을 해결하지 못한면 둘 다 다리 밑 강물에 빠지게 될 것이다.

2. 두 염소가 위 상황을 평화적으로 해결했을 때 나누었을 대화를 상상해 보자.

예시 답안 | 흰 염소: 무거운 짐을 지고 있으니 내가 되돌아갈게. 네가 먼저 건너. / 검은 염소: 고마워. 서둘러서 다리를 건널게.

스스로 활동하기 풀이 제로섬 게임과 윈윈 게임

교과서 33쪽

이것이 핵심
갈등을 현명하게 해결하는 방법을 찾아본다.

친절한 활동 안내
갈등 상황을 해결할 때 그 결과를 먼저 예측하여 결과가 더 바람직한 방안을 선택해 보자.

➔ **다음 글을 읽고, 각각의 갈등 해결 방법을 적용해 보자.**

예시 답안 |

제로섬(zero-sum) 게임	윈윈(win-win) 게임
현아는 피자가 너무 먹고 싶었지만 민지가 전날 먹었다고 해서 민지의 의견대로 치킨을 먹으러 갔다.	현아와 민지는 피자와 치킨 둘 다 파는 곳을 찾아 서로가 먹고 싶은 것을 주문하고 각자 맛있게 먹었다.

스스로 활동하기 풀이 나도 갈등 해결사!

교과서 34쪽

이것이 핵심
일상에서 쉽게 일어날 수 있는 갈등 사례를 찾아보고, 갈등이 해결되지 않으면 생길 부작용을 떠올려 본다.

친절한 활동 안내
모둠 숙제 때문에 친구들과 갈등이 생기는 일은 한 번쯤은 겪었을 거야. 이처럼 일상에서 발생하는 갈등 상황을 해결하기 위해 우리가 어떤 태도를 지녀야 할지 생각해 보면서 바람직한 갈등 해결의 자세와 방법을 탐구해 보자.

➔ **다음의 갈등 상황을 보고 자유롭게 말풍선을 채워 보자.**

예시 답안 |
- 서로 쉬운 일을 맡으려고 논쟁하다가 모두 마음이 상했어.
- 결과적으로 모둠 친구들 모두에게 피해가 갈 거야. 먼저 나서서 다른 친구들이 꺼리는 일을 맡는 건 어때?

함께 활동하기 풀이 평화적 갈등 해결을 위한 비폭력 대화

교과서 35쪽

➔ 다음 대화를 비폭력 대화의 실행 단계를 적용하여 바꾸어 보고 역할극을 해 보자.

은호가 도서관에 간다고 집을 나왔는데, 갑자기 세희에게서 전화가 왔다. 오늘 학교에서 진수와 다툰 일에 관한 상담을 해 달라는 부탁이었다. 은호는 도서관 대신 세희의 집으로 향했다. 그런데 길에서 엄마와 마주쳤다.

엄마: 은호야, 너 왜 여기에 있니? 지금 도서관에 있어야 하는 시간 아니니? 너 거짓말했구나.

은호: 엄마는 왜 화부터 내세요? 잘 알지도 못하면서…….

예시 답안 |

단계	적용
1단계 (관찰)	엄마: 은호야, 너 도서관 간다고 하지 않았니? 은호: 네. 아까는 그렇게 말씀드렸어요. 그런데 더 급한 일이 생겼어요.
2단계 (느낌)	엄마: 너와 지금 여기서 마주치니까 엄마가 깜짝 놀랐어. 당황스럽구나. 은호: 화를 내시기 전에 제 상황을 먼저 들어주셨으면 좋겠어요.
3단계 (욕구)	엄마: 엄마가 당황한 것은 네가 엄마에게 거짓말을 하는 아들이 아니라는 믿음 때문이야. 은호: 알아요. 저도 엄마가 늘 저를 믿어주시기를 바라고 있어요.
4단계 (부탁)	엄마: 엄마가 지금 상황을 이해할 수 있게 솔직하게 설명해줄 수 있겠니? 은호: 제 단짝인 세희와 진수 이야기에요. 도서관에 바로 가지 못했던 제 입장을 엄마가 이해해 주셨으면 해요. 제가 천천히 자초지종을 말씀드릴게요.

이것이 핵심

갈등 상황을 해결하는 방법을 생각해 보고, 이를 비폭력 대화의 실행 단계에 맞게 실제 대화로 구성해 본다. 이 과정에서 다른 사람의 감정을 고려하여 나의 입장을 설명하는 의사소통 방법을 연습한다.

친절한 활동 안내

비폭력 대화의 핵심은 다른 사람의 행동에 대해 내가 느낀 바를 완곡하게 표현하는 거야. 상대방에게 내가 느낀 감정을 강요하는 것이 아니라, 상대방의 감정을 살피고 배려하는 자세를 연습해 보자.

배움 정리하기 풀이

- ✔ 공격형, 의견 조정형
- ✔ 예 서로를 신뢰할 수 있는 토대를 만들어 주며, 민주적 사회로 발전하는 데 이바지하기 때문이다.

재미있는 도덕 읽기 사회 갈등을 정치로 해결한다고요?

사회에서는 이런저런 갈등이 일어납니다. 사회 갈등은 법과 정책을 둘러싼 문제뿐만 아니라 우리의 일상생활 곳곳에서도 나타납니다. 가족끼리 보고 싶은 텔레비전 프로그램이 다르거나 학급에서 짝을 정하는 방법에 대한 의견이 다른 것도 갈등이지요. 사회 갈등을 해결하는 과정이 정치입니다. 따라서 일상생활에서부터 주인 의식을 가지고 민주적인 태도로 문제를 해결하면 나라 정치도 잘 해결할 수 있어요. 그렇다면 어떤 태도가 민주적인 것일까요?

우선 다른 사람의 의견을 잘 들어야 합니다. 나와 다른 생각을 가졌다면 대화와 토론을 통해 서로의 입장을 충분히 이해하고 의견을 모아야 하지요. 개인의 이익과 공동체의 이익을 함께 생각하고 헤아려 보는 태도도 필요합니다.

또한 어떤 주제와 관련하여 신문이나 인터넷, 텔레비전에 나오는 정보는 비판적인 태도로 접근해야 해요. 무조건 받아들이지 말고, 정보가 정확한 것인지 직접 자료를 찾아보면서 판단해야 합니다.

아울러 법을 잘 지켜야 합니다. 힘으로 상대를 누르거나 괴롭혀서 자신의 의견을 펼치려고 해서는 안 됩니다. 만약 자신의 의견대로 결정되지 않았더라도 적극적으로 받아들이는 자세도 필요합니다. 사회 전체의 이익에 도움이 되어야 진정한 정치 참여라고 할 수 있으니까요.

– 조항록, 『재미있는 선거와 정치 이야기』

3 평화적 갈등 해결을 위한 구체적인 방법은 무엇일까?

마음 열기 풀이

교과서 36쪽

자료 해설
'청(聽)'에서 귀, 눈, 마음을 뜻하는 글자를 찾을 수 있다는 것을 통해 진정으로 잘 듣는다는 것은 무엇을 의미하는지 생각해 본다.

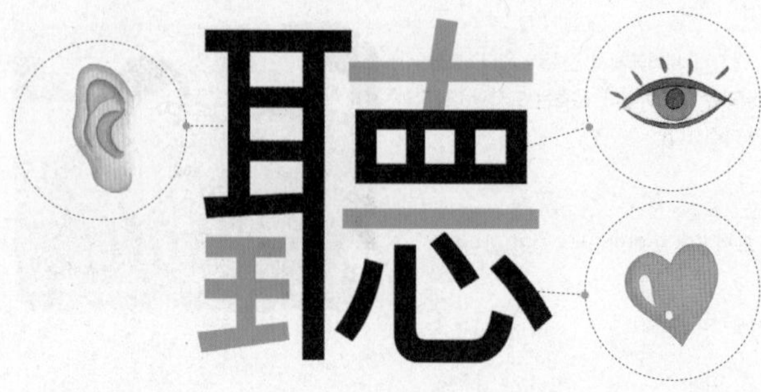

1. 들을 '청(聽)'의 글자를 이루는 귀[耳], 눈[目], 마음[心]의 각 의미는 무엇일까?

예시 답안 | 귀로 상대방의 말을 잘 듣고, 객관적인 눈으로 상대를 바라보고, 마음으로 상대방에게 공감해야 한다는 의미이다.

2. 상대방과 소통할 때 나의 말을 잘 들어주었던 경험이 있는지 말해 보자.

예시 답안 | 담임 선생님께 고민 상담을 할 때, 선생님께서 내가 이야기를 마칠때까지 내 눈을 바라보며 내 이야기에 집중해 주셨다.

스스로 활동하기 풀이 평화적 갈등 해결을 위한 소통

교과서 37쪽

이것이 핵심!
의사소통 과정에서 목소리, 표정, 태도 등의 비언어적 의사소통을 활용함으로써 성공적인 의사소통을 할 수 있음을 안다.

친절한 활동 안내
짝과 비언어적 의사소통을 사용하여 대화를 나누어 보고, 그 과정에서 비언어적 의사소통 수단을 썼을 때와 그렇지 않을 때를 비교해 보자. 비언어적 의사소통 수단의 중요성을 깨달을 수 있을 거야.

➡ 다음 자료를 보고, 비언어적 의사소통 수단을 활용하여 짝에게 내가 좋아하는 것과 싫어하는 것을 소개해 보자.

1. 대화에서 활용한 비언어적 의사소통 수단을 써 보자.

예시 답안 |

내가 사용한 비언어적 의사소통 수단	짝이 사용한 비언어적 의사소통 수단
눈빛으로 공감을 표현함, 고개를 끄덕임, 짝의 어깨를 툭 침	몸을 내 쪽으로 기울임, 웃는 표정을 지음, 다른 사람에게 시선을 보냄

2. 비언어적 의사소통 수단을 활용한 소감을 쓰고, 친구와 그 소감을 이야기해 보자.

예시 답안 | 긍정적인 비언어적 의사소통 수단을 활용하였더니 짝의 말이 더 재미있게 들리고, 짝의 말에 더 집중할 수 있었다. 짝도 마음속에 있는 말을 더 진실하게 말한 것 같았다. 그 결과 서로에게 호감과 신뢰감이 생겼다.

스스로 활동하기 풀이 갈등 해결의 방법 적용하기

교과서 39쪽

이것이 핵심!
갈등을 해결할 때 갈등 해결의 구체적인 방법인 '갈등 상황 바라보기', '멈추고 성찰하기', '갈등 해결하기'를 활용한다.

친절한 활동 안내
자신이 겪은 갈등 상황을 떠올려 보고, 이를 당사자가 아닌 관찰자의 입장에서 어떻게 해결할 수 있을지 고민해 보자. 객관적으로 갈등 상황을 살펴보는 것은 갈등을 해결하는 방법과 기술을 찾는 데 도움이 될 거야.

➡ 최근에 내가 겪은 갈등 사례를 써 보고, 각 단계에 따른 해결 방법을 적용해 보자.

예시 답안 |

- **갈등 사례:** 아침에 일어나서 화장실에 가는데 엄마께서 학교에 늦겠다며 화를 내셨다. 아침밥을 먹을 때는 편식하지 말고 골고루 먹으라고 퉁명스럽게 말씀하셨다. 나는 엄마의 끊임없는 잔소리가 매우 불편하고 싫다.
- 각 단계에 따른 해결 방법 적용하기

1. 갈등 상황 바라보기	2. 멈추고 성찰하기	3. 갈등 해결하기
엄마께서 잔소리하시고, 나는 엄마의 잔소리를 듣는 것이 매우 싫다.	엄마의 잔소리를 엄마께서 나를 걱정해서 하시는 말씀으로 생각한다.	엄마께서 잔소리하시기 전에 내 할 일을 재빨리 한다. 그래도 잔소리를 하시면 밝은 목소리로 걱정하지 마시라고 엄마께 말씀드린다.

함께 활동하기 풀이 평화적 갈등 해결 이야기

교과서 40쪽

➔ 다음 사진을 네 개 이상 선택하여 갈등과 관련된 이야기를 활동 방법에 맞게 구성해 보자.

예시 답안 |

1. (1번 사진) 가족들과 한 공간 안에서 시간을 보내는 것은 서로 다른 모양의 퍼즐 조각을 이리저리 조정하여 맞추는 것처럼 생활 습관과 생각이 서로 다른 가족 구성원끼리 서로를 이해하고 배려해 주는 거야.
2. (2번 사진) 나는 아침부터 기타를 시끄럽게 연주해 나의 늦잠을 방해하는 오빠와 말싸움을 했어. 이후 오빠와 한마디도 안 하고 서로 본체만체하며 지냈어.
3. (5번 사진) 나는 오빠와의 갈등이 불편하고 답답해서 꼭 풀고 싶었어. 서로 말을 하지 않으니까 나의 기분이 우울해지는 것 같았어.
4. (6번 사진) 나는 오빠에게 다가가 내 감정을 있는 그대로 말했어. "오빠가 기타 연주를 좋아하는 걸 잘 알고 있어. 하지만 나는 휴일에는 늦잠을 자고 싶어. 오빠가 내 마음을 이해해 주면 좋겠어." 오빠는 환하게 웃으며 알겠다고 말했어. 내 마음도 풀렸지.

이것이 핵심

모둠원과 함께 주어진 사진을 활용하여 갈등과 관련된 이야기를 창의적으로 구성해 본다.

친절한 활동 안내

모둠 친구들과 함께 갈등과 관련된 이야기를 해 보자. 이야기를 만들 때는 갈등의 발생만이 아니라, 갈등의 해결까지 염두해 보자.

배움 정리하기 풀이

✓ 경청
✓ 예 멈추고 성찰하기, 갈등 해결하기

재미있는 도덕 읽기 왜 비 온 뒤에 땅이 굳는다고 하나요?

갈등 없이 살아갈 수 있는 사람은 없습니다. 아마 사람이 공동체 생활을 시작한 그 순간부터 갈등은 존재했을 것입니다. 게다가 현대 사회에는 갈등이 더 많이 늘어나고 그 모습도 다양해지고 있어요.

그렇다면 갈등을 어떻게 해결해야 할까요? 갈등 상황에 직면했을 때, 어떤 사람은 갈등을 회피합니다. 하지만 문제가 없는 것처럼 갈등 상황을 무시하거나 외면해서는 갈등이 발전적으로 해결될 수 없습니다.

또 어떤 사람은 갈등이 생기면 상대를 눌러서 나의 입장대로 이끌고 가는 등 갈등을 공격적으로 해결하려고 합니다. 이럴 때 폭력과 강압적인 방법을 사용하면 나중에 더 큰 갈등을 초래할 수 있습니다. 또한 개인과 사회의 발전에도 도움이 되지 못합니다. 반면 갈등을 해결하기 위해 상대방과 함께 고민하고, 대화와 타협을 통해 적극적으로 문제를 해결하려 한다면 갈등은 오히려 개인과 공동체 모두의 발전으로 이어질 수 있습니다. 이럴 때 우리는 '비 온 뒤에 땅이 굳는다.'라는 말을 하는 것이지요.

– 전국 사회 교사 모임, 『사회 선생님도 궁금한 101가지 사회 질문 사전』

나도 또래 조정자!

이것이 핵심

또래 조정 역할놀이를 함으로써, 학생 자치 문화를 통한 갈등 해결력을 기르고 평화적 갈등 해결을 체험해 본다.

친절한 활동 안내

또래 조정 역할놀이를 통해 갈등 해결책 제시, 당사자 간 합의문 작성과 또래 조정 결과 발표까지 직접 경험해 볼 수 있어. 이 과정에서 학교생활에서 일어날 수 있는 갈등을 해결하는 것의 의의를 깨달을 수 있을 거야. 나아가 평화로운 학교 분위기를 조성할 수 있을 거야.

➔ 다음 글을 읽고, 또래 조정 역할놀이를 해 보자.

또래란 '나이나 수준이 비슷한 무리'이며, 조정은 갈등 분쟁 상황에서 제삼자가 누구의 편도 들지 않은 채 객관적이고 공정한 관점에서 당사자들의 문제 해결을 돕는 것을 말한다. 따라서, 또래 조정은 학생들 사이에 갈등이 생겼을 때 또래 친구가 대화를 통해 문제를 해결할 수 있도록 도와주는 과정을 의미한다.

예시 답안 |

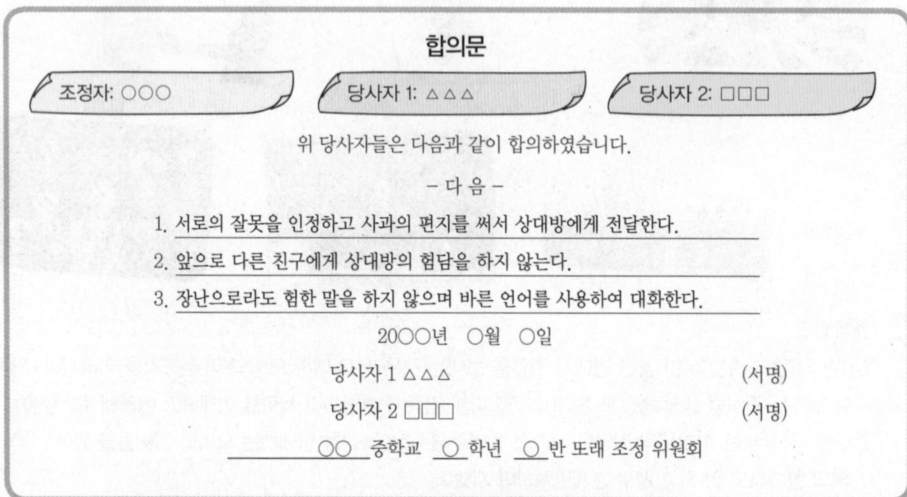

합의문

조정자: ○○○ 당사자 1: △△△ 당사자 2: □□□

위 당사자들은 다음과 같이 합의하였습니다.

– 다 음 –

1. 서로의 잘못을 인정하고 사과의 편지를 써서 상대방에게 전달한다.
2. 앞으로 다른 친구에게 상대방의 험담을 하지 않는다.
3. 장난으로라도 험한 말을 하지 않으며 바른 언어를 사용하여 대화한다.

20○○년 ○월 ○일

당사자 1 △△△ (서명)

당사자 2 □□□ (서명)

○○ 중학교 ○ 학년 ○ 반 또래 조정 위원회

재미있는 도덕 읽기 | 첨예한 사회 갈등, 한국 성장 동력 갉아먹어

사회 갈등만 선진국 수준으로 관리해도 잠재 성장률을 매년 0.2%포인트 올릴 수 있다는 연구 결과가 나왔다.

○○연구원은 한국의 사회갈등지수(0.62)를 경제 협력 개발 기구(OECD) 평균(0.51)으로 끌어내리면 잠재 성장률이 연간 0.2%포인트 상승할 것이라고 2일 밝혔다.

사회갈등지수는 세계은행, OECD 등의 자료를 근거로 잠재적 사회 갈등과 갈등 관리 제도 수준을 계량화한 것이다. 사회갈등지수가 높을수록 사회 갈등에 비해 법·제도적 갈등 관리 제도가 미흡하다는 의미다. 한국의 사회갈등지수는 미국(0.49), 일본(0.4), 독일(0.36), 핀란드(0.18) 등 주요 선진국과 비교해 높은 수치다.

갈등 요인을 줄이는 것도 중요하지만 이를 유연하게 해결할 수 있는 '갈등 관리 시스템'을 갖춰야 한다는 게 전문가들 조언이다. ○○연구원 이사는 "사회가 다원화되고 소득 수준이 높아질수록 자원 분배 등의 요구가 커질 수밖에 없다."라며 "선진국들은 표면화된 갈등을 줄이고 합의로 이끄는 기구가 다층적으로 마련돼 있다."라고 말했다.

또한 갈등 해소 기구로서 국회가 더 적극적인 역할을 해야 한다는 의견도 나왔다. 이러한 맥락에서 정부가 사회 갈등을 상시 조정하는 전담 기구를 설치해 갈등 관리에 적극적으로 나서야 한다는 주장도 제기됐다.

– ○○신문, 2017. 1. 2.

개념 확인 문제

01 다음 내용이 옳으면 ○표, 틀리면 X표 하시오.

(1) 갈등의 유형은 여러 가지 갈등이 복합적으로 합해져 나타날 수도 있다. (   )
(2) 힘이나 폭력으로 갈등을 억누르면 갈등 상황을 쉽게 해결할 수 있다. (   )
(3) 갈등 해결을 위해 소통할 때에는 일방적으로 자신의 의견만을 주장해야 한다. (   )
(4) 진정한 소통을 위해서는 언어적 의사소통 수단보다 비언어적 의사소통을 활용하는 것이 더 중요하다. (   )

02 갈등 상황을 대처하는 방법에 대한 설명을 바르게 연결하시오.

(1) 회피 •　　• ㉠ 자신의 주장만을 관철함
(2) 공격 •　　• ㉡ 갈등이 있음을 드러내지 않음
(3) 의견 조정 •　　• ㉢ 갈등을 인정하고 협력, 소통함

03 밑줄 친 '이것'은 무엇인지 쓰시오.

> 이것은 '칡'과 '등나무'가 결합한 한자어로, 서로 다른 요구나 성향으로 인해 해결하기 어려운 마음의 상태나 그 상황 자체를 뜻한다.

---

04 다음 내용에 해당하는 갈등 유형을 〈보기〉에서 골라 쓰시오.

(1) 친구와 의견이 달라 겪는 어려움 (   )
(2) 같은 집단 내에서 발생하는 어려움 (   )
(3) 서로 다른 집단 사이에서 겪는 어려움 (   )
(4) 자신의 여러 욕구로 인해 겪는 선택의 어려움 (   )

보기
> ㉠ 내적 갈등　　㉡ 개인 간 갈등
> ㉢ 집단 내 갈등　　㉣ 집단 간 갈등

실력 점검 문제

01 갈등에 대한 설명으로 옳지 않은 것은?

① 갈등의 유형은 한 가지로만 나타난다.
② 갈등이 심화하면 사회 혼란으로 이어질 수 있다.
③ 자신이 가진 욕구나 목표로 인해 선택의 어려움을 겪을 때 내적 갈등을 느낀다.
④ 문제를 새로운 관점에서 볼 기회를 제공하거나 사회 발전의 계기가 되기도 한다.
⑤ 서로 다른 요구 등으로 인해 해결하기 어려운 마음의 상태나 상황 자체를 뜻한다.

중요
02 다음에 글에 나타난 갈등의 유형으로 옳은 것은?

> 나는 오래전부터 요리사가 되는 것이 꿈이었다. 그런데 부모님께서는 내 꿈에 대해 반대하신다. 내 마음을 이해하지 못하시는 부모님이 원망스럽다.

① 내적 갈등　　② 개인 간 갈등
③ 집단 내 갈등　　④ 집단 간 갈등
⑤ 국가 간 갈등

03 갈등의 원인만을 〈보기〉에서 있는 대로 고른 것은?

보기
> ㄱ. 제한된 자원이나 기회
> ㄴ. 개인이나 집단 간 가치관과 관점의 차이
> ㄷ. 소통이 원활하지 않아 생기는 오해
> ㄹ. 서로의 상황을 배려하는 마음가짐

① ㄱ, ㄴ　　② ㄷ, ㄹ
③ ㄱ, ㄴ, ㄷ　　④ ㄱ, ㄷ, ㄹ
⑤ ㄴ, ㄷ, ㄹ

실력 점검 문제

04 다음 글에 나타난 갈등의 원인으로 가장 적절한 것은?

> 소를 숭배하는 관습이 있는 민족과 소고기를 주식으로 하는 민족 간에는 갈등이 발생할 수 있다.

① 제한된 기회
② 부족한 자원
③ 의견 전달에서 생기는 오해
④ 집단 간 가치관과 관점의 차이
⑤ 다른 사람을 지나치게 배려하는 자세

05 A의 갈등 대처 방법으로 가장 적절한 것은?

> A는 친구와 함께 수행평가 과제를 하기로 했다. 그런데 과제를 하기로 한 날, 친구가 연락도 없이 약속 시각보다 늦게 왔다. A는 화가 났고, 더는 친구와 친하게 지내지 않겠다고 혼자 결심했다.

① 회피 ② 공격
③ 타협 ④ 분노
⑤ 의견 조정

06 갈등 상황에 대처하는 방법 중 의견 조정에 관한 내용으로 옳은 것은?

① 일시적이나마 갈등 상황에서 벗어날 수 있다.
② 같은 갈등이 반복해서 발생한다는 단점이 있다.
③ 물리적인 공격이나 폭력적인 방법을 사용하기도 한다.
④ 갈등 상황에서 자신의 주장을 일방적으로 관철하는 태도이다.
⑤ 갈등 자체를 부정적으로 바라보기보다는 갈등이 있다는 것을 인정한다.

07 갈등 상황에 대처하는 자세로 가장 적절한 것은?

① 갈등이 있다는 것 자체를 인정하지 않는다.
② 갈등 자체를 긍정적인 측면에서만 바라본다.
③ 갈등 해결에 효과적이라면 힘으로 갈등을 억누른다.
④ 갈등의 근본 원인을 파악하여 같은 갈등이 발생하는 것을 방지한다.
⑤ 서로를 신뢰할 수 있는 토대를 만들어 갈등 상황에서 자신의 의견만을 관철한다.

08 비언어적 의사소통 수단으로 옳지 <u>않은</u> 것은?

① 표정
② 시선
③ 목소리
④ 말과 글
⑤ 고개를 끄덕이는 것

09 다음 글에 나타난 갈등 해결을 위한 자세로 가장 적절한 것은?

> "서로를 치료하기 위해 우리가 할 수 있는 가장 가치 있는 일은 서로의 이야기에 귀를 기울여 주는 일이다."
> – 레베카 폴즈

① 경청
② 신뢰성 유지
③ 비폭력적인 태도
④ 편견이나 선입견의 배제
⑤ 비언어적 의사소통 수단의 활용

10 내적 갈등에 해당하는 사례로 가장 적절한 것은?

① 용돈 인상을 두고 부모님과 대립한다.
② 친구가 나를 대하는 태도가 싫어서 친구와 다툰다.
③ 시험을 앞두고 공부를 해야 하는 데 새로 나온 게임을 하고 싶어 고민한다.
④ 소속된 동아리에서 나만 의견이 달라 다른 동아리 구성원들과 논쟁을 벌인다.
⑤ 체육대회 경기 종목을 두고 우리 반과 옆 반의 생각이 달라 싸움이 벌인다.

중요

11 ㉠에 들어갈 내용으로 가장 적절한 것은?

〈평화적 갈등 해결을 위한 세 단계〉
(1) 갈등 상황을 편견이나 선입견 없이 객관적으로 바라본다.
(2) ㉠
(3) 갈등 해결의 방법 중 가장 적절한 방법을 통해 갈등을 평화적으로 해결한다.

① 갈등이란 무엇인지 생각한다.
② 갈등 상황이 매우 다양함을 인식한다.
③ 갈등 상황을 해결할 수 있다고 긍정한다.
④ 갈등 상황에서 자신을 객관적으로 성찰한다.
⑤ 자신 혹은 자신이 속한 집단의 이해관계를 생각한다.

12 갈등을 해결하는 방법으로 옳지 않은 것은?

① 상대방의 의견을 경청한다.
② 사회적 제도의 개선에는 신경쓰지 않는다.
③ 공격적이지 않은 태도로 상대방을 대한다.
④ 평화적으로 상대방과 소통하려고 노력한다.
⑤ 비언어적 의사소통 수단을 적절하게 활용한다.

서술형

13 갈등의 원인을 〈보기〉의 단어 중 하나를 골라 한 문장으로 서술하시오.

보기
기회, 가치관, 소통

14 갈등 상황을 회피하면 안 되는 이유를 서술하시오.

15 평화적 갈등 해결을 위해 밑줄 친 단계에서 해야 할 일을 서술하시오.

〈평화적 갈등 해결을 위한 세 단계〉
<u>KEEP</u> → STOP → BEGIN

2 평화적 갈등 해결

1 신문에 나타난 갈등 사례 연구

memo

➔ 종이 신문이나 인터넷 신문에 나타난 갈등의 사례를 찾아보고, 그 해결책을 생각해 보자.

기사 제목			
기사 출처		일자	
기사 내용 요약			
갈등의 원인			
갈등에서 충돌하는 가치			
갈등이 가져 오는 불이익	• 개인적 불이익:		
	• 사회적 불이익:		
바람직한 해결책			

〈기사 출력물 붙이는 곳〉

2 상황극으로 갈등 해결하기

memo

다음 글을 읽고, 글에 나타난 갈등 상황을 해결하는 상황극을 만들어 보자.

우리 가족들은 집안일은 가족 구성원이 나누어서 해야 한다고 생각한다. 그래서 엄마, 아빠, 나, 초등학교에 다니는 남동생 모두 집안일을 나누어 한다. 엄마가 식사를 준비하시고, 아빠는 설거지하시고, 나와 동생은 집안 정리를 한다.
그런데 할머니께서는 이것을 이러한 우리의 생각을 못마땅하게 생각하신다. 할머니께서는 남자가 집안일을 하는 것이 부끄러운 일이기 때문에 집안일은 여자인 나와 엄마만 해야 한다고 말씀하신다.

❶ 위의 글에 나타난 갈등을 해결하는 방법에는 무엇이 있을지 적어 보자.

❷ ❶을 바탕으로 위의 글에 나타난 갈등을 해결하는 상황극을 만들어 보자.

제목	
등장인물	
대략의 줄거리	
대본	

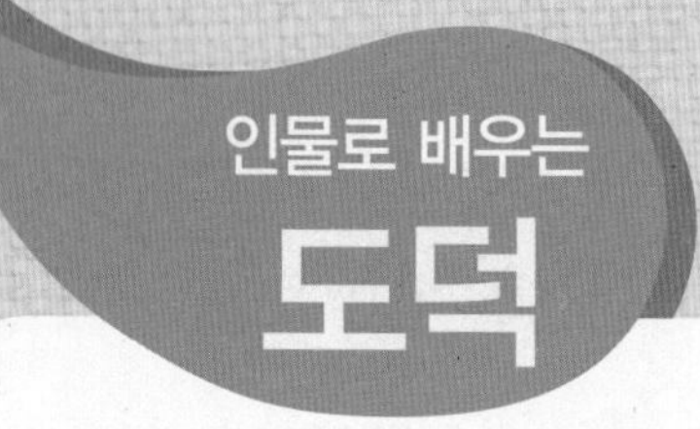

인도의 정신적 지도자

마하트마 간디

(Gandhi, M. K., 1869 ~1948)

이번에 소개할 인물은 간디입니다.
간디는 영국으로부터 인도의 독립운동을 지도한 인도의 정신적 지도자입니다.

변호사였던 간디는 남아프리카의 회사에서 변호사를 구한다는 소식에
열차의 일등석에 앉아 남아프리카로 향하던 중
인도인은 일등석에 앉을 수 없다는 이유로 열차에서 쫓겨납니다.
이 사건에 충격을 받은 간디는 인도인의 차별을 없애기 위해
20여 년 동안 폭력 없이 저항하였고 결국 인도인에 대한 차별법은 모두 폐지됩니다.

45세의 나이에 인도로 돌아온 간디는
영국으로부터 인도의 독립을 위해 힘썼습니다.
독립운동의 지도자로서 간디는 인도인들에게
비폭력의 방법으로 저항하도록 가르쳤고
인도인들을 더욱 단결하게 했습니다.

영국이 인도인들에게 소금을 비싼 값에 영국으로부터
수입해서 먹을 것을 강요하는 '소금법'을 만들자,
간디는 바닷가로 쉬지 않고 25일간 걸어가
바닷물로 소금을 만들면서 '소금 행진'을 벌이기도 했습니다.

"집요하게 거부하되 폭력 없이 공개적으로 한다."
"진정한 힘이란 물리적 수단에 있는 것이 아니다."

비폭력 운동을 전개한 간디를 만나다.

안녕하세요. 간디 선생님.
선생님의 일화 중 기차 밖으로 신발을 던진 이야기를 들은 적이 있습니다.
왜 그런 행동을 하셨나요?

기차에 막 올라탔는데 그만 신발 한 짝이 기차 밖으로 떨어지고 말았어요. 이미 기차는 출발해서 신발을 주울 수 없었습니다. 그래서 나머지 한 짝을 벗어서 떨어진 신발 옆에 던졌습니다. 한 짝의 신발은 아무 쓸모가 없지만, 이제는 나머지 한 짝마저 생겼으니 제가 잃어버린 신발을 누군가 쓸 수 있을 테니까요.

선생님은 인도의 독립을 위해 무던히 노력하시면서 '비폭력'의 방법을 강조하셨죠. 그 이유는 무엇인가요?

진정한 힘은 물리적 수단에 있지 않습니다. 꺾을 수 없는 의지에 있는 것입니다. 집요하게 거부하되, 폭력 없이 공개적으로 저항하는 것이 중요합니다. 인도의 독립을 위해 영국이라는 강한 힘에 맞서려면 더 강한 것으로 대응해야 하지요. 그것은 영국에 대한 인도인의 의지, 굳건한 정신입니다. 우리의 정신과 강한 의지를 보여주기 위해서도 폭력은 사용하지 않도록 강조했습니다.

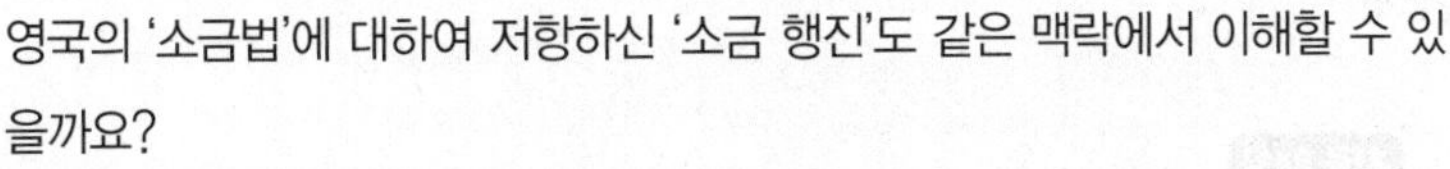

영국의 '소금법'에 대하여 저항하신 '소금 행진'도 같은 맥락에서 이해할 수 있을까요?

그렇습니다. 경제적 어려움을 겪고 있는 인도인에게 값비싼 세금이 매겨진 소금을 강요하는 '소금법'은 옳지 못하다고 생각했습니다. 그래서 바다로 걸어가 직접 소금을 만들었습니다. 바다로 가는 과정에 여러 계층의 인도인이 함께 했고, 25일간 쉬지 않고 걸어간 끝에 한 줌의 소금을 직접 얻을 수 있었지요. 이것이 우리의 저항 방식입니다. 소금 행진은 집요하게 거부하되 폭력 없이 공개적으로 저항하는 우리의 강한 의지를 보여주고자 한 것입니다.

03 폭력의 문제

교과서 44~59쪽

1 폭력은 왜 비도덕적일까?

1. 폭력의 의미와 유형

(1) **폭력의 의미**: 신체·정신·재산상의 피해를 주는 모든 행위

(2) **폭력의 유형**

① 물리적 폭력: 신체에 직접적인 힘을 가하는 폭력

② 구조적 폭력: 잘못된 사회 구조나 관행 등으로 발생하는 정치적 억압, 사회적 차별, 문화적 소외 등의 폭력

③ 부작위에 의한 폭력: 폭력 상황을 알고도 이를 외면하거나 방관하는 폭력

부작위: 마땅히 해야 할 일을 일부러 하지 않는다는 뜻

• **작위에 의한 폭력과 부작위에 의한 폭력**

작위(作爲)란 의식적인 생각에 따르는 적극적인 행동으로, 작위에 의한 폭력은 상대방에게 피해를 주는 분명한 행위를 함으로써 발생하는 폭력이다. 반면, 부작위(不作爲)에 의한 폭력은 어떤 상황에서 마땅히 해야 할 행위를 의도적으로 하지 않아 발생하는 폭력이다.

2. 폭력의 해악과 비도덕성

(1) **폭력의 해악**

① 피해자: 신체적 손상 이외에 두려움과 우울 등의 정신적 피해를 봄

② 가해자: 법적 처벌 이외에 사회적·도덕적 비난으로 인해 고통받음

③ 폭력을 목격하거나 폭력에 노출된 사람: 폭력에 대한 정서적 불만을 호소함

④ 폭력의 악순환: 폭력을 당한 사람이 복수심으로 다른 폭력을 행사하면 폭력은 더 커지고 확산해 사회의 무질서와 혼란 발생 가능성이 커짐

(2) **폭력의 비도덕성**: 인간의 존엄성을 훼손함, 인간의 자유의사와 의지를 침해하고 희생을 강요함, 평화롭게 살아갈 권리를 빼앗음, 사람들에게 두려움을 줌

2 일상에서 일어나는 폭력의 종류에는 어떤 것이 있을까?

1. 일상에서의 폭력

(1) **신체 폭력**: 상대방의 신체에 상처를 내거나 기능을 훼손하는 행위 예 꼬집기, 때리기 등

(2) **언어폭력**: 언어를 통해 상대방을 공격하는 행위 예 욕설, 협박, 비웃기 등

(3) **금품 갈취**: 돈을 요구하거나, 옷이나 문구 등을 빌리고 돌려주지 않거나, 일부러 친구의 물건을 망가뜨리거나, 돈을 걷어 오라고 하는 행위

재미있는 도덕 읽기 | 폭력의 악순환

– 출처: 이제석 광고 연구소 (www.jeski.org)

자료 해설

'광고 천재'로 불리는 이제석 씨가 제작한 광고로, 세계 3대 광고 공모전의 하나인 원쇼 페스티벌 최고상 수상작이기도 하다. 광고는 상대를 위협하는 총구가 결국은 자신을 향해 돌아옴을 보여 줌으로써 폭력의 악순환에 대해 경고한다.

이렇게 이해하세요

폭력에 대항하기 위해 또 다른 폭력을 행사해 본 경험이 있나요? 폭력에 맞서기 위해 폭력을 행사하면 또 다른 폭력을 불러 결국 폭력 상황이 반복될 뿐입니다. 폭력은 어떤 것이라도 인간의 존엄성을 훼손하고 사회 전체를 비도덕적인 공동체로 만듦을 알고, 폭력에는 폭력으로 맞서면 안 된다는 것을 잊지 말도록 해요.

(4) **강요**: 강제로 심부름을 시키는 행위
(5) **따돌림**: 상대방을 의도적으로 반복해서 피하거나 다른 학생과 어울리지 못하게 막는 행위
(6) **성폭력**: 신체 접촉이나 성적 언어를 통해 성적인 굴욕감과 수치심을 느끼게 하는 행위
(7) **사이버 폭력**: 사이버상에서 따돌림이나 모욕적인 말을 하거나 수치심을 느끼게 하는 사진 또는 동영상을 누리 소통망(SNS) 등에 퍼뜨리는 행위

2. 폭력의 원인

(1) **개인적인 원인**: 자기중심적 생각, 충동적이고 공격적인 사고방식 등
(2) **가정 환경적인 원인**: 가정 폭력에 노출된 청소년의 모방, 부모의 과잉보호로 인한 책임감 저하 등
└ 부모의 과잉보호를 받은 자녀는 이기적, 자기중심적, 의존적 성격을 지니게 됨
(3) **사회·문화적인 원인**: 대중 매체로 폭력을 자주 접해 폭력에 무감각해짐, 지나친 경쟁 위주의 사회 환경 등

• **학교 폭력의 의미**
학교 폭력이란 학교 내외에서 학생을 대상으로 발생한 상해, 폭행, 감금, 협박, 명예 훼손, 강요·강제적 심부름, 성폭력, 따돌림, 사이버 따돌림, 정보·통신망을 이용한 음란 혹은 폭력 정보 등에 의해 신체, 정신 또는 재산상의 피해를 수반하는 행위를 말한다.
–「학교 폭력 예방 및 대책에 관한 법률」

3 폭력에 어떻게 대처해야 할까?

1. 폭력 상황에 대한 대처

(1) 폭력이 발생하면 주변 사람에게 알려 도움을 요청함
(2) '나도 피해자가 될 수 있다.'라는 생각으로 폭력 상황을 방관하지 않음
(3) 폭력을 용납하지 않는 사회 분위기를 조성함

2. 폭력 예방을 위한 노력

(1) **개인적인 노력**: 분노 조절, 공감과 예측 능력 함양, 폭력 예방과 관련된 다양한 프로그램 참여 등
(2) **학교에서의 노력**: 학생들에 관한 다양한 예방 교육 및 인성 교육 실시 등
(3) **가정에서의 노력**: 부모가 대화를 통해 문제 해결을 보임 등
(4) **사회·제도적 차원에서의 노력**: 폭력 예방이 실질적 효과를 거둘 수 있도록 사회 분위기 조성 등

• **폭력의 원인, 분노 조절하기**

갈등 상황에서 스스로 분노를 조절하지 못하고 충동적으로 행동하면 폭력을 행사하기 쉽다. 화가 나거나 분노가 치밀어 오를 때는 심호흡을 하며 마음을 안정시키거나, 분노를 유발한 상황을 객관적으로 파악하고, 갈등을 해결할 방법을 차분히 생각해 본다.

재미있는 도덕 읽기 비폭력으로 폭력에 저항하다

간디(Gandhi, M. K., 1869~ 1948)의 동상

'20세기의 지도자 중 가장 위대한 인물은 누구인가?'라는 설문 조사를 한다면 간디가 1위가 될 가능성이 높다고 할 정도로 간디는 역사상 가장 영향력 있는 인물 중의 하나이다.
간디의 주요 사상은 '비폭력 주의'인데, 이는 권력의 억압이나 폭력 혹은 국가의 옳지 않은 정책이나 법률에 대해 비폭력으로 저항하는 것을 뜻한다.
간디는 비폭력 저항 운동을 전개하여 영국으로부터의 독립 및 민족의식을 고취하는 데 힘썼다. 이 운동은 영국에 대한 인도인들의 광범위한 불복종 운동의 형태로 나타났고, 이에 힘입어 인도에서는 민족의 독립을 평화적으로 추진하였다. 이러한 영향을 받아 미국 흑인 해방 운동의 지도자였던 루서 킹(King, M. L. Jr)은 비폭력의 대중적 시민 불복종 운동을 벌였다.
폭력을 사용하지 않겠다는 신념을 가지고 그것을 꾸준히 실천한 간디의 삶은 무차별적인 폭력에 노출된 현대인에게 시사하는 바가 크다.
– ○○신문, 2013. 6. 5.

1 폭력은 왜 비도덕적일까?

마음 열기 풀이

교과서 44쪽

자료 해설
그림은 학교에서 자주 접할 수 있는 폭력 상황을 나타낸 것이다. 친구를 비웃거나 놀리는 말을 하는 것은 언어폭력에, 친구를 때리는 것은 신체 폭력에 해당한다.

1. 위의 두 그림에서 나타나는 공통점과 차이점을 각각 제시해 보자.

예시 답안 | 공통점은 고통을 주는 사람과 고통을 받는 사람이 있다는 것이다. 차이점은 왼쪽 그림은 정신적 폭력, 오른쪽 그림은 신체적 폭력이라는 것이다.

2. 위 그림과 같은 상황이 벌어진 이후에 나타날 결과에 관해 말해 보자.

예시 답안 | 폭력을 당한 친구는 학교에 가고 싶어하지 않을 것 같다. / 폭력을 당한 친구는 폭력을 가한 친구 이외에 다른 친구에 대한 두려움이 생길 것 같다.

스스로 활동하기 풀이 폭력의 사례 분류하기

교과서 45쪽

이것이 핵심
물리적 폭력, 구조적 폭력, 부작위에 의한 폭력을 구별해 본다.

친절한 활동 안내
우리 주변에서 일어나는 폭력을 유형별로 구분해 보고, 그러한 폭력의 비도덕성에 대해서 생각해 보자.

다음 유형에 따라 우리 주변에서 일어나는 폭력 사례를 써 보자.

예시 답안 |

물리적 폭력	구조적 폭력	부작위에 의한 폭력
• 약한 학생을 때리는 행위 • 가정이나 학교에서의 신체적 학대 행위 • 장난으로 친구를 꼬집거나 때리는 행위	• 채용 시 남성만을 우대하는 행위 • 채용 시 장애인은 무조건 탈락시키는 행위 • 같은 능력과 업무 성과에도 불구하고 남성 직원만 승진시키는 행위	• 사고가 난 사람을 돕지 않고 지나치는 행위 • 교내 따돌림 상황을 모르는 척하는 행위 • 폭력 상황을 목격하고도 신고하지 않는 행위

도덕으로 세상 보기 해설 폭력의 악순환

교과서 46쪽

이것이 핵심
폭력의 악순환이라는 고리를 끊기 위한 방법을 생각해 본다.

친절한 활동 안내
폭력에 폭력으로 대응한 경험이 있니? 폭력이 폭력을 낳는 악순환을 끊기 위한 방법을 생각해 보자.

폭력이 폭력을 낳는 악순환을 없애기 위해서는 어떤 자세가 필요할까?

예시 답안 | 내가 폭력을 당했다고 그에 대응하기 위해 또 다른 폭력을 행사하면 폭력은 점차 눈덩이처럼 확대되어 더 큰 폭력을 낳는 폭력의 악순환이 발생할 것이다. 폭력의 악순환을 막기 위해서는 내가 먼저 폭력의 고리를 끊어내는 자세를 가져야한다. 내가 폭력의 피해자가 되더라도 '내가 당했으니 너도 당해야 한다.'라는 마음을 가져서는 안 된다.

함께 활동하기 풀이 구조적 폭력 해결하기

교과서 47쪽

➔ 다음은 구조적 폭력의 사례들이다. 모둠별로 아래 물음에 따라 활동해 보자.

1. (가)~(라)의 상황에서 발견할 수 있는 공통적인 특징을 말해 보자.

예시 답안 | (가)~(라) 모두 사회의 구조로 인해 발생하는 폭력이다.

2. (가), (나)와 같은 상황이 발생하게 된 원인과 그 해결 방법을 각각 제시해 보자.

예시 답안 | 사회의 구조나 관행이 그렇게 굳어졌기 때문이다. 이를 해결하기 위해서는 사회 구조나 관행을 바꾸기 위한 의식 개혁, 법 제정, 교육 등의 노력이 필요하다.

3. 우리 주변에서 (다), (라)와 유사한 사례를 찾아보고, 그 원인을 제시해 보자.

예시 답안 | (다)와 유사한 사례는 대도시보다 지방에서 전시회 등의 관람 기회가 제한되어 있다는 것, (라)와 유사한 사례는 다문화 이웃 중 얼굴색이 진한 사람들을 얕보는 것이 있다. 이러한 사례들이 발생하는 원인은 소외 지역이나 계층을 개선하는 사회적 제도와 지원이 미비하기 때문이다.

이것이 핵심

구조적 폭력이란 잘못된 사회 구조나 관행 등으로 인해 발생하는 정치적 억압, 사회적 차별, 문화적 소외 등을 말한다. 주변에서 발생하는 구조적 폭력을 파악한다.

친절한 활동 안내

잘못된 사회 구조나 관행 등이 굳어지면 정치적 억압, 사회적 차별, 문화적 소외 등의 구조적 폭력이 발생해. 구조적 폭력의 사례들이 지니는 공통점을 파악해 보고, 구조적 폭력이 발생하는 원인과 이를 해결할 방법을 생각해 보자.

배움 정리하기 풀이

- ✔ 예 신체·정신·재산상의 피해를 수반하는 모든 행위이다.
- ✔ 구조적, 부작위
- ✔ 예 또 다른 폭력을 낳는 '폭력의 악순환'을 만들 수 있기 때문이다.

재미있는 도덕 읽기 전국 학교 폭력 실태 조사

• 학교 폭력 피해 유형

순위	유형	응답률
1	욕설, 모욕적인 말	26.5%
2	괴롭힘	15.8%
3	집단 따돌림	14.8%
4	맞았다.	13.5%
5	협박, 위협	11%
6	사이버 폭력	6.8%
7	성적 놀림 및 접촉 강요	5.3%
8	금품 갈취	4.3%
9	강제 심부름	2%

• 학교 폭력 목격 후 행동

순위	행동	응답률
1	모른 척했다.	46.9%
2	학교 선생님께 알렸다.	19.1%
3	직접 말렸다.	18.8%
4	피해 학생을 위로했다.	8.1%
5	부모님께 알렸다.	4.4%
6	경찰에 신고했다.	1.6%
7	상담 센터에 알렸다.	1.1%

• 학교 폭력 가해 이유

순위	이유	응답률
1	장난	32.5%
2	오해와 갈등	14.9%
3	상대학생이 잘못해서	14.1%
4	화가 나서	12.2%
5	보복	8.4%
6	기타	5.7%
7	스트레스 때문에	4.6%
8	이유 없다.	4.2%
9	세 보이려고	2.3%
10	친구들, 선배들이 시켜서	1.1%

• 방관 이유

순위	이유	응답률
1	관심이 없어서	26.8%
2	도와줘도 소용이 없을 것 같아서	23.3%
3	같이 피해를 당할까봐	22.1%
4	어떻게 해야 할지 몰라서	21%
5	보복을 당할까 두려워서	6.8%

– 청소년폭력예방재단, 「전국 학교 폭력 실태 조사 연구(2014)」

2 일상에서 일어나는 폭력의 종류에는 어떤 것이 있을까?

마음 열기 풀이

교과서 48쪽

자료 해설
그림은 사이버 공간에서 상대를 조롱하는 폭력 행위, 친구와 다투는 과정에서 욕설을 사용하는 폭력 행위, 친구의 돈을 빼앗는 금품 갈취를 하는 폭력 행위를 나타낸 것이다.

1. 위 그림에 제시된 상황을 '폭력'이라고 하는 까닭을 설명해 보자.

예시 답안 | 상대방을 배려하지 않고 기분 나쁘게 하거나 금전적인 손해를 끼치기 때문이다. 이러한 행위는 상대방에게 상처를 줄 뿐만 아니라 상대방을 자신과 동등한 인격체로 대우하는 것이 아니므로 폭력이라고 할 수 있다.

2. 위 사례 이외에 내 주변에서 일어나는 폭력 상황을 제시해 보자.

예시 답안 | 친구에게 욕설하거나 장난삼아 놀리고 때리는 상황 등이 있다.

스스로 활동하기 풀이 이런 것도 폭력이야?

교과서 49쪽

이것이 핵심
아무리 사소하게 느껴질 수 있는 상황이라도 상대방의 권리를 침해한다면 폭력이 될 수 있음을 깨닫는다.

친절한 활동 안내
승우의 입장에서 승우가 느꼈을 감정을 생각해 보자. 사소한 일처럼 보일지라도 피해자의 권리를 침해한다면 폭력이라는 것을 알아두자.

1. 위의 상황에서 승우가 겪은 폭력의 유형을 모두 찾아보자.

예시 답안 | 진영이가 자신이 망가뜨린 승우의 라켓을 물어 준다고 약속 했으면서 이를 안 지킨 것은 '금품 갈취', 적반하장으로 다른 친구들 앞에서 승우를 쩨쩨한 사람으로 조롱한 것은 '언어폭력'에 해당한다. 또한 이 상황에서 승우는 굴욕감과 우울함을 느꼈으므로 정신적 피해도 겪었다고 할 수 있다.

2. 승우의 입장을 고려할 수 있도록 진영이에게 조언을 해 보자.

예시 답안 | 진영아, 네가 승우의 라켓을 망가뜨리고 물어 주지 않은 것과 다른 친구들 앞에서 승우를 쩨쩨하다고 몰아세운 행동은 모두 폭력이야. 승우가 얼마나 큰 마음에 상처를 받았겠니? 지금이라도 승우에게 진심으로 사과하고 새 라켓을 사 주길 바라.

스스로 활동하기 풀이 우리나라 국민이 생각하는 학교 폭력의 원인

교과서 50쪽

이것이 핵심
자신이 생각하는 학교 폭력의 원인과 이를 해결할 방안을 생각해 본다.

친절한 활동 안내
자신이 평소에 생각했던 학교 폭력의 원인을 통계에서 찾아볼 수 있는지 살펴보자. 그리고 폭력은 그 어떤 경우라도 정당화할 수 없음을 잊지 말자.

1. 내가 생각하는 학교 폭력의 원인은 무엇인지 생각해 보자.

예시 답안 | 내가 생각하는 학교 폭력의 원인은 가정 교육의 부재와 잘못된 사회 인식 문제이다. 어렸을 때부터 폭력에 많이 노출되거나 '아이들은 싸우면서 큰다.'라는 인식이 만연한 가정이나 사회에서 큰 아이들은 폭력을 자연스럽게 생각하며, 폭력을 행사할 가능성이 클 것이다.

2. 학교 폭력의 원인을 해결하는 방안을 두 가지 이상 제시해 보자.

예시 답안 | 첫째, 가정·학교·지역 사회에서 학교 폭력 교육을 시행해야 한다. 사소하다고 생각했던 행동도 학교 폭력에 해당할 수 있다는 것을 학생들에게 구체적이고 자세하게 알려준다면 학교 폭력 행위를 줄이는 데 도움이 될 것이다. 둘째, 학교 폭력의 처벌을 강화해야 한다. 학교 폭력 행위에 대한 처벌이 강력할수록 학생들이 쉽게 폭력을 행사할 수 없을 것이다.

함께 활동하기 풀이 폭력, 더 알아보기

교과서 51쪽

➔ 다음 그림을 보고 모둠원과 토의하여 답을 써 보자.

1. 위 상황을 통해 알 수 있는 폭력의 성격은 무엇인가? 모둠 토의 결과를 써 보자.

예시 답안 | 언어폭력은 쉽게 전파되어 다수에 의해 행해지기 쉽다. / 폭력 피해자는 지속적인 상처로 인해 주눅이 드는 등의 정신적 피해가 크다.

2. 폭력은 인간의 존엄성에 어떤 영향을 미칠까? 모둠 토의 결과를 써 보자.

예시 답안 | 폭력은 폭력을 당하는 사람의 인간 존엄성을 해치는 것과 동시에 폭력을 행사하는 사람의 존엄성도 해친다. 인간은 모두 동등한 인격을 갖춘 존재로, 다른 사람의 인격을 존중함으로써 자신의 인격도 존중받을 수 있다. 그런데 폭력은 다른 사람의 인격을 무시하는 행위이므로 폭력을 행사한 사람은 자신의 인격을 존중받을 권리를 스스로 포기하는 것이다.

3. 폭력에 관한 우리 모둠의 명언을 만들어 발표해 보자.

예시 답안 | 남에게 행사한 폭력, 나에게 돌아온 폭력.

4. 다른 모둠의 명언 중 인상 깊은 것이 있다면 써 보자.

예시 답안 | 신체적 폭력은 영혼의 폭력이다.

이것이 핵심!

일상생활에서 발생하는 폭력의 유형과 성격에 대해 모둠별로 분석해 보고, 폭력과 인간 존엄성의 관계를 성찰해 본다.

친절한 활동 안내

일상에서 지나친 장난도 폭력일 수 있어. 폭력과 관련한 여러 명언을 찾아보고, 폭력의 해악을 고발하는 우리 모둠만의 멋진 명언을 만들어 보자.

배움 정리하기 풀이

✔ 예 신체적 폭력, 언어폭력, 강요 등이 있다.

✔ 가정 환경적, 사회·문화적

재미있는 도덕 읽기 전세계를 감동시킨 '왕따' 아이의 노래

14살 중학생 소년 리안드레는 학교 폭력을 당할 때마다 홀로 랩 가사를 쓰기 시작했다. 그리고 영국의 공개 오디션 프로그램에 참여하여 학교 폭력의 경험을 녹인 자신의 노래를 내보였다. 감동적인 가사와 탄탄한 멜로디에 청중들은 격렬한 환호를 보냈고, 이들의 음악은 전 세계인에게 감동을 주었다.

제발 도와주세요.
너무 외로워요.
이 노래를 쓰면서 정말 많이 울었어요.
어울리려고 노력했어요.
나는 어디에 속해야 하나요?
매일 아침에 일어나면 집을 떠나기 싫어요.
(그저 희망을 가져, 그래 난 희망이 있어.)
왜 매일 다리를 걸어. 넘어뜨리는 거야.
난 돈을 가진 적이 없어. 네가 다 가져가 버리니까.
네가 내게 소리치며 윽박지를 때면 너무 두려워.
네게 내가 뭘 했길래 그래라고 물어볼 땐,
넌 다시 나를 때리고 우리 엄마를 놀리잖아.
(그저 희망을 가져, 그래 난 희망이 있어.)
오늘을 위해 희망을 가져.
그 음악이 너를 인도하도록 내버려 둬.
그리고 희망을 갖는 거야.
그럼 희망이 길을 만들 거야.
(쉽지 않을 걸 알아, 그래도 괜찮아, 희망을 가져.)

– Bars&Melody, hopeful

3 폭력에 어떻게 대처해야 할까?

마음 열기 풀이

교과서 52쪽

자료 해설
등굣길에 서로를 존중하는 마음을 담아 친구들을 따뜻하게 맞이하는 것으로 학교 폭력 예방 캠페인을 벌이는 모습이다.

서로 반갑게 인사하며 시작하는 등굣길
친구들을 따뜻한 포옹으로 맞이하는 등굣길

1. 등굣길에 위와 같은 캠페인을 본다면 내 기분은 어떨까?

예시 답안 | 나를 반겨주는 친구들과 앞으로 더 돈독하게 지낼 수 있을 것 같다.

2. 위와 같은 캠페인을 매일 한다면 우리 주변에 어떤 효과가 나타날까?

예시 답안 | 하루의 시작부터 밝은 분위기가 형성되어 학교 분위기도 밝아질 것 같다.

스스로 활동하기 풀이 폭력 상황에 처해 있나요? 도움을 요청하세요!

교과서 53쪽

이것이 핵심
실제 폭력 상황에 부닥친 학생들이 도움을 구할 수 있는 기관을 조사해 본다.

친절한 활동 안내
폭력 상황에 부닥쳤을 때 어떻게 대처해야 할지, 누구한테 도움을 요청해야 할지 알고 있니? 활동을 통해 다양한 폭력 상황에 실제로 대처하는 방법을 익혀 보자.

다음 여학생의 질문을 읽고 남학생의 말풍선을 채워 보자.

예시 답안 |

우리 사회에 가정 폭력, 학교 폭력, 성폭력 등 다양한 폭력 상황이 있잖아. 누구에게 도움을 요청하면 좋을까?

부모님, 선생님, 학교 전담 경찰관에게 도움을 요청할 수 있어.

폭력 상황을 도와줄 상담 기관에는 어떤 것이 있을까?

한국 청소년 상담원, 청소년 폭력 예방 재단 등이 있어.

폭력 상황에 부닥친 친구를 어떻게 도와줄 수 있을까?

친구의 고민을 진지하게 들어주고 비밀은 지켜줘. 그리고 선생님과 주변 어른께 도움을 요청해야 해.

스스로 활동하기 풀이 학교 폭력 예방 주사

교과서 55쪽

이것이 핵심
학교 폭력 예방을 위한 다양한 방법을 알아본다.

친절한 활동 안내
병에 예방하기 위해 예방 주사를 맞듯, 학교 폭력을 예방하기 위해서는 어떤 것이 필요한지 생각해 보자.

효과 좋은 '학교 폭력 예방 주사'를 만들기 위해 포함해야 할 것을 정리해 보자.

예시 답안 |

- **가정용**: 가족과의 대화, 가정 내 인성 교육, 부모의 모범 등이 있다.
- **학교용**: 학교 폭력 예방 관련 캠페인 및 역할놀이, 전문가 상담, 학교 폭력을 방관하지 않도록 다짐하는 분위기 등이 있다.
- **개인용**: 공감 능력, 도덕적 민감성, 도덕적 상상력, 분노 조절 능력, 이해심, 우정 등이 있다.

함께 활동하기 풀이 학교 폭력 예방 현수막 만들기

교과서 56쪽

➜ 교문에 부착할 '학교 폭력 예방 캠페인 현수막'을 모둠원과 함께 만들어 보자.

1. '학교 폭력'을 생각하면 떠오르는 것을 생각 지도로 표현해 보자.

예시 답안 |

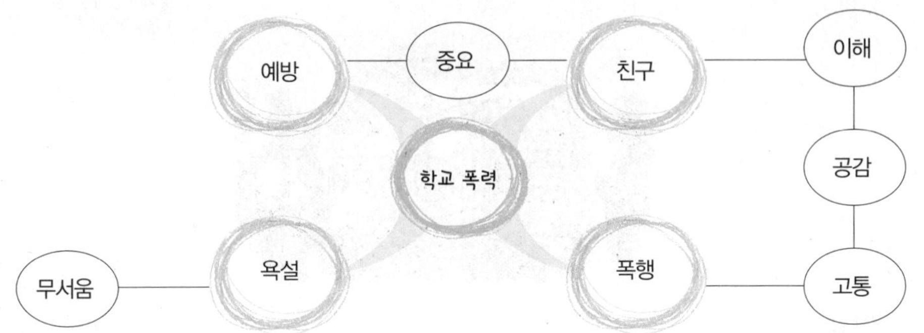

2. '학교 폭력 예방'에 관한 주제를 전달할 수 있는 문구를 모둠원과 토의 후 써 보자.

예시 답안 | 남에게 행사한 폭력, 나에게 돌아온 폭력.

3. 모둠원과 함께 정한 문구의 의미를 더욱 효과적으로 전달할 수 있도록 현수막을 디자인해 보자.

예시 답안 | 생략

이것이 핵심

'학교 폭력' 하면 떠오르는 단어나 느낌을 자유롭게 나열하고, 이를 바탕으로 학교 폭력을 예방할 수 있는 현수막을 만들어 본다.

친절한 활동 안내

폭력은 발생하기 전에 예방하는 것이 중요해. 학교 폭력을 예방하는 문구를 만들고, 학교 폭력을 효과적으로 예방할 수 있도록 문구를 활용한 현수막을 만들어 보자.

배움 정리하기 풀이

✓ 예 주변 사람에게 도움을 요청하겠다.

✓ 예 분노를 조절하는 연습을 하겠다.

재미있는 도덕 읽기 학교 폭력이 발생하면?

■ 학교 폭력이 일어났을 때 도움을 받을 수 있는 기관

기관명	기관 소개
경찰청 117 신고 센터	• 하는 일: 전국에서 발생하는 학교 폭력 피해자 신고를 접수하여 긴급 구조, 법률 상담, 전화 상담, 일대일 채팅 상담 등의 종합 지원 • 전화번호: 117(문자 신고: #0117) • 사이트 주소: www.safe182.go.kr
청소년 폭력 예방 재단	• 하는 일: 학교 폭력 상담, 현장 출동, 분쟁 조정, 학교 폭력 사안 처리 법률 상담 지원 • 전화번호: 1588-9128(학교 폭력 상담 전화) • 사이트 주소: www.jikim.net
위센터	• 하는 일: 위기 청소년 상담, 심리 검사, 교육 지원 • 전화번호: 02-2057-8704, 8705 • 사이트 주소: www.wee.go.kr

■ 학교 폭력과 관련하여 도움을 받을 수 있는 애플리케이션

애플리케이션 이름	애플리케이션 소개
117 챗 어플	애플리케이션 채팅창에 학교 폭력 상담 메시지를 입력하면 학교 전담 경찰관과 연결되어 24시간 상담이 가능하다.

중단원 마무리

애플 데이(Apple Day)란?

이것이 핵심

'애플 데이'의 목적을 알고, 자신이 사과하고 싶은 상대방과 직접 소통하면서 자신의 행동에 대한 책임감을 느껴본다.

친절한 활동 안내

'애플 데이'는 매년 10월 24일로, 학교 폭력 대책 국민 협의회를 비롯한 시민 단체가 학생, 교사, 학부모 등을 대상으로 화해와 용서의 운동을 벌이자는 취지로 정한 날이야. '애플 데이'의 의미를 이해하고, 평소 사과하고 싶던 사람들에게 진솔한 마음을 담아 편지를 써 보자.

→ 애플 데이에 관한 글을 읽고, 나로 인해 마음 아팠을 친구 혹은 내가 사과하고 싶은 사람에게 편지를 써 전달해 보자.

예시 답안 |

소중한 친구 □□에게.

안녕, □□야. 일주일 전에 네게 했던 말을 사과하고 싶어서 이렇게 편지를 쓴다.

내가 너에게 연필을 빌릴 때 네가 농담으로 연필도 없이 학교에 오느냐고 해서 기분이 조금 나빴었어. 우리는 평소에 그런 농담을 많이 주고 받아왔는데 그날따라 내가 좀 예민했었나 봐. 그래서 내가 너에게 연필 하나 빌려 주면서 뭘 그렇게 유난이냐고 쏘아붙이고 말았어.

그 이후로도 계속 아무 잘못 없는 너에게 트집을 잡아 못되게 군 것 정말 미안해.

더 일찍 사과해야 했는데 용기가 나지 않았어. 지금이라도 너에게 용서를 구하고 싶어.

내가 너에게 상처를 준 행동에 대해 반성하고, 다시는 그런 경솔한 말과 행동을 하지 않겠다고 약속할게.

20○○년 ○월 ○일 ○○가

재미있는 도덕 읽기 | 학교 폭력 예방 및 대책에 관한 법률[시행 2017.11.28.]

제2조(정의) 이 법에서 사용하는 용어의 정의는 다음 각 호와 같다. 〈개정 2009. 5. 8., 2012. 1. 26., 2012. 3. 21.〉

1. "학교폭력"이란 학교 내외에서 학생을 대상으로 발생한 상해, 폭행, 감금, 협박, 약취·유인, 명예훼손·모욕, 공갈, 강요·강제적인 심부름 및 성폭력, 따돌림, 사이버 따돌림, 정보·통신망을 이용한 음란·폭력 정보 등에 의하여 신체·정신 또는 재산상의 피해를 수반하는 행위를 말한다.

1의 2. "따돌림"이란 학교 내외에서 2명 이상의 학생들이 특정인이나 특정 집단의 학생들을 대상으로 지속적이거나 반복적으로 신체적 또는 심리적 공격을 가하여 상대방이 고통을 느끼도록 하는 일체의 행위를 말한다.

1의 3. "사이버 따돌림"이란 인터넷, 휴대전화 등 정보·통신 기기를 이용하여 학생들이 특정 학생들을 대상으로 지속적, 반복적으로 심리적 공격을 가하거나, 특정 학생과 관련된 개인정보 또는 허위사실을 유포하여 상대방이 고통을 느끼도록 하는 일체의 행위를 말한다.

–「학교 폭력 예방 및 대책에 관한 법률」

개념 확인 문제

01 다음 내용이 옳으면 ○표, 틀리면 X표 하시오.

(1) 폭력은 사회적 혼란을 일으킬 수 있다. (　　)
(2) 폭력은 또 다른 폭력으로 이어질 수 있다. (　　)
(3) 폭력은 신체적 가해를 주는 행위만을 뜻한다. (　　)
(4) 좋은 목적을 위한 폭력은 도덕적으로 정당화될 수 있다. (　　)

02 빈칸에 들어갈 알맞은 단어를 쓰시오.

(1) (　　　) 폭력은 잘못된 사회 구조나 관행 등으로 발생하는 정치적 억압, 사회적 차별, 문화적 소외 등을 말한다.
(2) (　　　)에 의한 폭력은 폭력 상황을 알고도 이를 외면하거나 방관하는 것을 말한다.
(3) (　　　)은/는 돈을 요구하거나 옷이나 문구 등을 빌리고 돌려주지 않는 행위, 일부러 친구의 물건을 망가뜨리는 행위, 돈을 걸어 오라고 하는 행위 등을 말한다.

03 밑줄 친 '이것'은 무엇인지 쓰시오.

> 이것은 상대방을 의도적으로 반복해서 피하거나 다른 학생과 어울리지 못하게 막는 것을 뜻한다.

04 빈칸에 들어갈 알맞은 말을 쓰시오.

> 폭력을 당한 사람이 복수심으로 다른 폭력을 행사하면 폭력은 더 커지고 퍼져 폭력이 폭력을 낳을 수 있는데, 이를 (　　　　)(이)라고 한다.

실력 점검 문제

01 폭력에 대한 설명으로 옳은 것은?

① 개인 간에서만 발생한다.
② 폭력 상황을 방관하는 것도 폭력이다.
③ 직접 관련된 당사자에게만 고통을 준다.
④ 직접 신체에 손해를 입히는 행동만을 일컫는다.
⑤ 다른 사람의 물건을 망가뜨리는 행위와 같이 사소한 문제는 폭력이 아니다.

02 다음 내용에 해당하는 폭력의 유형으로 옳은 것은?

> 상대방의 신체에 상처를 내거나 기능을 훼손하는 행위

① 따돌림　② 금품 갈취
③ 언어폭력　④ 신체 폭력
⑤ 사이버 폭력

중요

03 다음 사례에 해당하는 폭력의 유형으로 옳은 것은?

> • 문화적 소외
> • 양성 불평등
> • 장애인 취업 차별

① 개인적 폭력　② 구조적 폭력
③ 물리적 폭력　④ 신체적 폭력
⑤ 부작위에 의한 폭력

실력 점검 문제

04 폭력의 사회·문화적 원인으로 옳은 것은?

① 분노 조절을 못해서
② 자기중심적으로만 생각해서
③ 대중 매체를 통해 폭력을 자주 접해서
④ 충동적이고 공격적인 사고방식을 가지고 있어서
⑤ 자신의 행동에 관한 결과를 잘 예측하지 못해서

05 분노에 대한 설명으로 가장 적절한 것은?

① 정상적인 사람은 가지지 않는 감정이다.
② 폭력적인 행동이나 말로 이어질 가능성이 크다.
③ 갈등 상황을 객관적으로 파악하게 해주는 감정이다.
④ 분노를 조절하는 것과 폭력의 예방과는 관련이 없다.
⑤ 자연스럽게 조절되는 감정이므로 다른 인위적인 노력은 필요하지 않다.

06 폭력의 해악에 대한 설명으로 옳지 않은 것은?

① 사회적 무질서와 혼란을 일으킨다.
② 가해자는 법적 처벌과 도덕적 비난을 받는다.
③ 피해자에게 우울증 등 정신적 피해를 주기도 한다.
④ 폭력이 폭력을 낳는 폭력의 선순환을 일으킬 수 있다.
⑤ 폭력을 목격한 사람도 정서적인 불안을 호소할 수 있다.

07 폭력의 비도덕성에 대한 올바른 설명만을 〈보기〉에서 있는 대로 고른 것은?

보기

ㄱ. 개인의 희생을 강요한다.
ㄴ. 개인이 평화롭게 살아갈 권리를 빼앗는다.
ㄷ. 인간의 존엄성을 빼앗는다.
ㄹ. 인간에게 자유의사와 의지를 지닐 것을 강요한다.

① ㄱ, ㄴ ② ㄴ, ㄷ ③ ㄴ, ㄹ
④ ㄱ, ㄴ, ㄷ ⑤ ㄱ, ㄴ, ㄹ

중요

08 (가)~(다)에 해당하는 폭력의 유형을 바르게 짝지은 것은?

(가) 상대방을 조롱하는 말을 한다.
(나) 일부러 상대방의 물건을 망가뜨린다.
(다) 상대방을 조롱하는 내용의 글을 학교 홈페이지 게시판에 올린다.

	(가)	(나)	(다)
①	언어폭력	금품 갈취	따돌림
②	언어폭력	금품 갈취	사이버 폭력
③	따돌림	강요	협박
④	따돌림	강요	언어폭력
⑤	사이버 폭력	따돌림	언어폭력

중요

09 폭력 상황에 대처하는 방법으로 가장 적절한 것은?

① 주변 사람에게 알려 도움을 받는다.
② 폭력 상황이 더 악화하지 않게 그대로 내버려 둔다.
③ 폭력에 대해 너그러운 사회 분위기를 만들도록 노력한다.
④ 폭력 상황을 목격하더라도 고자질하지 않도록 신고하지 않는다.
⑤ 자신이 폭력 상황에 부닥쳤다는 사실이 최대한 퍼지지 않도록 숨긴다.

10 학교 폭력과 그 대응 방법에 관한 올바른 설명을 〈보기〉에서 고른 것은?

보기

ㄱ. 집단 따돌림은 학교 폭력이다.
ㄴ. 학교 폭력 피해자는 후유증이 없다.
ㄷ. 부모님이나 선생님 등 주변 사람에게 도움을 요청해야 한다.
ㄹ. '나는 피해자가 되지 않는다.'라는 생각으로 방관해야 한다.

① ㄱ, ㄴ ② ㄱ, ㄷ ③ ㄴ, ㄷ
④ ㄴ, ㄹ ⑤ ㄷ, ㄹ

11 폭력 예방을 위한 노력으로 옳지 않은 것은?

① 공감 능력을 함양한다.
② 학교에서 인성 교육을 한다.
③ 폭력 예방 캠페인 등에 참여한다.
④ 분노를 유발하는 상황을 주관적으로 살핀다.
⑤ 가정에서 부모가 대화를 통한 문제 해결의 모범을 보인다.

서술형

12 폭력이 비도덕적인 이유를 두 가지 이상 서술하시오.

13 폭력의 원인을 개인적인 차원과 사회·문화적인 차원에서 각각 서술하시오.

14 폭력 예방을 위해 개인적 차원에서 할 수 있는 노력을 두 가지 이상 서술하시오.

3 폭력의 문제

1 학교 폭력 예방을 위한 UCC 만들기

memo

❶ 모둠별로 학교 폭력 예방을 주제로 한 대본을 작성해보자.

장면	등장 인물의 행동과 대사	효과
#1		
#2		
#2		
#3		

❷ ❶의 대본을 토대로 UCC를 만들기 위해 모둠원의 역할을 분담하고 계획을 세워 보자.

역할	모둠원 이름
감독	
촬영	
출연	
편집	
(　　　)	

할 일	날짜
촬영	
편집	
시사회	
(　　　)	
(　　　)	

❸ 각 모둠의 UCC를 감상해 보고 평가해 보자.

가장 훌륭한 UCC를 만든 모둠과 그 이유는?	

❹ 활동을 마친 후 소감과 자기 평가를 적어 보자.

우리 모둠에서 나는 맡은 바 책임을 다 하였는가?	
이번 활동을 통해 배운 것은?	

2 역지사지를 통해 갈등 상황을 폭력에서 평화로 바꾸기

memo

❶ 갈등 상황을 폭력적으로 해결했던 경험을 적어 보자.

• 갈등 상황

• 갈등을 악화시킨 나의 폭력적인 행동이나 말

❷ ❶의 상황에서 상대방의 입장이 되어 상대방이 느꼈을 감정을 일기로 써 보자.

❸ 갈등 상황을 평화적으로 해결하기 위한 앞으로의 다짐을 써 보자.

생활 속 갈등 상황을 폭력적이 아닌 평화적이게 해결하기 위해서 앞으로 나는

첫째, ______

둘째, ______

셋째, ______

인물로 배우는 **도덕**

평화학의 창시자

요한 갈퉁

(Galtung, J., 1830 ~)

이번에 소개할 인물은 평화학자 요한 갈퉁입니다. 노르웨이 오슬로에서 출생한 요한 갈퉁은 1964년 세계 평화학회를 발족하였습니다.

또한 1970년대 이후 남북한을 수십 회 방문하여 남북한의 평화 통일을 위해 노력했으며 특히 한국의 여러 대학을 찾아 젊은이들을 대상으로 직접 평화에 대한 강연 활동을 하기도 했습니다.

갈퉁은 자신의 저서 『평화적 수단에 의한 평화』에서 평화에 대한 정의를 직접적인 폭력이 없는 상태인 '소극적 평화'와 모든 사람이 자유·평등·정의 등의 원리에 따라 사람답게 살아갈 수 있는 '적극적 평화'로 구분하였습니다.

요한 갈퉁의 평화에 대한 정의는 현대인에게 진정한 평화가 무엇인지에 대해 생각할 기회를 줍니다.

"중요한 것은 평화를 생각하는 것뿐만이 아니라 말하고, 쓰고, 평화를 만들도록 기여하고, 건설하고, 지키는 것입니다."

평화적 수단에 의한 평화를 주장한 갈퉁을 만나다.

갈퉁 선생님, 안녕하세요.
선생님께서 말씀하시는 소극적 평화와 적극적 평화란 무엇인가요?

저는 단지 전쟁이 없다는 의미로서의 평화는 '소극적 평화'로, 행복과 복지와 번영이 보장되어 있다는 의미로서의 평화는 '적극적 평화'라고 말합니다. 적극적 평화란 사회 정의의 실현이며, 인권의 옹호와 확대이고, 고통과 궁핍으로부터의 해방이라고 할 수 있지요.

그렇군요. 조금 더 설명을 듣고 싶은데, 소극적 평화와 적극적 평화를 예시와 함께 말씀해주시겠어요?

물론입니다. 소극적 평화의 예를 들어주자면 신체에 대한 폭행이나 테러나 전쟁과 같이 물리적 힘으로 사람의 생명과 안전을 해치는 직접적인 폭력이 없는 상태라고 할 수 있습니다. 반면, 적극적 평화란 위에서 말한 직접적 폭력이 없을뿐만 아니라 가난, 차별 등과 같이 사회의 구조적 요인에 의해 기본적 권리를 보장받지 못하는 상태인 구조적 폭력도 없는 상태를 말합니다.

직접적 폭력, 구조적 폭력이란 무엇인가요?

폭력에는 신체에 직접 위해를 가하는 개인적이고, 직접적이고, 현재적인 폭력과 간접적이고, 구조적이고, 잠재적인 폭력이 있습니다. 앞서 말한 개인적 · 직접적 · 현재적인 폭력의 예로는 전쟁, 테러, 폭행 등이 있습니다. 이에 반해 간접적 · 구조적 · 잠재적인 폭력의 예로는 나쁜 사회 제도, 잘못된 관습, 불평등한 경제, 나쁜 정치나 법률, 환경 파괴와 오염, 나쁜 개발 등이 있습니다.

대단원 마무리

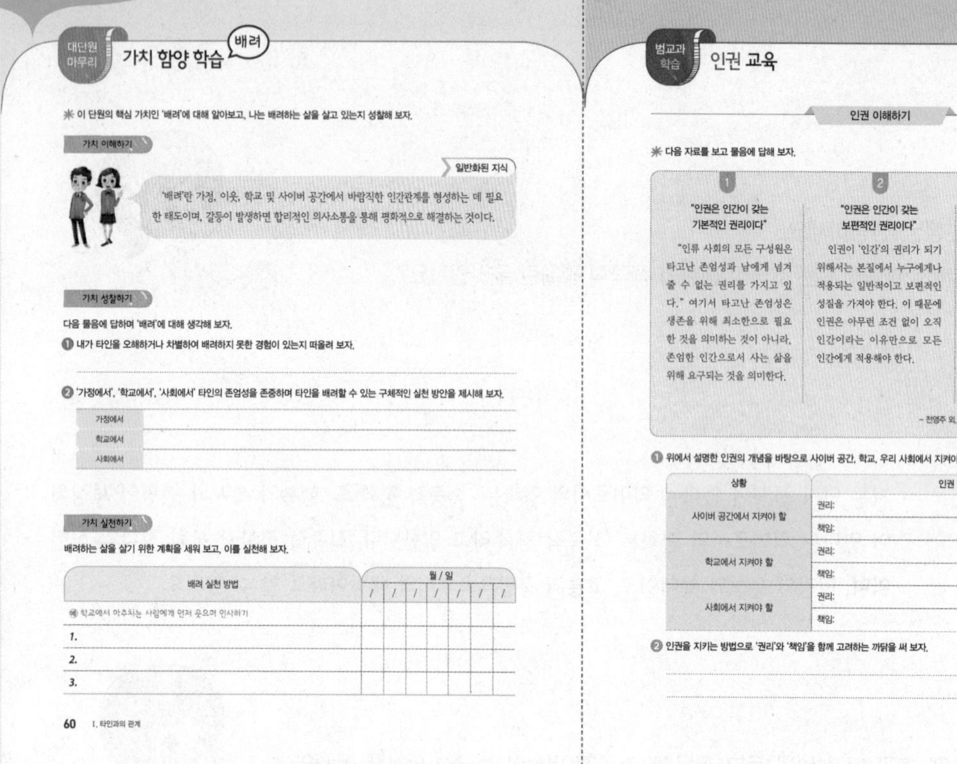

대단원 마무리 **가치 함양 학습** 배려

✻ 이 단원의 핵심 가치인 '배려'에 대해 알아보고, 나는 배려하는 삶을 살고 있는지 성찰해 보자.

가치 이해하기

일반화된 지식

'배려'란 가정, 이웃, 학교 및 사이버 공간에서 바람직한 인간관계를 형성하는 데 필요한 태도이며, 갈등이 발생하면 합리적인 의사소통을 통해 평화적으로 해결하는 것이다.

가치 성찰하기

다음 물음에 답하며 '배려'에 대해 생각해 보자.

① 내가 타인을 오해하거나 차별하여 배려하지 못한 경험이 있는지 떠올려 보자.

② '가정에서', '학교에서', '사회에서' 타인의 존엄성을 존중하며 타인을 배려할 수 있는 구체적인 실천 방안을 제시해 보자.

가정에서	
학교에서	
사회에서	

가치 실천하기

배려하는 삶을 살기 위한 계획을 세워 보고, 이를 실천해 보자.

배려 실천 방법	/	/	/	/	/	/	/
예) 학교에서 마주치는 사람에게 먼저 웃으며 인사하기							
1.							
2.							
3.							

60 I. 타인과의 관계

범교과 학습 **인권 교육**

인권 이해하기

✻ 다음 자료를 보고 물음에 답해 보자.

1 "인권은 인간이 갖는 기본적인 권리이다"

"인류 사회의 모든 구성원은 타고난 존엄성과 남에게 넘겨줄 수 없는 권리를 가지고 있다." 여기서 타고난 존엄성은 생존을 위해 최소한으로 필요한 것을 의미하는 것이 아니라, 존엄한 인간으로서 사는 삶을 위해 요구되는 것을 의미한다.

2 "인권은 인간이 갖는 보편적인 권리이다"

인권이 '인간'의 권리가 되기 위해서는 본질에서 누구에게나 적용되는 일반적이고 보편적인 성질을 가져야 한다. 이 때문에 인권은 아무런 조건 없이 오직 인간이라는 이유만으로 모든 인간에게 적용해야 한다.

3 "인권은 책임을 동반한 권리이다"

한 개인이 인권을 가지고 있다는 것은 다른 사람의 인권을 존중할 책임을 진다는 것이다. 그러므로 한 개인이 인권과 관련하여 갖는 책임은 자신의 인권을 알고 누려야 하는 책임과 타인의 권리를 존중하면서 지켜 주어야 하는 책임, 즉 두 가지 측면에서 나타난다.

– 전영주 외, 『학생 인권교육 교재 학교폭력예방 길라잡이』

① 위에서 설명한 인권의 개념을 바탕으로 사이버 공간, 학교, 우리 사회에서 지켜야 할 '권리'와 '책임'에 대해 각각 써 보자.

상황	인권 지키기
사이버 공간에서 지켜야 할	권리:
	책임:
학교에서 지켜야 할	권리:
	책임:
사회에서 지켜야 할	권리:
	책임:

② 인권을 지키는 방법으로 '권리'와 '책임'을 함께 고려하는 까닭을 써 보자.

범교과 학습 61

가치 함양 학습 교과서 60쪽

이것이 핵심 배려란 상대방에 관한 관심에서 출발하여 그에게 필요한 것이 무엇인지를 생각하여 도와주고 보살피는 것이다. 일상에서 내가 실천하는 배려가 가정, 학교, 사회 전체를 따뜻하게 바꿀 수 있음을 안다.

1. 내가 타인을 오해하거나 차별하여 배려하지 못한 경험이 있는지 떠올려 보자.

예시 답안 | 학기 초에 짝의 첫인상만으로 무서운 아이라고 오해하고 피했는데, 알고 보니 누구보다 마음이 여리고 따뜻한 친구라는 것을 알게 되었다.

2. '가정에서', '학교에서', '사회에서' 타인의 존엄성을 존중하며 타인을 배려할 수 있는 구체적인 실천 방안을 제시해 보자.

예시 답안 |

가정에서	형제자매에게 작은 것이라도 양보한다.
학교에서	친구나 선생님께 먼저 웃으며 인사한다.
사회에서	이웃에게 도움을 줄 수 있는 일이 있는지 살핀다.

범교과 학습 교과서 61쪽

이것이 핵심 인권은 모든 인간이 지닌 기본적이고 보편적인 권리이다. 인권을 지키기 위해 책임이 함께 고려되어야 하는 이유를 생각해 본다.

1. 위에서 설명한 인권의 개념을 바탕으로 사이버 공간, 학교, 우리 사회에서 지켜야 할 '권리'와 '책임'에 대해 각각 써 보자.

예시 답안 |

상황	인권 지키기
사이버 공간에서 지켜야 할	권리: 생각을 자유롭게 밝히고 발언을 침해당하지 않을 권리
	책임: 잘못된 발언에 의한 피해가 있을 때 사과할 책임
학교에서 지켜야 할	권리: 사생활을 보호받을 권리
	책임: 학교 규칙을 준수할 책임
사회에서 지켜야 할	권리: 개인의 자유와 행복을 추구할 권리
	책임: 자신의 행동으로 인해 발생한 문제에 대한 책임

2. 인권을 지키는 방법으로 '권리'와 '책임'을 함께 고려하는 까닭을 써 보자.

예시 답안 | 타인의 존엄성과 권리를 보장해 줄 때 나의 존엄성과 권리가 보장될 수 있다. 그 권리를 보장하는 최소한의 조건이 책임이 된다.

대단원 마무리 문제

정답과 해설 206쪽

01 다음 글에 드러난 사이버 공간의 특성으로 옳은 것은?

> 사이버 공간은 자신의 정체를 드러내지 않고 활동을 할 수 있어서 자유로운 의견 제시와 의사소통을 할 수 있지만, 이를 악용하여 무책임한 행동을 하는 사례도 발생한다.

① 개방성 ② 공유성 ③ 다양성
④ 익명성 ⑤ 특수성

02 (가), (나)에 드러난 정보화 시대에 요구되는 도덕적 원칙을 바르게 짝지은 것은?

> (가) 모든 개인은 동등한 기본적 자유의 권리를 갖고 있으며 타인의 기본적 자유와 권리를 침해하지 않아야 한다.
> (나) 타인에게 피해를 주는 행위를 해서는 안 되며 피해를 방지하기 위해 노력해야 한다.

	(가)	(나)
①	존중의 원칙	책임의 원칙
②	존중의 원칙	해악 금지의 원칙
③	정의의 원칙	존중의 원칙
④	정의의 원칙	해악 금지의 원칙
⑤	해악 금지의 원칙	정의의 원칙

03 밑줄 친 '이것'으로 옳은 것은?

> 이것은 서로 다른 요구나 성향으로 인해 해결하기 어려운 마음의 상태나 상황을 의미한다. 이것은 사회 혼란으로 이어지기도 하지만, 올바르게 해결할 경우 사회 발전의 계기가 되기도 한다.

① 갈등 ② 정보 ③ 정의
④ 평화 ⑤ 통신

04 다음 글이 강조하는 정보·통신 매체의 올바른 사용 자세로 가장 적절한 것은?

> 정보·통신 매체의 무분별한 사용은 타인뿐 아니라 자신에게도 피해를 준다. 게임 중독이나 인터넷 중독이 대표적인 예인데, 이러한 폐해를 예방하기 위해서는 정보·통신 매체를 필요한 용도에 맞게 적절한 시간 동안 사용하는 자세가 필요하다.

① 인내 ② 정의 ③ 존중
④ 절제 ⑤ 책임

05 정보·통신 매체의 올바른 사용 방법만을 〈보기〉에서 있는 대로 고른 것은?

보기

> ㄱ. 필요한 경우에만 이용한다.
> ㄴ. 허용된 장소에서만 사용한다.
> ㄷ. 정보·통신 매체에만 온전히 몰두한다.
> ㄹ. 정확하고 신속한 소통을 위해 상대에게 답장을 독촉한다.

① ㄱ, ㄴ ② ㄱ, ㄷ ③ ㄴ, ㄹ
④ ㄱ, ㄴ, ㄷ ⑤ ㄱ, ㄴ, ㄹ

06 비언어적 소통 수단으로 옳지 않은 것은?

① 미소
② 음성
③ 표정
④ 단어
⑤ 고개를 끄덕이는 태도

07 (가), (나)에 드러난 갈등의 원인을 바르게 짝지은 것은?

(가) 교내 동아리 방을 사용하기로 예약했는데 다른 동아리에서 사용하고 있어서 시비가 붙었다.
(나) 외국에서 자란 사촌 동생이 우리 집에서 지내게 되었다. 사촌 동생이 언니인 내게 반말을 하는 것을 본 할머니께서는 사촌 동생을 혼내셨고, 사촌 동생은 무엇 때문에 혼이 났는지 이해하지 못했다.

	(가)	(나)
①	가치관 차이	제한된 자원
②	가치관 차이	오해의 발생
③	오해의 발생	제한된 자원
④	오해의 발생	가치관 차이
⑤	제한된 자원	가치관 차이

08 갈등 상황에 대처하는 올바른 방법만을 〈보기〉에서 있는 대로 고른 것은?

보기
ㄱ. 갈등을 긍정적으로만 바라본다.
ㄴ. 갈등 상대를 이기기 위해 노력한다.
ㄷ. 갈등이 있다는 것을 겉으로 드러내지 않는다.
ㄹ. 갈등의 원인이 무엇인지 진지하게 탐구한다.
ㅁ. 갈등이 있다는 것을 인정하고 소통과 협력을 통해 해결하려 노력한다.

① ㄱ, ㄷ ② ㄴ, ㄹ ③ ㄹ, ㅁ
④ ㄴ, ㄹ, ㅁ ⑤ ㄷ, ㄹ, ㅁ

09 폭력의 피해자가 겪는 고통으로 적절하지 않은 것은?

① 우울함
② 두려움
③ 법적 처벌
④ 신체적 손상
⑤ 정신적 피해

10 폭력의 유형과 그 사례에 대한 설명으로 옳은 것은?

① 신체적 폭력: 강제로 심부름을 시키는 행위
② 강요: 신체에 상처를 내거나 기능을 훼손하는 행위
③ 금품 갈취: 일부러 상대방의 물건을 망가뜨리는 행위
④ 성폭력: 욕설이나 협박, 비웃기 등 언어를 통해 상대방을 공격하는 행위
⑤ 부작위에 의한 폭력: 돈을 요구하거나 옷이나 문구 등을 빌리고 돌려주지 않는 행위

11 다음 글에 나타난 폭력의 유형을 〈보기〉에서 고른 것은?

쉬는 시간에 체육복을 갈아입는 친구의 모습을 휴대전화로 촬영하여 학급 단체 채팅방에 올린 행동

보기
ㄱ. 강요
ㄴ. 성폭력
ㄷ. 신체 폭력
ㄹ. 사이버 폭력

① ㄱ, ㄴ ② ㄱ, ㄹ ③ ㄴ, ㄷ
④ ㄴ, ㄹ ⑤ ㄷ, ㄹ

12 다음은 중학생의 도덕 필기 노트이다. ㉠~㉤ 중 옳지 않은 것은?

> 오늘 도덕 시간에 폭력에 관하여 다양한 내용을 배웠다. 첫째, ㉠ 폭력은 피해자에게 고통을 줄 뿐 아니라 가해자에게도 비도덕적인 영향을 끼친다. 둘째, ㉡ 일상생활에서 발생하는 폭력에는 강요, 따돌림, 금품 갈취 등이 있다. 셋째, ㉢ 아무리 좋은 목적을 위해서라도 그 어떤 폭력도 도덕적으로 정당화될 수 없다. 넷째, ㉣ 분노를 조절하지 못하는 것은 폭력이 발생하는 사회적 원인이다. 마지막으로 ㉤ 폭력을 당한 피해자는 주변 사람에게 도움을 요청해야 한다.

① ㉠ ② ㉡ ③ ㉡
④ ㉣ ⑤ ㉤

서술형

13 정보화 시대의 순기능과 역기능에 대해 각각 서술하시오.

14 갈등을 평화적으로 해결해야 하는 이유를 두 가지 이상 서술하시오.

논술형

15 다음 글을 읽고 대중 매체가 폭력의 원인일 수 있는 이유를 논술하시오.

> 어린이를 세 그룹으로 나누었다. 첫 번째 그룹에 속한 아이들에겐 인형을 공격하는 행동을, 두 번째 그룹에 속한 아이들에겐 인형을 보살펴주는 행동을, 세 번째 그룹에 속한 아이들에겐 아무런 행동도 하지 않는 영상을 보여주었다. 영상 시청 후 각 그룹의 아이들을 한 명씩 불러내 인형이 있는 방에 들여보내고 그들의 행동을 10분 동안 관찰하였다. 그 결과, 첫 번째 그룹에 속한 아이 중 약 78%가 공격적인 행동을 모방하였고, 두 번째 그룹에 속한 아이 중 43%가 친절한 행동을 모방하여 공격적인 행동을 보인 아이가 없었다. 세 번째 그룹에 속한 아이도 모두 무관심한 행동을 모방하여 공격적인 행동을 보인 아이가 없었다.

Ⅱ

사회 · 공동체와의 관계

교과서 | 62쪽 ~ 129쪽

이 단원의 활동 구성

중단원	활동 주제		
	스스로 활동하기	함께 활동하기	중단원 마무리
01 도덕적 시민	• 만일 국가가 없다면? • 국가와 정의 • 시민으로서의 책임감이 약해지면? • 법을 왜 지켜야 할까? • '로자 파크스' 사건	• 정의로운 국가에 어떻게 도달할 것인가? • 대한민국 영토, 독도를 알리는 시민 활동 참여하기 • 준법 포스터 만들기	좋은 시민은 어떤 가치를 추구할까?
02 사회 정의	• 개인의 노력만으로 정의로운 사회를 만들 수 있을까? • 소수계 우대 정책과 역차별 논란 • 스포츠에서 약물 검사를 하는 이유 • 장학금을 누구에게 주어야 공정할까? • 청소년 '정직' 지수, 나라면?	• 이익의 관점과 공정의 관점 • 공정한 경쟁의 의미와 조건 • 부정부패 방지법이 없는 나라	케이크 자르기로 배우는 정의
03 북한 이해	• 남한과 북한은 어떤 관계인가? • 북한을 어떻게 바라보아야 할까? • 북한의 조선 중앙 텔레비전 편성표 • 북한 이해를 위한 퀴즈 • 북한 이탈 주민의 적응에 필요한 것은 무엇일까? • 북한 이탈 주민에 대한 태도	• 통일에 대한 북한 주민의 인식 알아보기 • 북한 주민과 시장 경제 • 내가 평양의 중학교로 전학을 간다면?	그림으로 정리하기
04 통일 윤리 의식	• 분단은 우리에게 어떤 비극으로 나타날까? • 분단과 평화의 관계 • 통일 한국의 화폐 디자인하기 • 평화적 교류 · 협력의 확대 방안	• 분단이 우리 가족에게 미치는 영향 • 통일 한국의 미래와 나의 모습 • 통일 엽서 만들기	통일 손수 제작물(UCC) 만들기

01 도덕적 시민

교과서 64～79쪽

• 국가와 권위
국가 권력을 행사하기 위해서는 그에 대한 정당성이 필요하다. 국가 권력 행사에 정당성이 있어야 국민이 수긍할 수 있고 국가 권력에 복종할 것이기 때문이다.

• 복지 정책을 시행하는 이유
복지 정책은 사회의 모든 개개인이 행복하게 살 수 있도록 하기 위한 국가 차원에서의 배려이다.

• 플라톤의 정의로운 국가
플라톤은 국가의 구성원을 통치자, 수호자, 생산자 세 계층으로 구분하고, 이들이 각각 자신에게 필요한 덕목인 지혜, 용기, 절제를 발휘하여 조화를 이루면 정의가 실현되며 정의로운 국가가 된다고 보았다.

1 어떤 국가가 정의로운 국가일까?

1. 국가의 역할과 기능

(1) 국가를 이루는 요소 ── 일정한 영토와 그곳에 사는 사람으로 구성되고, 주권을 행사하는 하나의 통치 조직이 있는 사회 집단

① 객관적 요소: 국민, 영토, 주권

② 주관적 요소: 국민의 자부심과 소속감

(2) 국가의 역할과 기능 ── 바람직한 국가는 인간의 존엄성을 보장하고, 최소한의 경제적 기반을 형성하며, 사회적 합의에 따른 사회 제도를 운영해야 함

① 국민의 생명을 보호하고 안전을 도모함

② 복지 혜택을 제공하고 개인이나 집단의 갈등을 조정함

③ 개인이 만들 수 없는 것들을 제공하고 인간다운 삶을 보장함

(3) 국가가 지향하는 가치와 정책은 개인의 도덕적 삶에도 큰 영향을 미침

2. 정의로운 국가가 추구하는 가치

(1) 정의로운 국가는 인간의 존엄성을 존중하며 보편적 가치를 실현함 (보편적 가치: 언제 어디서나 모든 사람에게 중요하다고 인정되는 가치)

(2) 보편적 가치

① 자유: 자기 뜻대로 삶을 설계하고 추구할 수 있어야 함

② 평등: 차별받지 않고 균등한 기회를 제공해야 함

③ 인권: 인간이라면 누구에게나 기본적 권리를 인정해야 함

④ 공정: 사회적 약자를 보호하고 구성원을 정당하게 대우해야 함

⑤ 평화: 갈등을 해결하고 위협에 대응해야 함

⑥ 복지: 최소한의 인간다운 삶을 보장해야 함

2 시민이 갖추어야 할 자질은 무엇일까?

(시민: 국가의 구성원을 뜻하며 국민이라고도 함)

1. 시민으로서의 책임과 의무

(1) **올바른 시민의 자질**: 개인의 이익과 공동체의 이익이 조화를 이루기 위해 노력해야 함

(2) 성숙한 시민이란 공동체 의식을 가지고 자신의 책임과 의무를 다하면서 각자의 권리도 올바르게 행사하는 사람

재미있는 도덕 읽기 국민 법의식 조사

'2015 국민 법의식 조사'에 따르면 대한민국 국민 절반은 '법이 잘 지켜지지 않고 있다.'라고 생각하는 경향이 강한 것으로 조사되었다. 우리 사회의 준법정신 정도에 대한 질문에 응답자의 50 %가 '잘 지켜지지 않는다.'라고 대답해 '잘 지켜진다.'(49.5 %)를 근소한 차이로 눌렀다. '법이 잘 지켜지지 않고 있다.'라고 응답한 사람들을 대상으로 이루어진 '왜 그렇게 생각하는지'에 대한 추가 설문에서는 '법대로 살면 손해를 보니까'가 42.5 %로 가장 많았고, 법을 지키지 않는 사람이 더 많아서(18.9 %), 법을 지키는 것이 번거롭고 불편해서(11.2 %), 법을 잘 몰라서(7.2 %) 순으로 나타났다.

지난 2008년에 시행한 '2008 국민 법의식 조사'에서는 '법이 잘 지켜지지 않는다.'(62.8 %)가 '법이 잘 지켜진다.'(37.1 %)라는 응답을 압도한 바 있다. 당시 '법대로 살면 손해를 보니까'라고 응답한 비율은 34.3 %로 오히려 이번 조사에서 부정적인 성향이 더 강해졌다.

자신의 준법 의식 정도에 대한 질문에는 91.7 %가 '잘 지킨다.'라고 응답하였다. 이와 관련하여 "사회의 준법 정도보다 자신의 준법 정도를 더 높다고 생각하는 사람이 많은 것"이라고 연구원 측은 설명하였다.

– ○○신문, 2016. 2. 10.

2. 애국심과 시민 의식

시민 의식: 국가 공동체의 구성원으로서 권리와 의무를 정당하게 행사하겠다는 의식

(1) 애국심의 의미와 실천 방법

① 의미: 자신이 속한 국가를 사랑하고 국가에 헌신하려는 마음

② 실천 방법: 국토를 지키고자 관심을 두거나 역사를 제대로 기억하는 것, 보편적 가치를 존중하며 바람직한 시민의 역할을 다하는 것 등

(2) 잘못된 애국심의 문제점: 맹목적이거나 배타적인 애국심은 다른 나라의 존엄성을 훼손하고 세계 평화를 위협함

(3) 바람직한 애국심과 시민 의식

① 보편적 가치에 따르는 분별력 있는 애국심

② 바람직한 애국심은 세계 시민 의식과 조화를 이룰 수 있음

• 국수주의(國粹主義)
민족주의나 국가주의의 변질된 형태로 자기 나라의 고유한 역사·전통·정치·문화만을 가장 뛰어난 것으로 믿는 사고방식이다. 다른 나라나 민족을 배척하는 극단적인 태도나 경향을 보이기도 한다.

3 법을 지키면 공익을 증진할 수 있을까?

1. 준법의 근거와 필요성

준법: 법률이나 규칙을 좇아 지킴

(1) 법을 지켜야 하는 이유: 준법은 그 자체로 보편적 가치인 정의를 실현하는 방법

(2) 법을 지킬 때의 혜택: 법을 지킬 때 교육, 복지, 안보, 치안 등의 국가가 제공하는 혜택을 누릴 수 있음

(3) 법을 준수하며 사는 삶이 더욱 바람직한 시민으로 살아가는 삶을 실현함

2. 시민 불복종의 의미와 조건

(1) 의미: 잘못된 법이나 정책을 올바르게 개선하고자 공개적이고 평화적인 방법으로 법을 위반하는 행위

(2) 조건: 목적의 정당성, 처벌의 감수, 비폭력성, 최후의 수단

• 시민 불복종의 조건
- 목적의 정당성: 불복종의 이유가 공동선에 부합하는 등 그 목적이 정당해야 한다.
- 처벌의 감수: 불복종으로 인해 받게 되는 처벌을 기꺼이 받아들여야 한다.
- 비폭력성: 비폭력적인 방법으로 시행해야 한다.
- 최후의 수단: 합법적인 절차를 거친 후 최후의 수단으로 이루어져야 한다.

3. 준법과 공익의 증진

(1) 시민 불복종은 개인이나 특정 집단이 이익 추구를 위해 법을 어기는 행위와 다름

(2) 시민은 준법의 의무가 있으며, 국가는 정의에 기반을 둔 법치를 해야 함

법치: 법률에 의하여 나라를 다스림

(3) 모든 시민이 법을 지킬 때 공익은 증진됨

재미있는 도덕 읽기 ‘애국심이란 무엇인가’를 보여 준 여장부 남자현

– 출처: 국가기록원

영화 「암살」 주인공의 실제 모델로 알려진 독립투사 남자현이 새롭게 주목받고 있다. 영화에서 주인공이 일본군 장교를 처단하는 모습을 멋진 액션 장면으로 표현한 것과 달리 실제로는 조선인 밀정에 의해 작전이 탄로 나 일본군 장교 암살에 실패하였고 남자현은 남편의 피 묻은 옷을 입은 채 일본 경찰에 체포되었다고 한다. 그녀는 옥중에서 단식으로 저항하다 인사불성으로 풀려났지만 곧바로 세상을 떠났다.

‘독립운동가의 어머니’로도 불리는 남자현은 1919년 창덕궁으로 순종을 조문하러 오는 일본 사이토 총통 암살 계획에도 참여하였지만 실패하였다. 또한, 그녀는 남자들도 하기 힘든 의열단 활동도 하였다. 김○○ 교수는 “남자현은 단순한 남편의 복수를 넘어 조국의 복수를 실현하기 위해 목숨을 걸고 싸웠다. 일본 고관을 직접 제거하려 한 여성 독립운동가로는 유일무이하고 안중근 의사에 비견되기도 한다.”라고 평가하였다.

– ○○신문, 2017. 10. 24.

1 어떤 국가가 정의로운 국가일까?

마음 열기 풀이

교과서 64쪽

자료 해설
모든 인간은 다양성을 지닌다. 정의로운 국가는 이러한 개인의 다양성을 존중하며 인간의 기본적 권리와 가치를 인정하고 이를 보장하는 국가임을 나타내고 있다.

1. 국가가 '모든 국민'이 아니라 '어떤 국민'의 존엄과 가치만을 인정하면 어떤 일이 일어날까?

예시 답안 | 특정한 조건이나 능력을 갖춘 사람들은 인간의 존엄성과 가치를 인정받을 수 있겠지만, 그런 조건이나 능력을 갖추지 못한 사람은 비인격적인 대우를 받을 수 있다.

2. 인권을 보장받기 위해 자격이나 조건이 필요한 국가는 정의롭다고 할 수 있을까?

예시 답안 | 모든 사람이 조건에 상관없이 기본적인 인권을 누리도록 보장하는 것이 헌법에 나타난 국가의 의무이다. 이러한 의무를 지키지 않는 국가는 정의롭다고 할 수 없다.

스스로 활동하기 풀이 만일 국가가 없다면?

교과서 65쪽

이것이 핵심
손기정 선수가 세계 신기록을 수립하고도 우울할 수밖에 없었던 시대적 상황을 이해하고, 나라를 잃은 슬픔에 공감하며 국가의 필요성에 대해 생각해 본다.

친절한 활동 안내
기사를 읽고, 손기정 선수의 입장이 되어 나라를 잃은 슬픔에 공감하며 심정이 어땠을지 작성해 보자. 국가가 없는 자신의 삶을 상상해 보면 국가의 소중함을 느낄 수 있을 거야.

1. 손기정 선수는 시상대에서 어떤 심정이었을까?

예시 답안 | 엄청난 노력 끝에 세계 최고의 자리에 올랐다는 점에서는 기쁨을 느꼈겠지만, 자신이 손기정이라는 이름으로 불릴 수 없다는 점과 시상대에 다른 나라의 국기가 올라가며 다른 나라의 국가가 울린다는 점에서 나라를 잃은 아픔을 느꼈을 것이다.

2. 만약 국가가 없다면 나는 어떻게 살아갈까?

예시 답안 | 만약 국가가 없다면 그동안 한 번도 고민해 보지 않았던 많은 문제가 나타날 것이다. 내가 아무리 능력이 뛰어나도 끊임없이 나의 정체성에 대해서 고민하게 되고, 부당한 대우를 받아 서러울 것이다. / 많은 사람이 자신의 이익에 따라 행동하고 법이나 규칙을 지키지 않는 상황이 발생하여 사회가 큰 혼란에 처할 것이다.

스스로 활동하기 풀이 국가와 정의

교과서 66쪽

이것이 핵심
정의롭지 못한 국가가 개인에게 미치는 부정적인 영향을 알고, 정의와 국가의 관계에 대해 생각해 본다.

친절한 활동 안내
플라톤과 아우구스티누스의 국가와 정의에 대한 비유가 어떤 의미인지 생각해 보고, '국가'와 '정의'의 관계를 창의적으로 표현해 보자.

1. 국가가 정의를 실현하지 못하면 어떤 일이 발생할까?

예시 답안 | 인간이 누려야 할 자유, 평등, 정의 등의 보편적 가치가 보장되지 않아 국민이 불행해질 것이다. / 부의 재분배가 정당하게 이루어지지 않아 경제적으로 불평등해질 것이다.

2. '국가'와 '정의'라는 두 단어를 사용하여, 이 둘 사이의 올바른 관계를 나타내는 명언을 만들어 보자.

예시 답안 | 국가와 정의는 동전의 양면이다. / 정의 없는 국가는 속 빈 강정이다. / 국가는 정의를 지키고 정의는 국가를 완성한다.

함께 활동하기 풀이 정의로운 국가에 어떻게 도달할 것인가?

교과서 67쪽

〈〈 국가는 국민의 삶에 어느 정도 개입해야 할까? 〉〉

소극적 국가관

국가의 개입은 개인의 자유와 권리를 제한한다. 따라서, 국가는 국민 생활에 되도록 개입해서는 안 된다. 국가가 공정한 경쟁을 하도록 질서만 유지하면, 자유로운 개인이 창의성과 잠재력을 발휘하여 전체의 이익이 커진다.

적극적 국가관

국가의 개입은 개인의 자유를 침해하는 것이라기보다는 자유를 누릴 수 있는 기본적인 조건을 만들어 주는 것이다. 세금을 더 거두어들이더라도 국가가 광범위한 복지 혜택을 제공하는 것이 국민 전체의 생활을 윤택하게 만든다.

1. 윗글에서 설명하는 국가가 각각 중요시하는 가치와 장단점에 관하여 토의해 보자.

예시 답안 |

국가 유형	중요시하는 가치	장점	단점
소극적 국가	자유	국가의 개입을 최소화하여 개인의 자유를 최대한 보장함	치열한 경쟁으로 강자와 약자 사이의 격차가 심화될 수 있음
적극적 국가	평등	국가가 개입하여 불평등을 완화하고 광범위한 복지 혜택을 제공함	능력이 뛰어나거나 열심히 노력한 개인이 손해를 본다는 불만이 생길 수 있음

2. 정의로운 국가를 추구하기 위해서는 어느 국가관이 적합하다고 생각하는지 토론하고, 모둠별로 그렇게 결론을 내린 근거에 관해 발표해 보자.

예시 답안 | 나는 정의로운 국가를 추구하기 위해서는 소극적 국가관이 적합하다고 생각해. 왜냐하면, 자유라는 가치를 가장 잘 실현할 수 있기 때문이야. 자유를 제약하는 국가가 정의로운 국가가 될 수는 없잖아. / 나는 적극적 국가관이 정의로운 국가를 건설하기 위해 꼭 필요하다고 생각해. 왜냐하면, 사회적 약자를 보호하는 공정이라는 가치가 정의로운 국가가 추구하는 가치 중에서도 가장 핵심적인 가치이기 때문이야.

3. 다른 의견을 제시한 모둠의 발표에서 새롭게 알게 된 점이 있다면 써 보자.

예시 답안 | 정의로운 국가를 실현하는 방법이 다양함을 알게 되었다.

이것이 핵심

소극적 국가와 적극적 국가가 추구하는 핵심 가치에 따라 국가의 역할이 달라짐을 이해한다.

친절한 활동 안내

국가가 중시하는 가치에 따라 다양한 국가관이 나타날 수 있음을 이해하자. 국가관에 따라 중요시하는 가치는 다르지만 모두 정의로운 국가를 위한 노력임을 이해하고 올바른 국가관을 정립해 보자.

배움 정리하기 풀이

✔ 예 객관적 요소인 국민, 영토, 주권과 주관적 요소인 자부심과 소속감이 있다.
✔ 보편적 가치

재미있는 도덕 읽기 보이지 않는 손

애덤 스미스

'보이지 않는 손'이란 경제학의 아버지로 불리는 영국의 경제학자 애덤 스미스가 그의 책 『도덕감정론』과 『국부론』에서 사용한 말이다. 스미스는 어떤 상품을 얼마나 생산하며, 어떻게 분배할지를 국가나 통제 기관이 결정하는 것이 아니라 보이지 않는 손이 가격 기구를 통하여 해결해 준다고 보았다. 따라서 스미스는 정부의 간섭과 통제를 폐지하고 국가의 역할이 최소한에 머물러야 한다는 자유방임주의를 주장하였다.

그의 사상에 따르면 개인은 자신의 이기심에 따라 자유로운 선택을 하고, 이는 보이지 않는 손에 의하여 궁극적으로 사회적 이익과 경제적 발전에 이바지한다. 사전 조정 없이 개인의 이기심에 따라 상반된 이해관계를 두고 경쟁하더라도, 결과적으로는 공익에 이바지할 수 있다는 것이다.

– pmg지식엔진연구소, 『시사상식사전』

2 시민이 갖추어야 할 자질은 무엇일까?

마음 열기 풀이

교과서 68쪽

자료 해설
태안반도 기름 유출 사건이 발생하였을 때 우리 국민이 봉사 활동을 하고 있는 모습이다. 많은 사람이 직접적인 책임이 없음에도 자기 일처럼 공동체를 위해 봉사하는 이유가 무엇인지 생각해 본다. 나아가 사익과 공익이 조화를 이루는 사회를 만들기 위해 가져야 할 시민으로서의 자세는 무엇인지 고민해 본다.

1. 위 사진 속 시민들이 자발적으로 봉사 활동을 한 까닭은 무엇일까?

예시 답안 | 나와 상관없는 일이 아니라 우리나라, 우리 공동체의 일이라고 생각하였기 때문에 책임 의식을 가지고 자발적으로 봉사 활동에 참여하였다.

2. 위와 같은 자세를 가진 사람이 더 많아지면 우리 사회는 어떻게 변할까?

예시 답안 | 자신의 이익만을 생각하지 않고 공동체의 이익을 중시하는 사람들이 많아질수록 우리가 사는 세상은 장기적으로 더 큰 번영을 이룰 수 있을 것이다.

스스로 활동하기 풀이 시민으로서의 책임감이 약해지면?

교과서 69쪽

이것이 핵심
국가의 국민으로서 지녀야 할 공동체 의식은 성숙한 시민으로서의 책임감과 의무를 지니게 한다.

친절한 활동 안내
내가 만약 위험에 처하였을 때 주변에서 아무도 도와주지 않는다면 어떤 심정일지 입장을 바꿔 생각해 보자. 그렇다면 좋은 공동체를 위해 성숙한 시민으로서 갖추어야 할 자질이 무엇인지 알 수 있을 거야.

1. 38명의 목격자는 왜 신고하지 않았을까?

예시 답안 | 자기 일이 아니라서 관심이 없었기 때문이다. / 다른 누군가가 신고할 것이라고 책임을 회피하였기 때문이다. / 복잡한 사건에 휘말리면 손해를 볼 것으로 생각하였기 때문이다.

2. 좋은 공동체를 만들기 위해 법과 제도 외에 무엇이 더 필요한지 발표해 보자.

예시 답안 | 강제력을 가진 법으로 좋은 사회를 만드는 데에는 한계가 있다. 나의 이익과 상관없이 공동체를 위해 옳은 일을 하려는 자발적이며 도덕적으로 성숙한 시민 의식이 필요하다.

도덕으로 세상 보기 해설 시민 의식과 만난 애국심이 아름답다

교과서 70쪽

이것이 핵심
애국심과 시민 의식을 갖고 실천하는 것은 어려운 일이 아니다. 우리가 머물렀던 장소를 깨끗하게 치우는 수고로움을 마다치 않는 것 또한 애국심이며, 성숙한 시민 의식을 발휘하는 것이다.

➜ 시민들이 자발적으로 자기가 머물렀던 곳을 정리한 까닭은 무엇일까?

예시 답안 | 정리하고 가지 않는다면 그곳은 쓰레기장처럼 될 것이고, 다음날 환경미화원들께서 고생할 것이기 때문이다. / 다음날 광화문 광장을 이용하거나 거리를 걷는 시민들이 불편함을 겪게 될 것이기 때문이다. / 내가 버린 쓰레기는 정리하고 가야 한다는 책임감 때문이다.

함께 활동하기 풀이 대한민국 영토, 독도를 알리는 시민 활동 참여하기

교과서 71쪽

➔ 모둠 활동을 통해 대한민국 영토인 독도를 알릴 대상을 정하고, 구체적인 실행 방법을 생각해 보자.

1. 독도에 대한 올바른 정보를 소개할 대상을 정해 보자.

예시 답안 | 외국인 친구, 관광객, 다문화 가족 등

2. 독도를 알리는 방법을 다양하게 구상해 보자.

예시 답안 | 전단지, 푯말, 편지, 전자 우편, 누리 소통망 등

3. 모둠원과 함께 독도에 관해서 잘못된 정보를 소개하는 기관에 정정을 요청하는 편지를 직접 써 보자.

예시 답안 |

○○ 사이트 관리자께

안녕하십니까? 저는 ○○ 중학교 학생 △△입니다. 귀 기관의 누리집에 대한민국의 고유 영토인 독도에 관해 잘못된 정보가 소개되어 있으므로 이를 정정 요청합니다.

독도가 대한민국 영토인 이유는 다음과 같습니다.

1. 지리적 이유입니다. 해류 흐름을 보면 울릉도에서 독도로 가는 건 쉽지만, 일본에서 독도와 가장 가까운 오키섬에서 독도로 가는 일은 어렵습니다. 교통이나 통신 수단이 발달하지 않았던 시간 동안 독도는 일본의 영역일 수 없습니다.
2. 역사적 이유입니다. 17세기 들어 조선 정부와 일본 막부는 울릉도와 독도를 사이에 두고 영토 분쟁을 벌였습니다. 그러다 막부는 일본인들에게 울릉도(죽도)와 독도(송도)로 항해하는 것을 금지하는 '죽도도해금지령'을 내렸습니다. 이 밖에도 여러 기록이 오늘까지 전해지고 있습니다.
3. 국제법적으로도 근거를 찾을 수 있습니다. 1877년 일본 최고 국가 기관 태정관은 울릉도와 독도를 일본 영토 외로 정한다는 지령을 내렸습니다. 광복 후인 1948년 국제 연합은 대한민국을 한반도 유일의 합법 정부로 승인하였습니다. 이때 독도는 대한민국 정부의 주권하에 있었습니다. 당시 일본은 국제 연합에 이의를 제기하지 않았습니다. – ○○신문, 2016. 9. 24. 수정 인용

위와 같은 이유로 독도는 역사적으로나 국제법상으로 대한민국 영토임이 분명하므로 귀 기관의 독도 관련 정보를 수정하여 주시길 강력하게 요청합니다.

20○○년 ○○월 ○○일

△△ 올림

이것이 핵심

애국심을 갖되, 특정 국가를 비난하거나 배타적 민족주의의 논리로 흐르지 않도록 주의한다.

친절한 활동 안내

나라를 사랑하는 마음을 담아 국가를 홍보하는 활동은 학생으로서 애국심을 실천하는 행위야. 다양한 자료를 통해 독도가 우리나라 땅인 이유에 대한 객관적 사실을 알아보고, 그것을 근거로 외교 사절단이 되어 독도에 대한 잘못된 사실을 바로 잡아 널리 홍보해 보자.

배움 정리하기 풀이

✓ 의무, 책임, 권리

✓ 예 인류의 보편적인 가치에 따라 분별력 있게 나라를 사랑하는 마음이다.

재미있는 도덕 읽기 홍순칠과 독도의용수비대

경계 근무 중인 독도의용수비대

– 출처: 동북아역사넷

1945년 광복으로 우리나라는 일제에 빼앗긴 영토를 되찾았지만, 일본은 계속해서 독도 영유권을 주장하였다. 일본은 미군에게 독도를 폭격 연습장으로 제공하거나, 우리나라가 세운 표석을 훼손하는 등 불법 행위를 일삼았다. 대한민국 정부는 한국 전쟁 중에 독도를 지킬 수 있는 군인과 경찰의 파견이 불가능하였다. 그러자 한국 전쟁에서 부상을 입고 제대한 울릉도 주민 홍순칠은 1953년에 독도의용수비대를 조직하였다. 총 45명으로 구성된 독도의용수비대는 사비로 무기를 구매하거나, 일본을 위협할 수 있는 모형 무기를 직접 제작하였다. 일본의 수산학교 연습선을 독도 주변에서 붙잡고, 독도에 접근하는 일본 순시선을 격퇴하기도 하였다. 독도의용수비대는 1956년 12월 30일 독도 경비를 국립 경찰에 넘길 때까지 목숨을 걸고 독도를 지켜냈다. 독도의용수비대 일부는 경찰관이 되었고, 대장 홍순칠은 1966년 5등 '군무 공로 훈장'을 받았다. – 해양 수산부 누리집

3 법을 지키면 공익을 증진할 수 있을까?

마음 열기 풀이

교과서 72쪽

자료 해설
학교 앞 어린이 보호 구역의 속도 제한은 운전자와 보행자 모두를 위한 사회적 합의이며, 약속이다. 이처럼 우리가 법을 지키는 이유는 상대방만을 위해서가 아닌 우리 모두를 위한 것임을 알 수 있다.

1. 학교 주변에서 교통 법규를 지켜 위험을 피했던 경험을 이야기해 보자.

예시 답안 | 학교를 마치고 집으로 가는 길에 횡단보도를 건너려고 신호등이 켜질 때까지 기다리고 있었다. 그때 갑자기 오토바이가 나타나 쏜살같이 지나갔다. 만약 이 순간 내가 신호를 지키지 않고 길을 건너는 중이었다면 사고가 날 뻔한 아찔한 순간을 경험하였다.

2. 법을 어기는 사람들이 많아지면 우리 사회가 어떻게 될지 써 보자.

예시 답안 | 자신의 이익을 위해 다른 사람의 자유와 권리를 침해하는 사람이 많아지게 되어 결국 모두가 손해를 보게 될 것이다.

스스로 활동하기 풀이 법을 왜 지켜야 할까?

교과서 73쪽

이것이 핵심
법에 관한 격언을 살펴보고, 스스로 준법의 근거와 필요성에 대한 생각을 정리할 수 있다.

친절한 활동 안내
법에 대한 격언을 살펴보고, 어떤 의미인지 생각해 보자. 각각의 격언이 전달하고자 하는 준법의 이유에는 처벌을 피하기 위함뿐만 아니라 사회 질서 유지 및 보편적 가치의 실현 등의 다양한 이유가 있다는 것을 생각하며 작성해 보자.

➔ 다음 격언의 의미를 생각해 보고, 법을 지켜야 하는 까닭을 써 보자.

- **옐리네크(Jellinek, G., 1851~1911)**

  "법은 최소한의 도덕이다."

  예시 답안 | 이건 옳은 말이야. 법을 잘 지키면 남에게 피해 줄 일은 없잖아? 타인의 권리를 침해해서는 안 돼.

- **루스벨트(Roosevelt, T., 1858~1919)**

  "법 위에 아무도 없고, 법 아래 아무도 없다."

  예시 답안 | 법이 가장 강력하고 무서운 거야. 법을 지키지 않으면 누구나 처벌을 받게 돼.

- **『명심보감』**

  "법을 두려워하면 언제나 즐겁고, 공적인 일을 속이면 날마다 근심하게 된다."

  예시 답안 | 법을 지켜야 사회 질서가 유지되고 양심도 지킬 수 있지.

스스로 활동하기 풀이 '로자 파크스' 사건

교과서 74쪽

이것이 핵심
시민 불복종이 단순히 법을 어기는 행위가 아니라 목적의 정당성, 처벌의 감수, 비폭력성, 최후의 수단이라는 네 가지 조건에 부합할 때 성립할 수 있음을 알아야 한다.

친절한 활동 안내
시민 불복종 운동의 조건을 통해 단순히 법을 어기는 행위와 어떤 차이가 있는지 생각해 보자.

1. 위 글에서 찾아볼 수 있는 시민 불복종 운동의 조건을 써 보자.

예시 답안 |

목적의 정당성	차별받는 흑인의 자유, 평등, 인권과 같은 보편적 가치를 보장하기 위해서였다.
처벌의 감수	흑인들은 불복종으로 인해 받을지도 모르는 처벌을 감수하였다.
비폭력성	자신들의 억울함을 폭력이 아닌 '버스 안 타기' 운동을 통해 호소하였다.
최후의 수단	'버스 안 타기' 운동 외에 흑인들이 자신들의 처지에 대해 항의할 수 있는 수단이 없었다.

2. 자신이 로자 파크스와 같은 버스를 타고 있었다면 어떻게 행동했을지 말해 보자.

예시 답안 | 로자 파크스와 같이 자리 양보를 거부하였을 것 같다. / 조용히 자리를 양보하였을 것 같다.

도덕으로 세상 보기 해설 준법과 법치는 같이 가야 한다

교과서 75쪽

➔ 공익을 위해 손해를 감수한 경험을 말해 보자.

예시 답안 | 지하철역 앞에서 담배를 피우고 있는 아저씨에게 "여기는 금연 구역이니 흡연 구역에서 흡연해야 한다."라고 부탁을 하였다. 너무 무서웠지만, 주변 사람들이 피해를 보고 있었기 때문에 내가 용기를 내서 말씀드렸다. / 우리 반의 체육 대회 응원 연습을 위해 학원을 빠지고 학급 행사에 참여하였다.

이것이 핵심!

준법은 공익을 위한 첫걸음임을 기억해야 한다.

함께 활동하기 풀이 준법 포스터 만들기

교과서 76쪽

➔ 다음 예시를 참고하여 모둠 활동을 통해 준법 의식을 홍보하는 포스터를 만들어 보자.

예시 답안 |

- 모둠의 구성원: □□□, ☆☆☆, ○○○, △△△
- 제안된 소재: 스마트폰 사용, 화장실 사용, 급식 질서, 교통질서 등
- 선정한 소재: 교통질서
- 포스터에 사용할 표어: 온 국민 교통질서 한마음 교통 문화

이것이 핵심!

준법이란 어려운 것이 아니라 우리가 일상생활에서 당연히 해야 하는 것임을 알고, 포스터 만들기를 통해 준법에 대한 의지를 실천으로 이끌어 낸다. 또한 모둠원들과의 활동을 통해 배려, 소통, 공감 등 도덕적 인성을 함양할 수 있다.

친절한 활동 안내★

상황과 장소에 따라 학생이나 국민으로서 지켜야 하는 법률이나 규칙은 어떤 것들이 있는지 모둠원들과 의견을 교환해 보자. 이를 바탕으로 구성원 모두가 참여하고 협력하여 준법 의지를 담은 포스터와 표어를 완성한 후 다른 모둠의 포스터를 관람하며 준법 의지를 다져 보자.

배움 정리하기 풀이

✔ 정의
✔ ㉠ 학교의 규칙을 준수하는 일부터 실천해 나가겠다.
✔ 시민 불복종

재미있는 도덕 읽기 삼권 분립을 주장한 몽테스키외

삼권 분립으로 유명한 몽테스키외는 국민의 정치적 자유를 보장하기 위해서 권력을 나눠야 한다고 주장하였다. 삼권 분립의 이론은 영국 로크의 '국가 이론'을 새롭게 고친 것이다. 로크는 한 나라의 '행정권'과 '입법권'을 엄격하게 분립해야 한다고 주장하였으며, "행정권의 수반인 국왕은 법 위에 있는 것이 아니라, 오로지 국회의 의결을 거친 법의 구속을 받아야 한다."라고 강조하였다. 그래서 개인의 자유와 재산에 대해 왕이 마음대로 침해하지 못하도록 법적인 보호를 해야 한다고 하였다. 몽테스키외는 여기에 제3의 권력인 '사법권'을 추가하면서 행정부·입법부·사법부가 독립하여 서로 견제가 이루어져야 한다고 주장하였다. 그는 만약 이 삼권 분립 제도가 확립되지 않는다면, 반드시 독재가 일어나고 자유가 말살될 것이라고 경고하였다.

– 서용순, 『청소년을 위한 서양철학사』

좋은 시민은 어떤 가치를 추구할까?

이것이 핵심

좋은 시민이 추구해야 할 가치가 무엇인지 고민해 보고 선택하는 과정을 통해 좋은 시민으로서의 태도를 함양한다.

친절한 활동 안내

좋은 시민으로서 갖추어야 할 가치는 다양해. 먼저 바람직한 시민들의 이야기나 자신의 경험을 떠올려 보고 그들이 가진 좋은 시민으로서의 가치는 무엇인지 생각해 보자. 그리고 좋은 사회를 위해 그러한 가치들이 왜 필요한지 그 이유를 작성해 보자.

➔ 우리 모둠이 생각하는 '좋은 시민이 추구하는 가치'를 정해서 활동해 보자.

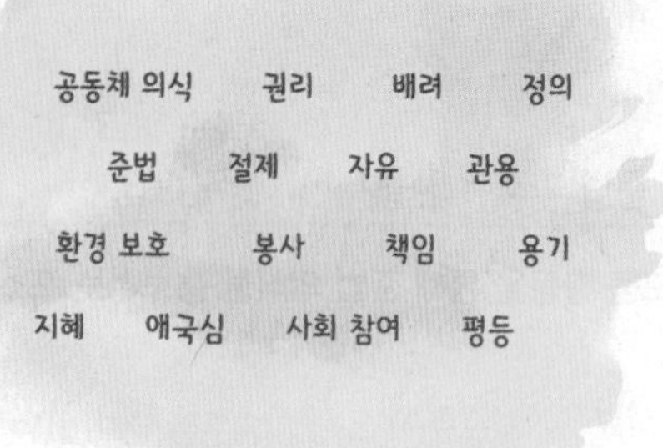

1. 내가 생각하는 '좋은 시민이 추구해야 할 세 가지 가치'

예시 답안 |

선택한 가치	좋은 시민이 되기 위해 이 가치가 필요한 이유
1. 자유	좋은 시민은 남에게 피해를 주지 않는 한 자신의 계획대로 살아갈 수 있어야 한다.
2. 관용	좋은 시민은 다른 사람과도 어울려 살 수 있어야 한다.
3. 존중	좋은 시민은 서로 다름을 이해하고 포용할 수 있어야 한다.

2. 토론을 통해 우리 모둠이 정한 '좋은 시민에게 필요한 세 가지 가치'

예시 답안 |

1. 공동체 의식	선택한 이유: 다 같이 잘 사는 사회를 만들기 위해서이다. 구체적 실천 방안: 학급, 학교 행사에 적극적으로 참여한다.
2. 애국심	선택한 이유: 좋은 시민은 자신의 나라를 사랑하기 때문이다. 구체적 실천 방안: 국경일에 태극기를 게양한다.
3. 책임감	선택한 이유: 좋은 시민은 공적인 일에 책임감을 느끼고 행동하기 때문이다. 구체적 실천 방안: 선거일에 투표한다.

재미있는 도덕 읽기 | 시민은 국가의 주권자

⬆ 그리스 아테네의 시민

'시민(市民)'은 글자 그대로 보면 도시의 구성원을 의미한다. 그런데 고대 그리스의 아테네에서 시민은 정치에 참여하는 주권자였다. 영국의 명예혁명, 프랑스 혁명, 미국의 독립 전쟁을 '3대 시민 혁명'이라고 배웠듯이 이때도 '시민'이라는 말을 사용한다. 시민은 도시에서 시민으로 대우받는 사람을 가리켰는데, 이러한 시민은 재산이 있고 교양이 있으며 정치에 관심을 가지고 참여하는 사람이었다. 이런 점을 높이 평가하여 시민은 사회와 관련한 교양을 가지고 정치에 참여하는 사람, 즉 자신이 나라의 주권자임을 자각하고 주권자로서 행동하고 책임을 지는 사람을 가리키게 되었다.

시민과 유사한 말로 '공민(公民)'이라는 말이 있다. 공민은 시민과 같은 의미로 사용하기도 하지만, 국가를 중시하는 사람이라는 느낌이 강한데 비해서 시민은 인권을 중시하고 인권을 보장받고 실현하려는 사람이라는 뜻이 더 강하다. – 전국사회교사모임, 『사회 선생님도 궁금한 101가지 사회질문사전』 수정 인용

개념 확인 문제

01 빈칸에 들어갈 알맞은 단어를 쓰시오.

(1) 국가 성립의 객관적 요소로는 국민, 영토, (   ) 이/가 있다.

(2) 국민이 가지는 자부심과 (   )은/는 국가 성립의 주관적 요소이다.

02 밑줄 친 '이것'은 무엇인지 쓰시오.

> 이것은 자신이 속한 국가를 사랑하고 헌신하려는 마음이다. 이것의 실천은 작은 일에서부터 출발한다. 예를 들어, 조상 대대로 우리 삶의 터전인 국토를 지키고자 관심을 두는 일 등이다.

03 밑줄 친 '이것'은 무엇인지 쓰시오.

> 국가의 법이나 정책 또는 국가 권력이 행사될 때, 때로는 인간의 존엄성이나 자유, 평등, 정의와 같은 보편적 가치를 명백하게 위반할 수도 있다. 이때 그것을 폐지하거나 올바르게 개선하고자 공개적이고 평화적인 방법으로 법을 위반하는 행위를 이것이라고 한다.

04 다음 내용이 옳으면 ○표, 틀리면 X표 하시오.

(1) 법이나 규칙을 지키는 행위를 법치라고 한다. (   )

(2) 도덕은 모든 시민이 반드시 따라야 하는 강제적 규범으로 인간의 존엄성, 자유, 평등을 보장하려는 목적을 지닌다. (   )

(3) 공동선이란 개인을 위한 것이 아닌 국가나 사회, 또는 온 인류를 위한 선을 말한다. (   )

실력 점검 문제

01 국가의 역할과 기능에 대한 옳은 설명을 〈보기〉에서 있는 대로 고른 것은?

보기

> ㄱ. 국민의 생명과 안전을 보호한다.
> ㄴ. 다양한 복지 혜택을 제공하여 국민의 인간다운 삶을 보장한다.
> ㄷ. 국가가 지향하는 가치는 개인의 도덕적 삶에 영향을 미치지 않는다.

① ㄱ ② ㄴ ③ ㄱ, ㄴ
④ ㄱ, ㄷ ⑤ ㄴ, ㄷ

02 (가)와 (나)에 해당하는 보편적 가치로 옳은 것은?

> (가): 경쟁에서 뒤처진 사회적 약자에게도 최소한의 인간다운 삶을 살 수 있도록 도와주어야 한다.
> (나): 누구에게나 정당한 이유 없이 다른 대우를 받지 않고 균등한 기회가 주어져야 한다.

	(가)	(나)
①	복지	자유
②	복지	평등
③	인권	자유
④	인권	평등
⑤	평화	공정

03 ㉠에 들어갈 개념으로 옳은 것은?

> • 플라톤: 국가라는 배가 항해할 때 ㉠ 은/는 북극성과 같은 역할을 한다.
> • 아우구스티누스: ㉠ 이/가 없다면 국가도 강도 집단과 다를 바 없다.

① 복지 ② 인권 ③ 자유
④ 정의 ⑤ 평등

실력 점검 문제

04 개인과 공동체의 관계에 대한 옳은 설명을 〈보기〉에서 고른 것은?

보기
ㄱ. 지나친 공익 추구는 개인의 자유와 권리를 증진시킬 수 있다.
ㄴ. 개인을 우선시하면 다른 사람의 선이나 공익을 중요시하게 된다.
ㄷ. 지나친 사익 추구는 국가 구성원의 책임과 의무를 소홀히 하기 쉽다.
ㄹ. 공동체를 우선시하면 시민의 책임과 의무가 강조되고 공동선을 중시하게 된다.

① ㄱ, ㄴ ② ㄱ, ㄷ ③ ㄴ, ㄷ
④ ㄴ, ㄹ ⑤ ㄷ, ㄹ

05 소극적 국가관에 대한 옳은 설명을 〈보기〉에서 고른 것은?

보기
ㄱ. 국가는 국민 생활에 되도록 개입해서는 안 된다.
ㄴ. 국가는 공정한 경쟁을 하도록 질서만 유지하면 된다.
ㄷ. 국가의 개입은 자유를 누릴 수 있는 기본적인 조건을 만들어 준다.
ㄹ. 세금을 더 거두어들여 국민의 광범위한 복지 혜택을 제공해야 한다.

① ㄱ, ㄴ ② ㄱ, ㄷ ③ ㄴ, ㄷ
④ ㄴ, ㄹ ⑤ ㄷ, ㄹ

06 애국심에 대한 설명으로 옳지 않은 것은?

① 국가를 사랑하고 헌신하려는 마음이다.
② 맹목적이거나 배타적으로 흐르면 안 된다.
③ 세계 시민 의식과 대립하지 않고 조화를 이룰 수 있다.
④ 바람직한 시민의 역할을 다하는 것으로 실천할 수 있다.
⑤ 주관적 가치에 따라 옳고 그름을 구분하는 분별력 있는 애국심이 필요하다.

07 ㉠, ㉡, ㉢에 해당하는 개념으로 가장 적절한 것은?

[㉠]은 사회 구성원 간의 약속이므로 이를 어기는 것은 다른 사람의 자유와 권리를 침해하는 것이다. 한편, [㉡]은 모든 시민이 반드시 따라야만 하는 강제적 규범이며, 인간의 존엄성, 자유, 평등을 보장하려는 목적을 지닌다. 따라서, [㉢]은 그 자체로 보편적 가치인 정의를 실현하는 가장 기본적인 방법이다.

	㉠	㉡	㉢
①	법	규범	양심
②	법	규범	준법
③	규범	법	양심
④	규범	법	준법
⑤	규범	도덕	준법

중요

08 법을 지켜야 하는 올바른 이유만을 〈보기〉에서 있는 대로 고른 것은?

보기
ㄱ. 개인의 이익을 극대화할 수 있기 때문이다.
ㄴ. 일정 수준의 안보와 치안 등의 혜택을 받기 때문이다.
ㄷ. 바람직한 시민으로 살아가는 삶을 실현할 수 있는 길이기 때문이다.
ㄹ. 사회 구성원 간의 공동체적 정의를 실현하기로 약속하였기 때문이다.

① ㄱ, ㄴ ② ㄱ, ㄹ ③ ㄱ, ㄴ, ㄷ
④ ㄱ, ㄷ, ㄹ ⑤ ㄴ, ㄷ, ㄹ

09 올바른 시민 의식에 대한 설명으로 옳지 않은 것은?

① 공동체 의식을 지닌다.
② 자신의 책임과 의무를 다한다.
③ 사익과 공익 중 하나를 선택한다.
④ 자신의 권리를 올바르게 행사한다.
⑤ 개인적 선과 공동선의 조화를 이루고자 노력한다.

10 시민 불복종에 대한 설명으로 옳지 않은 것은?

① 네 가지 조건에 따라 신중하게 이루어져야 한다.
② 개인이나 특정 집단의 이익을 위해 법을 어기는 행위이다.
③ 국가의 법이나 정책은 보편적 가치를 위반할 수 있음을 전제로 한다.
④ 정의롭지 못한 법이나 정책에 대해 민주 시민으로서 이의를 제기하는 것이다.
⑤ 정의롭지 못한 법이나 정책을 개선하고자 공개적이고 평화적으로 법을 위반하는 것이다.

중요

11 다음 글에서 파악할 수 있는 시민 불복종의 조건으로 가장 적절한 것은?

> 1950년대 미국 남부에서는 흑인이 인종 차별법에 따라 일상생활에서 차별을 받았다. 앨라배마주 몽고메리시의 로자 파크스는 백인에게 버스 좌석을 양보하지 않았다는 이유로 체포되어 재판을 받았다. 이에 흑인들은 '버스 안 타기' 운동을 381일 동안 전개하였는데, 마틴 루서 킹 목사 등이 이끄는 흑인 인권 운동은 미국 전역에서 인종 차별 금지에 대한 지지를 이끌어 냈다.

① 1년이 넘는 시간 동안 지속되었기 때문이다.
② 로자 파크스의 이익을 위해 벌인 운동이기 때문이다.
③ 특정 지역이 아닌 미국 전역에서 일어난 운동이기 때문이다.
④ 비폭력적인 방법으로 인종 차별에 대한 억울함을 호소하였기 때문이다.
⑤ 다른 방법이 있었지만 '버스 안 타기' 운동이라는 수단을 사용하였기 때문이다.

서술형

12 성숙한 시민으로서 갖추어야 할 자세에 대해 서술하시오.

13 시민 불복종의 네 가지 조건을 서술하시오.

14 맹목적이거나 배타적인 애국심의 문제점에 대해 서술하시오.

15 바람직한 애국심이 세계 시민 의식과 조화를 이룰 수 있는 이유에 대해 서술하시오.

1 도덕적 시민

1 바람직한 시민 의식 함양하기

memo

➡ 다음 기사를 읽고 질문에 답해 보자.

2014년 10월 준공된 △△아파트 주민들에겐 최저 임금 인상으로 인한 아파트 경비원 관리비 부담이 무섭지 않다. 큰 폭으로 오른 최저 임금에도 이 아파트 입주자 대표 회의에서는 입주민과 함께 가족처럼 일해 온 경비원들과의 '상생'을 위해 지난해 경비원을 감축하지 않기로 결정하였다. 임금 인상분과 관리비 부담금 사이에서 절충점을 찾은 것이다. 경비원의 휴게 시간을 늘려 입주민은 관리비 인상을 최소화하였고, 야간 방범 활동에 한계가 있는 부분은 입주민들이 도맡기로 하였다. 입주자 대표 회장은 "한 번에 경비원의 임금을 크게 인상해 주기엔 아파트 입주민의 부담이 크기 때문에 법의 테두리 안에서 경비원의 임금을 해마다 올려 주기로 결정하였다."라고 말하였다. △△아파트는 아파트 내 문제 해결에 대해 입주민의 참여가 적극적인 만큼 입주민을 중심으로 한 동호회 활동도 활발하다. 골프, 농구, 배드민턴 동호회 등이 활동 중이며 회원 수만 해도 200여 명이 넘는다. 또 해당 아파트 부녀회는 매달 마지막 금요일마다 입주민의 문화생활 영위를 위해 영화를 상영하는 등 입주민 간 단합을 위한 다양한 활동을 펼치고 있다.

– ○○일보, 2018. 1. 1.

1. 내가 만약 △△아파트 주민이라면, 어떻게 행동할지 그 이유와 함께 써 보자.

2. 위의 글을 통해 알 수 있는 시민 의식은 무엇이며, 그것이 우리 사회에 필요한 이유를 써 보자.

3. 자신이 바람직한 시민으로서 친구, 이웃, 국가를 위해 노력하였던 경험을 써 보자.

2 나라 사랑 실천하기

memo

❶ '대한민국' 네 글자를 활용하여 나라를 사랑하는 마음이 담긴 4행시를 지어 보자.

대	
한	
민	
국	

❷ 나라 사랑이 담긴 행동을 적고, 실천 계획을 세워 보자.

번호	나라 사랑 행동	실천 계획
1		
2		
3		

❸ 계획을 실행하고 난 후 실행 과정과 느낀 점을 바탕으로 나라 사랑 실천 일기를 작성해 보자.

민족의 영원한 지도자

김구

(金九, 1876 ~ 1949)

이번에 소개할 인물은
한국의 정치가이자 독립운동가인 백범 김구입니다.

청년 시절 김구는 벼슬을 사고파는 부패한 세상에 울분을 터뜨리며
동학 농민 운동에 참여하였습니다.
이후에는 만주로 넘어가 의병 활동을 하며
일제에 맞서 싸웠습니다.

1919년 3·1 운동 직후에는 상하이로 망명하여,
대한민국 임시 정부를 조직하는 데 참여하였습니다.
1939년에는 대한민국 임시 정부의 주석을 맡았습니다.
중국 상하이에서 독립운동을 하는 동안 쓴 일기인 『백범 일지』는
대한민국 임시 정부의 역사와 독립운동에 대해 알 수 있는 귀중한 자료이며,
김구의 삶과 애국심을 느낄 수 있습니다.

광복 후에도 김구는 우리나라의 완전 자주독립과
남북통일 정부 수립을 위해 노력하였습니다.

"나는 우리나라가 세계에서 가장 아름다운 나라가 되기를 원한다.
가장 부강한 나라가 되기를 원하는 것은 아니다.
내가 남의 침략에 가슴이 아팠으니,
내 나라가 남을 침략하는 것을 원치 아니한다.
오직 한없이 가지고 싶은 것은 높은 문화의 힘이다."

대한민국의 완전한 자주독립을 희망한 김구를 만나다.

김구 선생님, 안녕하세요. 만나게 되어 반갑습니다.
선생님의 이름을 '창수'에서 '구'로 바꾸고 호를 '백범'이라고 짓게 된 이유가 무엇인지 궁금합니다.

이름을 고친 것은 일본의 국적에서 이탈한다는 뜻이고, 백범이라 한 것은 백정(白丁)의 백(白)과 범부(凡夫)의 범(凡)자를 따서 호로 삼은 것입니다. 이는 '가장 낮은 사람' 전부가 애국심을 가진 사람이 되게 하자는 뜻으로 우리 동포의 애국심과 지식의 정도를 높여 완전 독립을 이루고자 한 열망을 담은 것입니다.

그렇다면 선생님께서 상하이로 망명하신 이유는 무엇인가요?

1919년 3월 1일 빼앗긴 국권과 민족을 되찾기 위하여 온 민족이 독립 만세 운동을 전개하였습니다. 이로 인해 일제의 감시와 탄압이 더욱 심해졌고, 국내에서는 활동이 어렵다고 판단하여 국외에서 더욱 적극적인 독립운동에 임하고자 망명의 길을 택한 것입니다.

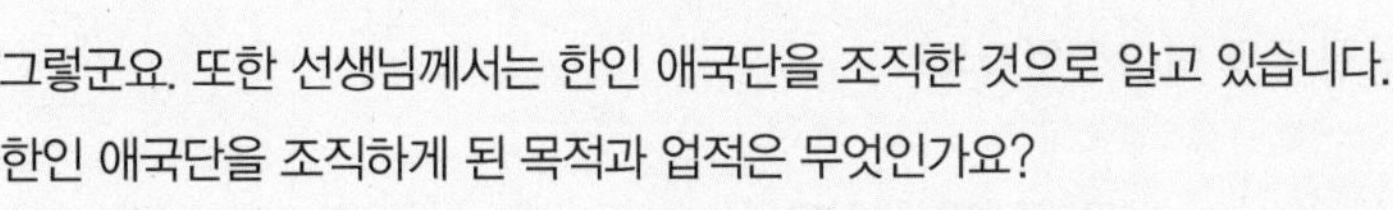

그렇군요. 또한 선생님께서는 한인 애국단을 조직한 것으로 알고 있습니다.
한인 애국단을 조직하게 된 목적과 업적은 무엇인가요?

당시 대한민국 임시 정부는 일제에 대항해 싸울만한 군대를 가지고 있지 못하고 인물난과 재정난에 허덕이고 있었습니다. 그래서 최소한의 인원으로 가장 큰 효과를 거둘 수 있는 최고의 방법이 특무 공작이라고 생각하였습니다. 이를 실행하기 위해 애국 투사를 선정하여 적의 주요 인물을 제거하거나 주요 기관을 파괴하고자 한인 애국단을 결성하였습니다. 대표적인 의거로 이봉창 의사가 도쿄에서 일왕을 저격하였으며, 윤봉길 의사가 상하이 훙커우 공원에서 폭탄 의거를 일으켜 일본군 장교와 중요 인물들이 죽는 등 큰 피해를 입혀 전 세계를 놀라게 하였습니다.

02 사회 정의

교과서 80~95쪽

- **정의(正義)**
개인 간의 올바른 도리 또는 사회를 구성하고 유지하는 올바른 도리를 말한다.

- **정의의 실현**
  - 개인 윤리 차원: 정의로운 사람이 되기 위한 개인의 노력 중시
  - 사회 윤리 차원: 사회 제도나 규칙을 개선하려는 구성원 전체의 노력 중시

- **자본주의**
생산 수단을 자본으로서 소유한 자본가가 이윤 획득을 위해 생산 활동을 하도록 보장하는 사회 경제 체제를 말한다.

- **경쟁의 장점**
경쟁을 통해 개인은 자신의 가치를 높이고 경쟁력을 키울 수 있다. 또한, 기업은 경쟁을 하며 더 좋은 물건을 값싸게 만들고 더욱 많은 이윤을 창출하고자 한다.

1 왜 정의로운 사회를 추구할까?

1. 사회 정의의 의미와 중요성

(1) 정의의 의미

① 사회를 구성하고 유지하는 공정한 원리이자 덕목

② 오늘날의 사회 정의: '각자에게 정당한 몫'을 주는 분배 정의의 측면이 강조됨

(2) 정의의 중요성

① 사회 정의의 목표: 불공정한 사회 규칙과 제도를 개선하여 사회 구성원 전체의 도덕적 삶을 실현

② 정의로운 사회는 도덕적 공동체와 인간다운 삶을 보장하기 위한 기반이 됨

2. 사회 정의를 추구해야 하는 이유

(1) 사회 정의의 필요성

① 현대 자본주의 사회에는 개인의 노력이나 능력의 차이로만 설명할 수 없는 불평등이 존재함
└ 노력과 경쟁이 분배에 영향을 미친다는 점에서 과거의 신분 사회보다 정의로움

② 불공정한 사회 구조나 제도는 개인의 차원에서 바로잡기가 쉽지 않음

(2) 정의로운 사회를 만들기 위한 자세: 모든 구성원이 사회 제도 개선을 위한 논의에 적극적으로 참여하는 자세가 필요함

2 공정한 경쟁을 하기 위한 조건은 무엇일까?

1. 공정한 경쟁의 필요성

(1) 경쟁의 문제점: 경쟁이 격화되어 이기는 것에만 집중하면 여러 가지 문제 발생

① 불공정한 수단과 방법을 사용 → 사회 구성원 간 신뢰와 협력 불가능

② 승자와 패자 사이의 불평등이 심화 → 사회 전체의 갈등과 혼란 조장

(2) 공정한 경쟁의 필요성: 공정한 경쟁은 개인과 공동체의 발전을 이끎
└ 사회의 효율성을 증대하여 국가 발전이 가능함

재미있는 도덕 읽기 착한 소비 '공정 무역'이 무엇인가요?

초콜릿의 달콤함 뒤에는 아프리카 아이들의 가슴 아픈 사연이 있다는 것을 알고 있나요? 초콜릿의 주원료인 카카오는 코트디부아르, 가나, 나이지리아 등 아프리카 지역에서 많이 납니다. 초콜릿을 만드는 기업과 농장 주인이 많은 이익을 챙기기 때문에 카카오 농장에서 일하는 아이들은 일주일에 100시간에 가까운 혹독한 노동에도 매우 적은 돈밖에 받지 못합니다. 이러한 불공정 무역의 잘못된 점을 반성하고 개선하고자 시작된 공정 무역은 생산자의 노동에 정당한 대가를 치르면서 소비자에게는 질 좋고 신뢰할 수 있는 제품을 공급하기 위해 서로 협력합니다. 따라서 공정 무역 초콜릿은 아동의 노동 없이 재배된 카카오로 만들고, 생산자와 소비자 간의 직거래를 통해 정당한 가격을 정합니다. 공정 무역은 생산자와 소비자 모두 행복해질 수 있는 거래 형태라는 의미로 '착한 소비'라 불리기도 합니다.

– 김용조, 『재미있는 지구촌 경제 이야기』

2. 공정한 경쟁의 조건

(1) **경쟁 과정의 공정성**: 똑같이 경쟁할 기회를 주되, 경쟁에 참여하는 사람들 사이의 차이도 인정하고 조정해야 함

(2) **경쟁 결과의 정당성**

① 부정한 수단과 방법을 사용한 경우 보상에서 배제해야 함

② 경쟁에 뒤처졌다고 하더라도 모든 사람이 최소한의 인간다운 삶을 누릴 수 있도록 배려해야 함

③ 경쟁 과정에 다시 참여할 기회를 마련해야 함

(3) **참다운 경쟁의 의미**

① 자신과의 경쟁을 포함한 선의의 경쟁

② 사회적 협력 속에서의 경쟁

3 부패는 왜 발생하며, 그것을 어떻게 예방할 수 있을까?

1. 부패 행위의 발생 원인

(1) **부패의 의미**: 공정하지 못한 방법을 통해 자신의 이익을 추구하는 행위

(2) **부패의 원인**

① 개인적 측면: 자신과 자기 주변의 이익만 추구하는 지나친 이기심

② 사회적 측면: 부패를 조장하는 사회 구조, 비합리적 관행

└ 혈연·지연·학연을 중시하는 관습 등

(3) **부패의 문제점**

① 타인의 권리와 이익 침해

② 사회 구성원의 불신 조장 및 사회 통합과 발전을 방해

③ 사회적 낭비와 그로 인한 사회 경쟁력 악화

2. 부패 행위의 예방

(1) **개인 윤리적 차원**

① 부패 문제에 대한 인식 전환과 청렴 의식 필요

② 견리사의(見利思義), 선공후사(先公後事)의 자세 확립

└ 견리사의: 눈앞의 이익을 보면 의리를 먼저 생각함

└ 선공후사: 공적인 일을 먼저 하고 사사로운 일은 뒤로 미룸

(2) **사회 윤리적 차원**

① 부패 방지법, 공익 신고자·내부 고발자 보호 제도의 시행

② 시민의 감시 활동과 견제 수단 마련

• **부패(腐敗)**
'썩을 부, 무너질 패'. 썩어서 무너져 내린다는 뜻으로, 국가든 조직이든 개인이든 썩으면 무너진다는 경고의 의미를 담고 있다.

• **부패 방지법**
공직자 및 공공 기관과 관련된 부패 행위를 근절하고 내부 고발자를 보호할 목적으로 제정한 법이다.

재미있는 도덕 읽기 | **김영란법 시행, 윤리 의식 변화 신호탄**

지난 2016년 「부정 청탁 및 금품 등 수수의 금지에 관한 법률(김영란법)」이 시행된 후 기업 접대비가 약 10% 정도 줄었다는 연구 결과가 발표되었다. 이는 사회의 전반적인 윤리 의식 변화가 주원인으로 보인다. 정○○, 최○○ 교수는 "기존에 접대비 명목으로 사용되었던 금액의 지출이 청탁 금지법 도입으로 효과적으로 억제되었다. 기업은 법의 권위를 활용해 불필요한 교제 비용을 줄일 수 있었다."라고 설명하였다. 이어 "법 시행으로 접대에 대한 사회 내 부정적인 시각이 만들어지며 의심스러운 교제 비용을 줄일 수 있어 업무 효율이 늘어난 것으로 분석된다."라고 덧붙였다.

또한, 「부정 청탁 및 금품 등 수수의 금지에 관한 법률」 시행으로 사회의 '윤리적 민감성'이 증가하였다고 주장하였다. 이에 대해 "청탁 금지법은 일정액 이상 금품이 오가는 것과 청탁을 하는 것이 '부정한 행위'라는 강력한 사회적 신호를 주었다."라고 강조하였다.

– ○○신문, 2017. 9. 24.

1 왜 정의로운 사회를 추구할까?

마음 열기 풀이

교과서 80쪽

자료 해설
동서양 모두 '정의'와 '몫의 분배'는 의미상 떨어질 수 없는 관계이다. 이를 토대로 정의를 분배의 측면에서 이해할 수 있도록 한다.

1. 동·서양의 '정의'에 공통으로 들어 있는 의미는 무엇일까?

예시 답안 | 정의를 뜻하는 동양의 '의(義)'와 서양의 '저스티스(Justice)'는 모두 '몫을 나눈다.'라는 뜻이 담겨 있다.

2. 자신의 몫을 제대로 받지 못했던 경험이 있다면 이야기해 보자.

예시 답안 | 지난 체육 대회 때, 우리 반이 상품으로 음료수와 빵을 받은 적이 있었다. 그런데 내가 잠시 화장실에 다녀온 사이에 친구들이 나의 몫을 남기지 않고 모두 먹어서 화가 났었다.

스스로 활동하기 풀이 개인의 노력만으로 정의로운 사회를 만들 수 있을까?

교과서 81쪽

이것이 핵심
개인 윤리 차원에서 정의로운 사람이 되기 위한 노력도 중요하지만, 정의로운 사회는 개인의 노력만으로는 이루어지기 어려우므로 공정한 사회 제도가 필요함을 깨닫는다.

친절한 활동 안내
한쪽으로 치우친 부의 분배가 과연 공정한 것일까? 기사의 내용을 통해 불공정한 분배가 발생하게 된 이유를 찾아보자. 그리고 부의 공정한 분배가 이루어지기 위해 사회적 차원에서 어떤 노력을 할 수 있을지 생각해 보자.

1. 윗글에서 찾아볼 수 있는 정의롭지 못한 상황은 무엇일까?

예시 답안 | 부의 절반이 최상위 1%에게 돌아갔다는 사실 그 자체가 아니라, 한쪽으로 치우친 불균형한 부의 분배가 고소득층이 국가에 내야 할 세금을 빼돌리면서 '자신의 몫 이상의 이익을 부당하게 추구'하는 과정에서 발생하였다는 데 있다.

2. 개인의 양심에만 의존해서 정의로운 사회를 만들 수 있을까?

예시 답안 | 개인의 양심은 정의로운 사회를 만들기 위한 중요한 기초가 된다. 그러나 양심을 저버리고 자신의 이익만을 추구하는 사람들도 있기 때문에 사회 제도나 규칙을 통해서 공정한 원리를 지키지 않으면 정의로운 사회를 만들기 어렵다.

스스로 활동하기 풀이 소수계 우대 정책과 역차별 논란

교과서 82쪽

이것이 핵심
소수계 우대 정책은 불공정한 사회 제도를 개선하고 보완하려는 방법으로, 사회적 약자를 배려하여 불평등을 해소하려는 목적을 지닌다.

친절한 활동 안내
소수계 우대 정책이 더욱 공정한 사회 제도가 되기 위해서는 현실에 맞게 수정과 보완이 필요함을 알아야 해. 오늘날 소수계 우대 정책을 둘러싼 논란을 알아보고, 보완점을 생각해 보자.

1. 소수계 우대 정책에 대한 나의 생각을 말해 보자.

예시 답안 | 소수계 우대 정책은 개인의 능력과 노력으로 설명할 수 없는 현실 사회의 불평등을 완화하기 위한 장치이기 때문에 필요하다.

2. 만일, 소수계 우대 정책을 보완한다면 어떤 방법이 있을까?

예시 답안 | 소수계로 인정되는 범위에 대해서 정확한 기준을 세운다. / 소수계 우대 정책으로 인해 역차별이 발생하지 않도록 주의한다.

함께 활동하기 풀이 이익의 관점과 공정의 관점

교과서 83쪽

➔ 가상의 돈을 가지고, 다음과 같은 방법으로 게임을 해 보자.

최후통첩 게임 방법

1. 두 사람이 10만 원을 아래의 방법대로 나누어 가진다.
2. 갑은 돈을 나누는 비율을 제시할 권리가 있다.
3. 을은 갑의 제안을 받아들이거나 거절할 수 있는 권리가 있다.
4. 거래가 성사되지 않으면 누구도 돈을 받을 수 없으며 다시 시도할 수 없다.

1. 두 명씩 짝을 지어 갑과 을의 역할을 할 사람을 정하여 최후통첩 게임을 해 보자.

예시 답안 |

갑의 역할을 할 때 제안한 금액	을의 역할을 할 때(거절한) 받은 금액
4만 원(○)	2만 원(×)

2. 만일 거래가 성사되지 않았다면 그 까닭은 무엇일까?

예시 답안 | 이익의 관점에서는 땅에 떨어진 돈을 줍는 것처럼 1만 원이라도 받아들이는 것이 합리적이다. 그러나 공정의 관점에서는 상대의 몫이 정당한가에 대한 의문이 생기기 때문에 지나치게 불공정한 거래는 나에게 이익이 되더라도 거부하였다. 그러므로 을의 역할에서 2만 원을 제안받았을 때 8:2의 비율로 돈을 나누어 갖는 것은 지나치게 불공정한 거래이기 때문에 거래가 성사되지 않았다.

3. 이 활동에서 알 수 있는 인간이 추구하는 가치는 무엇일까?

예시 답안 | 인간 본성상 이익뿐만 아니라, 공정성도 추구한다.

이것이 핵심!

어떤 것이 바람직한지 아닌지를 판단할 때 공정성에 대한 고려가 중요한 요인으로 작용한다는 사실을 통해 사람들이 눈앞에 있는 자신의 이익만을 추구하지 않는다는 것을 안다.

친절한 활동 안내

갑과 을이 금액을 나누어 갖는 비율을 통해 실제로 나누어 가진 금액이 정당한지 생각해 보자. 만약 자신이 갑의 역할에서 제안한 금액이 성사된 경우와 자신이 을의 역할에서 거래를 거절한 경우, 그 까닭은 무엇인지 생각해 보면서 거래의 공정성 여부를 판단해 보자. 게임을 마친 후 이 활동을 통해 인간이 추구하는 가치가 무엇인지 활동지를 작성해 보자.

배움 정리하기 풀이

✔ 공정
✔ 예 불공정한 사회 제도를 개선하려는 논의에 적극적으로 참여하겠다.

재미있는 도덕 읽기 국민 건강의 책임은 누구에게?

영화「식코」는 미국의 민간 의료 보험 조직인 건강 관리 기구(HMO)의 부조리한 폐해와 충격적인 이면을 폭로하며, 열악하고도 무책임한 의료 보험 제도에 대해 신랄하게 비판한다. 이윤을 극대화하려는 수익 논리에 사로잡혀 국민에게 필요한 건강 관리 서비스도 생략하는 미국의 의료 보험 제도는 돈 없고 병력이 있는 환자를 의료 제도의 사각지대에 내버려 두어 결국 죽음으로 내몰고 있음을 보여 준다.

영화에서는 지상 최대 낙원이라 선전되는 미국 사회의 의료 시스템을 캐나다, 프랑스, 영국, 쿠바 등의 국가의 의료 보장 제도와 비교하며 이를 통해 완벽하게 포장된 미국 사회의 허와 실을 담고 있는 의료 민영화의 현실을 이야기한다. 영화는 우리에게 현대 사회의 사회 정의를 확립하기 위해서는 사회 복지가 우선되어야 하며, 사회 복지의 종류와 광범위함을 생각해 보게끔 한다.

2 공정한 경쟁을 하기 위한 조건은 무엇일까?

마음 열기 풀이

교과서 84쪽

자료 해설
토끼와 거북이 동등한 출발선에서 달리기 시합을 준비하는 모습이다. 서로 다른 특징을 지닌 토끼와 거북이 같은 출발선에서 달리기 시합을 하는 것이 과연 공정한 경쟁인지 비판적으로 생각해 본다.

1. '토끼와 거북의 경주'는 공정한 경쟁이라고 할 수 있을까?

예시 답안 | 토끼끼리 혹은 거북끼리의 경주라면 공정한 경쟁이 될 수 있지만, 토끼와 거북의 경주는 어느 한쪽에 절대적으로 유리하기 때문에 공정하지 않다.

2. 토끼와 거북이 공정한 경기를 하려면 어떤 점을 고려해야 할까?

예시 답안 | 토끼는 육상에서 빨리 달릴 수 있는 동물이지만, 거북은 육상보다 수중에서 빨리 헤엄칠 수 있는 동물이다. 따라서 두 동물의 강점과 약점을 고려하여 공정한 경기를 해야 한다.

스스로 활동하기 풀이 스포츠에서 약물 검사를 하는 이유

교과서 85쪽

이것이 핵심
참된 승리란 수단과 방법을 가리지 않고 이기는 것이 아니다. 경쟁에서의 승리가 값진 이유는 공정한 경쟁 과정이 뒷받침되었기 때문이라는 점을 안다.

친절한 활동 안내
제시된 자료를 읽고 선수들이 약물 검사를 하는 이유가 무엇일지 생각해 보자. 많은 선수가 금지 약물의 유혹을 극복하고 공정한 경쟁을 하려는 이유가 무엇일지 생각해 본 후 이와 반대로 금지 약물을 복용하여 승리한 경우의 부정적 측면은 무엇인지 추측해 보자.

1. 운동 경기에서 선수들을 대상으로 약물 검사를 하는 까닭은 무엇일까?

예시 답안 | 스포츠 경기에서 일시적으로 경기 능력을 향상하려고 약물을 사용하는 것을 방지하여 공정한 경쟁이 가능하도록 약물 검사를 한다.

2. 금지 약물을 복용하여 금메달을 획득한 선수의 잘못을 개인적 측면과 사회적 측면으로 나누어 설명해 보자.

예시 답안 |

개인적 측면	사회적 측면
금지 약물로 잠깐의 경기력은 향상할 수도 있지만, 자신의 몸이 상할 수 있고 선수 생명을 단축할 수도 있다. 또한 선수로서 정상에 도달하기 위해 그동안 자신이 노력하였던 것이 헛되이 될 수 있다.	금지 약물을 사용하였다는 것이 밝혀지면 지금까지 그를 지지해 온 많은 사람을 실망하게 할 뿐 아니라, 오랫동안 경기를 준비해 온 모든 참가 선수들을 허탈하게 만들게 된다. 또한, 수단과 방법을 가리지 않고 경쟁에 이기려는 선수들이 늘어나 스포츠 정신이 크게 훼손될 수 있다.

도덕으로 세상 보기 해설 라이벌(rival), 경쟁자이면서 공동 운명체

교과서 86쪽

이것이 핵심
라이벌이란 적이 아니라 함께 협력하며 서로를 존재하게 하는 공생 관계이자 선의의 경쟁자이다. 나의 선의의 경쟁자는 누구인지, 서로에게 어떤 존재인지 생각해 본다.

→ 서로의 발전에 도움이 되었던 경쟁에 관해 자신의 경험을 발표해 보자.

예시 답안 | 옆집에 사는 친한 친구와 함께 한자를 배우러 다닌 적이 있다. 어느 날 친구가 한자 4급 시험에 도전하겠다는 이야기를 듣고, 질 수 없다는 생각에 나도 4급 시험에 도전하기로 마음먹고 열심히 공부하였다. 그 결과 우리 모두 우수한 점수로 시험에 합격하였다.

스스로 활동하기 풀이 장학금을 누구에게 주어야 공정할까?

교과서 87쪽

➔ 다음은 장학생 선발 규정에 관한 토론 장면이다. 토론 내용을 읽고 자기 생각을 발표해 보자.

1. 세 사람의 주장 중에서 누구의 주장이 가장 설득력이 있다고 생각하는가? 그 까닭은 무엇인가?

예시 답안 | 경쟁의 과정을 고려하였을 때, 을의 주장이 설득력이 있다고 생각한다. 공부를 잘하는 학생에게만 장학금을 주게 된다면, 가정 형편이 좋지 않아서 학업에 매진하기 어려운 학생에게는 능력을 발휘할 기회가 돌아가지 않을 것이기 때문이다.

2. 내가 장학 재단을 운영한다면 어떤 기준으로 장학금을 수여하겠는가?

예시 답안 | 세 가지 방식의 장학금을 모두 만들어서 여러 기준에서 장학금이 필요한 학생들에게 혜택이 돌아가도록 할 것이다.

이것이 핵심

공정한 경쟁과 분배 정의의 실현을 위해서는 환경적 차이, 유전적 우연성, 공정하게 합의된 원리, 개인의 능력과 노력 모두를 고려해야 한다.

친절한 활동 안내

각각의 주장이 지닌 장점과 단점이 무엇인지 생각해 보자. 이를 바탕으로 자신이라면 어떤 기준으로 장학금을 수여할지 생각해 보자.

함께 활동하기 풀이 공정한 경쟁의 의미와 조건

교과서 88쪽

➔ 다음 글을 읽고, 공정한 경쟁의 의미와 조건에 대해서 모둠별 토론을 하고 발표해 보자.

1. 두 사례의 공통된 목적은 무엇일까?

예시 답안 | 접바둑과 대형 할인점 영업시간 제한 제도는 약자를 배려하여 경쟁하는 대상끼리 큰 차이가 나더라도 공정한 경쟁을 할 수 있도록 하는 것이다.

2. 두 사례를 통해 얻을 수 있는 이익은 무엇일까? 토론을 통해 생각을 나누어 보자.

예시 답안 |

접바둑을 통해서 바둑을 두는 사람들이 얻는 이익	바둑의 고수는 어떤 상대와도 흥미로운 게임을 할 수 있으며, 하수는 자신의 실력을 키울 기회를 얻는다.
대형 할인점 영업시간 제한과 의무 휴업일 지정으로 우리 사회가 얻는 이익	대형 할인점에 근무하는 근로자는 휴식을 보장받고, 전통 시장의 상인들과 소상공인은 일정한 매출을 보장받을 수 있다.

이것이 핵심

실생활에서 경쟁을 할 때 약자를 위해 서로 배려하고 양보하는 태도로 공정성을 확보할 수 있음을 안다.

친절한 활동 안내

사람의 개인적 능력에 차이가 있듯이 대기업과 소상공인은 기술, 자본, 인력 등의 차이가 커. 접바둑과 대형 할인점 영업시간 제한 제도가 이들의 격차를 줄일 수 있는 공정한 원리인지 생각해 보자.

배움 정리하기 풀이

✓ 예 개인의 행복과 사회의 발전이 공존하기 위해서이다.

✓ 과정, 결과

재미있는 도덕 읽기 세계 장애인의 축제, 패럴림픽

아이스 슬레지 하키 경기 모습

패럴림픽은 신체 장애인들의 국제 스포츠 대회로, 1948년 런던의 척추 상해 센터에서 하반신 마비 환자의 재활 치료를 위해 시작되었습니다. 패럴림픽은 '동등한'을 뜻하는 '패럴렐(parallel)'과 '올림픽'을 합친 말입니다. 패럴림픽에서는 장애인을 위해 특화된 좌식 배구·휠체어 농구·휠체어 펜싱·휠체어 럭비·휠체어 테니스·아이스 슬레지 하키·휠체어 컬링 같은 경기가 열립니다. 패럴림픽에서만 볼 수 있는 종목인 보치아는 공을 던지거나 차서 표적에 가깝게 놓는 경기로, 뇌성마비 장애인들은 보치아를 하며 동작 능력이 향상되고 자신감을 쌓을 수 있습니다. 아이스 슬레지 하키는 선수들이 스케이트 대신 썰매를 타고 하는 하키 경기입니다. 패럴림픽 조직 위원회는 더 많은 장애인이 선수로 참가할 수 있도록 종목을 세분화하고, 장애별로 등급을 나누어 비슷한 장애 등급을 가진 선수들끼리 시합을 할 수 있도록 배려하고 있습니다.

– EBS(교육방송), 『EBS 어린이 지식e』 수정 인용

3 부패는 왜 발생하며, 그것을 어떻게 예방할 수 있을까?

마음 열기 풀이

교과서 90쪽

자료 해설
『경국대전』의 부정부패 금지 조항에 대한 설명을 다룬 그림이다. 조선 시대에도 부정부패가 사회적 문제로 인식되었음을 유추할 수 있으며, 이를 뿌리 뽑기 위한 사회적 차원의 노력을 엿볼 수 있다.

1. 조선 시대에 간행된 『경국대전』은 부정부패에 대한 처벌을 엄격히 다루고 있다. 그 까닭은 무엇일까?

예시 답안 | 나라의 관리가 부패하면 백성들이 가장 많은 피해를 보기 때문에 모범을 보여야 하는 공직자에게는 그만큼 강력한 처벌을 내렸다.

2. 엄격한 처벌 규정에도 부정부패가 사라지지 않는다면 그 까닭은 무엇일까?

예시 답안 | 엄격한 처벌 규정은 조선 시대에 항상 있었지만, 그것을 집행하려는 의지는 시대에 따라서 차이가 났다. 결국, 처벌 규정 자체보다는 부패를 방지하고자 하는 의지가 중요하다.

스스로 활동하기 풀이 청소년 '정직' 지수, 나라면?

교과서 91쪽

이것이 핵심
'정직'이라는 가치가 힘을 잃을 때 부정부패를 포함한 사회적 문제가 발생할 수 있다는 사실을 이해한다.

친절한 활동 안내
「청소년 정직 지수 조사표」를 분석해 보자. 각 문항의 공통점은 자신의 이익을 위해서 불법적인 행위도 마다하지 않겠다는 사회적 풍조를 엿볼 수 있어. 이러한 사회적 풍조가 계속된다면 어떤 문제가 발생할지 생각해 보자.

설문 항목 / 학교급	초등학교	중학교	고등학교
10억 원이 생긴다면 죄를 짓고 1년 정도 감옥에 들어가도 괜찮다.	17 %	39 %	56 %
이웃의 어려움과 관계없이 나만 잘 살면 된다.	19 %	30 %	45 %
인터넷에서 영화 또는 음악 파일을 불법으로 내려받는다.	16 %	40 %	65 %
숙제할 때 인터넷에 있는 내용을 그대로 베낀다.	26 %	46 %	63 %

– 흥사단 투명사회운동본부, 『2015 청소년 정직 지수 자료집』

1. 자신이라면 위 항목에 각각 어떻게 대답할지 발표해 보자.

예시 답안 | 숙제할 때 인터넷에 있는 내용을 그대로 베끼는 것은 다른 사람의 지적 재산권을 빼앗는 것이고, 양심의 가책을 느끼는 행동이기 때문에 나라면 그렇게 하지 않을 것이다.

2. 위의 자료에서 알 수 있는 문제점을 이야기해 보자.

예시 답안 | 자신의 이익을 위해 부정부패와 범죄를 가볍게 생각하는 사회적 분위기가 바뀌지 않고 계속된다면 무질서와 혼란이 심해지고 사회 구성원 전체가 그 피해를 보게 될 것이다.

도덕으로 세상 보기 해설 국가별 부패 인식 지수(CPI: Corruption Perception Index)

교과서 92쪽

이것이 핵심
부정부패라는 문제가 궁극적으로 사회 전체의 문제가 되어 국가 발전에 어려움을 겪게 될 것이라는 점을 파악한다.

➔ 부정부패는 시민의 삶에 어떤 영향을 미칠까?

예시 답안 | 국민 간에 불신이 생겨 국가 단합과 협력을 어렵게 할 것이다. / 부정의한 방법으로 이득을 취하는 이들이 많아지게 된다. / 정직한 시민들은 손해를 본다고 생각하게 되어 부정부패가 만연하게 될 것이다. / 부패로 사회 경쟁력이 약해져 국가 발전에 어려움을 겪게 된다.

함께 활동하기 풀이 부정부패 방지법이 없는 나라

교과서 93쪽

핀란드에서는 별도의 부정부패 방지법이 없어도 거짓말하거나 부정을 저지른 공직자는 반드시 대가를 치른다.

총리가 선거 과정에서 거짓말한 것이 드러나 취임 2개월 만에 사퇴

법무 장관이 1백5십만 원의 세금을 내지 않았다가 선거에서 낙선

자동차 경주 우승자 K 씨 무면허 트레일러 운전으로 벌금 약 4천 5백만 원

식품 업체 상속자 U 씨 속도 위반으로 벌금 약 2억 6천만 원

또한, 핀란드에서는 교통 법규를 위반하면 소득에 따라 벌금이 다르다. 고소득자는 전년도 수입의 $\frac{1}{14}$을 내야 한다.

이러한 제재가 가능한 이유는 무엇일까? 핀란드에서는 정보 공개법에 따라 정부가 소유하는 문서는 공개를 원칙으로 하며, 정확한 이름만 알면 소득을 확인할 수 있기 때문이다. 이 같은 핀란드 사회의 투명성은 시민들의 자발적 세금 신고를 이끌어 냈다. 이렇게 투명한 사회에서는 부정부패 행위를 하려는 마음을 먹기가 어렵다.

– 한국방송(KBS), 「부정부패 특별 방지법이 없는 나라, 핀란드의 사회 투명성」

1. 우리나라의 부정부패 예방을 위한 노력을 찾아보고, 핀란드와 비교해 보자.

예시 답안 | 우리나라에서는 2016년 9월 28일부터 「부정 청탁 및 금품 등 수수의 금지에 관한 법률」이 시행되면서 부정 청탁을 받은 공직자뿐만 아니라 부정 청탁을 한 사람에게도 과태료가 부과된다. 이로 인해 이전보다 강력하게 부정부패를 예방할 수 있게 되었으나 핀란드만큼 정보를 투명하게 공개하는 데에는 많은 사회적 논의와 합의가 필요한 실정이다.

2. 핀란드의 사례를 참고하여 우리나라에서 실천할 부정부패 예방 방법을 토론해 보자.

예시 답안 | 우리나라가 핀란드의 사례에서 배울 점은 소득과 지출에 대한 투명한 정보 공개이다. 핀란드처럼 모든 소득과 지출에 대해서 숨길 수 없는 사회 투명성을 갖게 된다면, 출처를 밝힐 수 없는 돈을 모을 생각도 쓸 생각도 할 수 없게 될 것이다.

이것이 핵심

핀란드처럼 부패 방지법이 없어도 높은 청렴도를 유지할 수 있다는 사실을 인식하고 부패 방지를 위한 시민 의식과 실천 의지를 다진다.

친절한 활동 안내

핀란드에서 부정부패를 저지른 사람이 처벌받은 사례를 보자. 핀란드가 다른 나라와 달리 높은 청렴도를 유지할 수 있는 이유가 무엇인지 생각해 보자. 우리나라와 핀란드의 부정부패 예방을 위한 노력은 무엇인지 비교해 보고 우리나라가 핀란드에서 배울 부정부패 예방 방법이 있다면 무엇인지 발표해 보자.

배움 정리하기 풀이

- ✔ 이기심, 사회 구조
- ✔ 청렴 의식
- ✔ 예 이익에 앞서 옳음을 먼저 생각하는 태도를 갖도록 하겠다.

재미있는 도덕 읽기 『목민심서』

– 출처: 예술의 전당 서예박물관

자료 해설

『목민심서』는 정약용이 전라남도 강진에서 유배 생활을 하는 동안에 지은 책으로, 지방관이 지켜야 할 지침과 지방 관리들의 폐해를 비판하는 내용을 담고 있다. 그는 아버지가 여러 고을의 지방관을 지낼 때 부임지에 따라가 견문을 넓혔고, 자신도 지방관 및 경기도 암행어사를 지내면서 지방 행정의 문란과 부패로 인한 민생의 궁핍한 생활을 체험하였기 때문에 이와 같은 책을 쓸 수 있었다.

이렇게 이해하세요

조선 시대에는 지방 수령이 행정에 관한 모든 권한과 사법권을 가지고 있었기 때문에 지방 수령이 역할을 어떻게 수행하느냐가 매우 중요한 문제였어요. 그러므로 이 책에서는 관료들의 절약과 청렴을 강조하는 청백(淸白) 사상에 따른 윤리적 태도에 역점을 두어 강조하고 있어요.

케이크 자르기로 배우는 정의

이것이 핵심

순서가 가장 마지막인 사람까지 동등한 크기의 케이크를 가져가는 것이 핵심이다. 그렇다면 가장 정의로운 케이크 나누기 방법은 마지막 순서인 사람이 케이크를 나누는 것이다. 마지막 사람은 최선을 다해 균등하게 분배를 할 것이고 가장 공정한 결과를 얻게 될 것이다.

친절한 활동 안내

케이크를 자를 사람과 케이크 조각을 가져갈 순서를 정해 보자. 케이크를 자를 모양으로 그려 보고, 각 조각에 가져갈 사람의 이름을 적어 보자. 케이크를 자른 결과에 만족하는지, 그 이유를 발표해 보자. 활동을 통해 정의롭게 케이크를 자를 수 있는 원칙을 발견하였다면 발표해 보자.

➔ 모둠별로 케이크를 나누어 먹는 상황을 생각해 보자. 케이크를 어떻게 나누면 좋을까? 다음의 활동 방법에 따라 케이크를 나누어 보자.

1. 케이크 자를 모양을 그려 보고, 각 조각에 가져갈 사람의 이름을 써 보자.

예시 답안 |

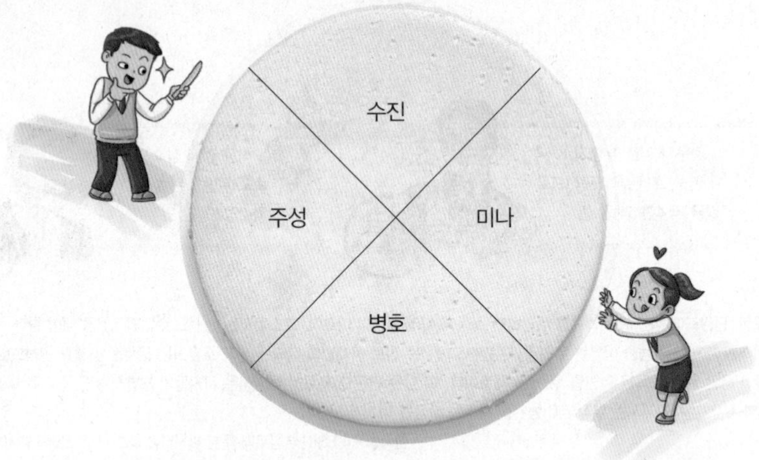

2. 케이크를 나눈 결과에 만족하는가? 그 까닭은 무엇인가?

예시 답안 | 만족한다. 우리 모둠에서는 케이크를 자른 사람이 가장 나중에 조각을 가져가도록 약속해서 그 사람은 똑같은 크기로 케이크를 잘랐기 때문이다. / 만족하지 못한다. 가위바위보로 이긴 사람이 케이크를 자르고 제일 먼저 조각을 가져가기로 하였는데, 내가 가위바위보에서 져서 가장 작은 조각을 가져갔기 때문이다.

3. 정의롭게 케이크를 나눌 수 있는 원칙이 있다면 무엇인가?

예시 답안 | 케이크를 자른 사람이 마지막으로 조각을 가져간다.

재미있는 도덕 읽기 | 블라인드 채용

블라인드 채용은 입사 지원서나 면접 등 채용 과정에서 지원자의 출신 지역이나 신체 조건, 가족 관계, 학력 등 편견이 개입될 수 있는 정보를 요구하지 않고 직무 수행에 필요한 지식과 기술 등을 평가하는 데 초점을 맞춘 채용 방식이다. 정부는 2015년부터 공공 기관 국가 직무 능력 표준(NCS)에 바탕을 둔 채용 제도를 도입하면서 이력서 등에 출신지와 출신 대학, 신체적 특징 등 차별적 요소로 작용할 수 있는 정보를 전형 과정에서 배제하도록 권고하였다. 블라인드 채용이 전면 시행되면서 이제는 학력 및 사진 부착 금지 등은 권고가 아닌 의무 사항이 되었다.

한편, 블라인드 채용 방침이 발표된 이후 대학생들과 취업 준비생들 사이에서는 찬반 논란이 거세게 일고 있다. 블라인드 채용 도입을 찬성하는 측에서는 학연, 지연, 혈연 등이 중시되는 비합리적인 사회 환경이 변화될 수 있는 것은 물론 스펙 경쟁에서 벗어나 다양한 배경의 인재들이 많이 등용될 수 있다는 주장이다. 반면 블라인드 채용 도입을 반대하는 측에서는 노력해서 얻은 결과물인 학력이나 학점을 표기하지 않는 것은 역차별이라는 의견을 내놓고 있다.

– pmg지식엔진연구소, 『시사상식사전』

개념 확인 문제

01 다음 내용이 옳으면 ○표, 틀리면 X표 하시오.

(1) 정의란 사회를 구성하고 유지하는 공정한 원리이자 덕목이다. ( )

(2) 과거의 계급제는 정의로운 사회 제도 중 하나이다. ( )

(3) 사회 정의는 사회 구성원을 공평하고 차별 없이 대할 것을 강조한다. ( )

(4) 자본주의는 완벽하게 공정한 사회 제도이다. ( )

02 밑줄 친 '이것'은 무엇인지 쓰시오.

> 이것은 공정한 경쟁의 조건 중 하나이다. 경쟁의 규칙은 사회적 합의를 통해 공정하게 만들어야 한다. 모든 사람이 차별받지 않고 누구든지 경쟁에 참여할 기회를 주어야 하며, 경쟁에 참여하는 사람들 간의 차이를 인정하고 조정해야 한다는 것을 뜻한다.

03 밑줄 친 '이것'은 무엇인지 쓰시오.

> 이것은 부패를 예방하기 위해 필요한 자세로, '눈앞의 이익을 보면 의리를 먼저 생각함'을 의미하는 사자성어이다.

04 빈칸에 들어갈 알맞은 단어를 쓰시오.

(1) 부정부패의 개인적 원인은 자기나 자기 주변의 이익만을 생각하는 지나친 ( ) 때문이다.

(2) 부정부패의 사회 윤리적 원인은 부패를 조장하는 ( )(이)나 비합리적인 ( )(으)로부터 발생한다.

(3) 혈연·( )·( )을/를 중시하는 관습이 부정부패의 대표적인 예이다.

실력 점검 문제

01 오늘날의 사회 정의에 대한 설명으로 적절하지 않은 것은?

① '모두에게 똑같은 몫'을 주는 것을 의미한다.
② 사회를 구성하고 유지하는 공정한 원리이다.
③ 사회 구성원을 차별 없이 대할 것을 강조한다.
④ 오늘날의 사회 정의는 분배 정의의 측면이 강하다.
⑤ 사회 구성원 전체의 도덕적 삶을 실현하는 것이 목표이다.

중요

02 사회 정의를 추구해야 하는 올바른 이유를 〈보기〉에서 고른 것은?

보기

> ㄱ. 불공정한 사회 구조나 제도가 존재하기 때문이다.
> ㄴ. 불공정함을 개인적 차원에서 바로잡기 어렵기 때문이다.
> ㄷ. 자본주의 사회보다 과거 신분제 사회가 정의롭기 때문이다.
> ㄹ. 개인의 노력이나 능력으로도 공정한 분배가 이루어지기 때문이다.

① ㄱ, ㄴ　② ㄱ, ㄷ　③ ㄴ, ㄷ
④ ㄴ, ㄹ　⑤ ㄷ, ㄹ

03 소수계 우대 정책에 대한 설명으로 옳지 않은 것은?

① 사회 정의를 실현한다는 점에서 긍정적인 평가를 받기도 한다.
② 대체로 인종, 성별, 장애 유무 등이 소수 집단의 기준이 된다.
③ 사회적 약자를 지지하는 정책으로 비판의 대상이 되지 않는다.
④ 사회적으로 보호받지 못하는 소수 집단에 특혜를 주는 정책이다.
⑤ 미국의 일부 대학에서는 학생 선발 과정에 이 정책을 적용하고 있다.

실력 점검 문제

04 경쟁에 대한 옳은 설명만을 〈보기〉에서 있는 대로 고른 것은?

보기
ㄱ. 개인은 자신의 가치를 높일 수 있다.
ㄴ. 공정한 경쟁은 사회의 효율성을 증대시킨다.
ㄷ. 도핑은 스포츠 선수들의 공정한 경쟁의 수단이 된다.
ㄹ. 불공정한 수단과 방법의 사용은 구성원 간 신뢰를 잃게 한다.

① ㄱ, ㄴ ② ㄴ, ㄷ ③ ㄷ, ㄹ
④ ㄱ, ㄴ, ㄹ ⑤ ㄴ, ㄷ, ㄹ

05 다음에 해당하는 사자성어로 옳은 것은?

공적인 일을 먼저하고 사사로운 일은 뒤로 미룸

① 견리사의 ② 관포지교 ③ 사필귀정
④ 선공후사 ⑤ 역지사지

06 참다운 경쟁에 대한 옳은 설명을 〈보기〉에서 고른 것은?

보기
ㄱ. 선의의 경쟁을 의미한다.
ㄴ. 자신과의 경쟁은 포함하지 않는다.
ㄷ. 수단과 방법을 가리지 않는 경쟁이다.
ㄹ. 사회적 협력 속에서 경쟁하는 것이다.

① ㄱ, ㄴ ② ㄱ, ㄷ ③ ㄱ, ㄹ
④ ㄴ, ㄷ ⑤ ㄷ, ㄹ

중요
07 부정부패에 대한 설명으로 옳지 않은 것은?

① 지나친 이기심은 부패의 개인적 원인이다.
② 비합리적 관행은 부패의 사회 윤리적 원인이다.
③ 부패를 조장하는 사회 구조도 부패의 원인이다.
④ 불공정한 방법으로 자신의 이익을 얻는 행위이다.
⑤ 부정부패를 예방하는 방법으로는 혈연을 중시하는 관습이 있다.

08 다음 글에서 알 수 있는 '라이벌'의 의미로 가장 적절한 것은?

라이벌의 사전적 정의는 같은 목적을 가졌거나 같은 분야에서 일하면서 이기거나 앞서려고 서로 겨루는 '맞수'를 뜻합니다. 라이벌은 그 강물을 함께 사용하는 주민을 일컫는 '리발리스(rivalis)'라는 말에서 나왔습니다. 여기에는 동료와 앙숙의 의미가 공존합니다. 강물이 풍부하면 그 물을 함께 나누면서 친구와 동료가 되지만, 가물면 그것을 두고 싸움이 벌어지는 앙숙이 됩니다. – 정진홍, 『사람아 아, 사람아』

① 적을 의미한다.
② 섬멸의 대상이다.
③ 오직 경쟁자일 뿐이다.
④ 서로 협력할 수 없는 관계이다.
⑤ 경쟁자이면서 공동 운명체이다.

09 부패 행위를 예방하는 사회 윤리적 방법으로 가장 적절하지 않은 것은?

① 청렴 의식의 함양
② 부패 방지법의 시행
③ 내부 고발자 보호 제도의 시행
④ 공익 신고자 보호 제도의 시행
⑤ 시민의 감시 활동과 견제 수단의 마련

10 부패 행위의 문제점으로 옳지 않은 것은?

① 사회적 낭비를 발생시킨다.
② 사회 경쟁력을 악화시킨다.
③ 타인의 권리와 이익을 침해한다.
④ 오직 사회적 문제만을 초래한다.
⑤ 사회 구성원 사이의 믿음을 깨뜨린다.

11 밑줄 친 '이것'에 공통으로 들어갈 개념으로 옳은 것은?

> • 동양에서 이것을 나타내는 '의(義)'라는 글자는 양(羊)을 창(戈)으로 나눈다는 뜻에서 유래되었습니다.
> • 서양에서 이것을 나타내는 '저스티스(justice)'라는 단어 속의 주스(jus)도 원래는 '몫'을 의미합니다.

① 경쟁　② 공정　③ 분배
④ 의리　⑤ 정의

12 다음 글을 통해 알 수 있는 공정한 경쟁의 의미로 가장 적절한 것은?

> 2015년 11월, 대형 할인점의 영업시간을 제한하고 의무 휴업일을 지정한 지방 자치 단체의 처분은 정당하다는 대법원 판결이 나왔다.
> – ○○신문, 2016. 2. 10.

① 경쟁의 결과가 정당해야 한다.
② 경쟁 과정에 다시 참여할 기회를 주어야 한다.
③ 경쟁 상대 간의 차이를 인정하고 조정해야 한다.
④ 모든 사람에게 똑같은 경쟁의 기회를 주어야 한다.
⑤ 부정한 수단과 방법의 사용은 경쟁 기회에서 배제해야 한다.

서술형

13 참다운 경쟁의 의미에 대해 서술하시오.

14 '토끼와 거북의 경주'가 공정한 경쟁이 될 수 없는 이유를 서술하시오.

15 부패 행위의 예방을 위한 개인 윤리적 차원과 사회 윤리적 차원의 노력을 각각 서술하시오.

자유 학기제를 대비하는

수행 평가

2 사회 정의

1 정의로운 인물 탐색하기

memo

➔ 정의롭다고 생각되거나 평가받는 인물을 조사한 후, 보고서를 작성해 보자.

- 조사 방법: 다큐멘터리 영상이나 영화 감상하기 / 자서전 또는 위인전 읽기 / 신문 기사나 인터넷 자료 조사하기
- 조사 인물 기준: 자유롭게 선정하기

조사 방법	
인물 이름	
인물의 특징	
선정 이유	
정의롭다고 평가되는 점	
인물을 조사하며 느낀 점	

2 부정부패로 인한 몰락은 어디까지인가?

memo

다음의 신문 기사를 읽고, 물음에 답해 보자.

베네수엘라는 한때 석유 매장량 세계 1위이자 수출량은 9위로 라틴아메리카에서 가장 부유한 나라였다. 하지만 지금은 온종일 아무것도 먹지 못하는 가정이 무려 44%에 이른다. 이와 더불어 정치적 불안으로 인해 매일같이 시위와 저항이 발생한다. 베네수엘라는 경제적 부(富)국에서 어떻게 혼란의 나라로 바뀌게 되었을까? 혼란의 가장 큰 이유는 바로 '유가 하락'이다. 베네수엘라는 세계 제1의 석유 매장량을 자랑한 만큼 수출 품목의 95%는 석유였다. 차베스 대통령 집권 당시에 석유 기업을 국유화해 석유 판매를 독점하였고, 이 돈을 무상 복지에 사용하였다. 그런데 국가 예산의 70%가 복지 비용으로 들어가는 상황에서 국제 유가가 폭락하였다. 유가 폭락으로 베네수엘라와 국영 석유 회사가 올해 갚아야 할 돈만 50억 달러이지만, 현재 베네수엘라의 현금성 외화 보유액은 30억 달러뿐이다. 하지만 이런 상황에서도 베네수엘라의 지도층들은 정권 유지와 재산 축적에만 몰두하고 있다. 마두로 대통령은 정권을 연장하기 위해서 야당 위주의 국회를 해산하고 제헌 의회를 구성하였다. 게다가 부통령의 가족들이 식량 배급에 개입하면서 부당한 이익을 챙기고, 식량 배급 권한은 군부에 넘어가면서 군부가 식량을 빼돌리는 일까지 발생하고 있다.

지나친 석유 의존으로 인한 경제 위기와 지도층의 부정부패로 혼란스러워진 베네수엘라에서는 치솟는 물가와 굶주림으로 인해 국민이 고통받고 있지만, 상황이 나아질 기미는 보이지 않는다. 국민의 눈물과 신음을 외면한 채 자신의 탐욕에만 눈이 먼 지도층이 사라지지 않는 한 과거의 영광을 되찾는 일은 까마득해 보인다.

– ○○뉴스, 2017. 8. 29. 수정 인용

1 베네수엘라 사회 지도층의 부정부패 행위와 이로 인한 개인적 · 사회적 문제를 찾아 써 보자.

부정부패 행위	
개인적·사회적 문제	

2 기사를 읽고 느낀 점을 써 보자.

인물로 배우는

도덕

예를 중시한 유학자

순자

(荀子, B.C. 298 ~ B.C. 238)

순자는 전국 시대 조(趙)나라의 유학자로서 이름은 황(況)이며, 자는 경(卿)입니다.

맹자는 인간의 본성이 선하다고 보았지만, 순자는 인간의 본성이 악하다고 보았습니다. 사람은 본래 악한 존재이므로 선한 행동을 기대할 수 없다고 하였습니다. 선함은 인위적인 것으로 성현의 가르침에 따라 마음을 갈고 닦아 기질을 변화시킴으로써 선하게 될 수 있다고 주장하였습니다.

"인간의 타고난 악한 본성을 바꾸어 선함을 만들어 나가야 한다."

또한 순자는 예의 중요성을 강조하였습니다. 그는 인간의 악한 본성을 변화시키고 인간의 생활을 규제하여 질서를 유지해 나가야 한다고 생각하였기 때문에 강력한 예를 강조하는 예치주의(禮治主義)를 주장하였습니다. 즉, 순자는 인간의 악한 본성을 바로잡는 방법으로 예가 필요하다고 본 것입니다. 순자는 이러한 예의 강조를 통해 유학 사상의 발달에 큰 영향을 주었습니다.

예로서 차별적 분배를 강조한 순자를 만나다.

순자 선생님, 안녕하세요.
선생님께서 인간의 본성이 악하다고 생각하시는 이유가 무엇인가요?

사람은 태어날 때부터 이익을 좋아하고 남을 시기하며, 귀에 아름다운 소리나 눈에 보기 좋은 색채를 좋아하기 때문입니다. 이러한 사람들을 타고난 본성에 따라 살아가게 내버려 둔다면 결국 서로 다투고 빼앗는 어지러운 사회, 즉 무법천지가 되고 말 것입니다. 그러므로 사람은 예(禮)의 도를 배워야 하며, 이를 통해 서로 양보하여 안정된 사회를 이룩할 수 있습니다.

그렇다면 선생님, 예란 무엇인가요?

예는 훌륭한 통치자가 제정한 것으로 우리가 지켜야 하는 사회적 도덕 규범입니다. 예는 인간이 가지고 태어난 욕망으로 인한 분쟁을 바로잡고, 한정된 재화를 적절히 분배하는 역할을 합니다.

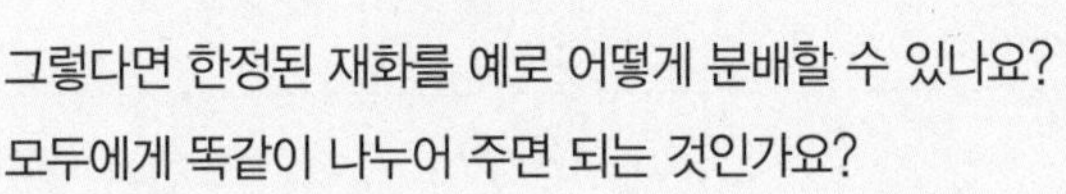

그렇다면 한정된 재화를 예로 어떻게 분배할 수 있나요?
모두에게 똑같이 나누어 주면 되는 것인가요?

아닙니다. 획일적인 균등 분배가 아니라 사람들의 지위와 능력 등을 헤아려 나누는 차별화된 분배, 즉 차별적 분배를 해야 합니다. 인간의 욕구는 무한하나, 사회적 재화는 한정적입니다. 그러므로 예를 통해 나이, 귀하고 천함, 빈부 등에 따른 차별적 분배로 구성원 간의 충돌을 막고 사회적 질서를 유지할 수 있을 것입니다.

03 북한 이해

교과서 96～111쪽

1 북한을 어떻게 이해해야 할까?

1. 북한에 대한 이해

(1) 북한에 대한 올바른 이해

① 바람직한 남북 관계를 형성하여 통일을 이루기 위해서 중요함

② '있는 그대로의 북한'을 바라보는 것이 필요함

③ 객관적 사실과 보편적 가치에 기초하여 이해해야 함

└ 보편적 가치: 인간의 존엄성, 자유, 평등 등과 같이 시대나 장소를 초월하여 언제나 존중되어야 할 가치

(2) 북한의 이중적 성격

① 경계의 대상인 동시에 통일해야 하는 한 민족임

└ 경계의 대상: 안보상 위협적인 존재

② 북한의 이중적 성격을 정확하게 인식하여 균형적 시각을 갖춰야 함

2. 민족 공동체 형성과 국가 안보의 균형적 접근

└ 안보: '안전 보장'을 줄여 이르는 말

(1) 북한에 대한 균형적 접근: 북한 정권은 정치적·군사적 경계 대상인 동시에 북한 주민은 민족 공동체의 형성을 위한 동반자라는 점을 이해해야 함

(2) 진정한 통일을 위한 기반 형성

① 튼튼한 국가 안보는 통일의 기반이 됨

② 북한을 공존과 협력을 통한 동반자 관계로 이끌어 가는 지혜와 노력이 필요함

2 북한 주민들은 어떻게 살고 있고, 그들은 우리에게 어떤 존재일까?

1. 북한 주민의 정치와 경제생활

(1) 수령에 권력이 집중된 정치 체제

① 체제를 비판하거나 반대하면 사회로부터 격리되어 탄압을 받음

② 정치 참여가 정부 기관의 통제 속에서 제한적으로 이루어짐

③ 언론·출판 및 집회·결사의 자유, 종교의 자유 등이 인정되지 않음

(2) 국가 계획에 따른 경제 활동

① 당의 인력 수급 계획에 따라 직업 선택이 이루어짐

② 생산 수단의 국유화와 제한적 수준의 개인 소유 인정

③ 대부분 주민은 식량난으로 건강과 생존권을 위협받음

• 북한에 대한 올바른 이해

바람직한 남북 관계를 형성하여 통일을 이루기 위해서는 북한에 대한 올바른 이해가 필수적이라고 할 수 있다.

• 북한은 경계의 대상?

북한과 우리는 아직도 적대 관계를 지속하고 있으며, 북한은 우리의 안보를 위협할 수 있는 군사적 능력을 가지고 있다. 실제로 북한의 군사 도발은 우리 국민의 안전과 국가 안보를 심각하게 위협하고 있다.

– 통일교육원, 『2017 북한 이해』

• 균형적 시각의 필요성

북한을 경계의 대상으로만 볼 경우 남북 간의 적대 관계를 해소하기 어렵고, 반대로 북한을 화해·협력의 대상으로만 인식한다면 분단 구조하에 있는 남북의 현실을 경시하는 등 '통일 지상주의'에 빠질 우려가 있다.

– 통일교육원, 『2017 북한 이해』

재미있는 도덕 읽기 북한에도 시장이 있을까?

⊙ 북한의 종합 시장

북한 정권의 수립 초기부터 북한에도 삼일장, 오일장 식의 재래식 시장이 있었으나 1950년대 개인 상업을 폐지하고 상품을 국가에서 유통하거나 협동 상업의 형태로 단일화하면서 농민 시장도 폐쇄하였다. 그러나 북한 주민들에게 필요한 것이 충분히 공급되지 않았고, 스스로 생필품을 구하는 방법으로 시장을 활성화하였다. 이렇게 발달한 사적 경제 시장을 '장마당(종합 시장)'이라고 한다. 현재 80 % 이상의 북한 주민들이 장마당을 통해 먹고, 입고, 쓰는 생필품을 해결하고 있으며, 전국적으로 400여 개의 종합 시장이 운영되고 있다.

– 통일교육원, 『2017 북한 이해』

2. 북한 주민의 사회, 문화, 교육

(1) **사회**

① 외형상으로 평등하다고 하지만 출신 성분과 계급에 따라 차별이 존재함

② 조선 노동당이 지도하는 단체에 의무적으로 가입하여 조직 생활을 해야 함

(2) **문화**: 주민들의 사상을 통제하여 체제를 유지하기 위한 수단으로 작용함

(3) **교육**: 지도자에게 충성하고 집단주의 원칙에 복종하는 인간상을 지향함

3. 북한 주민들은 우리에게 어떤 존재인가?

(1) 대부분이 집단주의 가치관에 익숙함

집단주의: 개인의 의사와 이익보다 집단 전체의 이익을 우선시하는 관점

(2) **변화하는 북한 주민의 인식**

① 계속된 경제난으로 시장 경제적 사고, 가족주의, 개인주의가 퍼지고 있음

② 외부 정보 유입으로 외부 세계에 대한 인식이 변화하고 있음

(3) 보편적인 인류애의 측면에서 우리와 함께 통일 한국에서 더불어 살아갈 사람들이라는 것을 명심해야 함

• 북한 금성 제1중학교의 컴퓨터 수업

컴퓨터 교육은 1990년대 말부터 정규 교과가 되어 확대되기 시작하였다. 최근 들어 북한에서는 컴퓨터나 외국어 등 실용적인 교육을 중시한다고 한다.

3 북한 이탈 주민의 생활을 통해 본 통일의 과제는 무엇일까?

1. 북한 이탈 주민의 생활

(1) 북한 이탈 주민이 겪는 어려움

심리적	탈북 과정에서 겪은 고통, 북한에 두고 온 가족에 대한 죄책감, 새로운 생활에 대한 불안감 등
경제적	취업의 어려움으로 인한 경제적 불안정 등
문화적	개인의 자유와 권리를 중시하는 문화와 자본주의 체제에 적응하는 데 시간이 걸림 등

2. 북한 이탈 주민들이 겪는 어려움을 통해 본 통일의 과제

(1) **북한 이탈 주민과 북한 주민에 대한 인식 개선**

① 편견이나 무시하는 태도는 북한 이탈 주민에게 소외감과 좌절감을 줄 수 있음

② 잘못된 인식은 사회·문화적 통일을 방해하는 요소가 될 수 있음

(2) **사회와 국가 차원의 물질적·제도적 지원**: 성공적으로 정착한 북한 이탈 주민은 사회적·문화적 통합을 위해 핵심적인 역할을 할 수 있음

• 북한 이탈 주민이 겪는 경제적 어려움

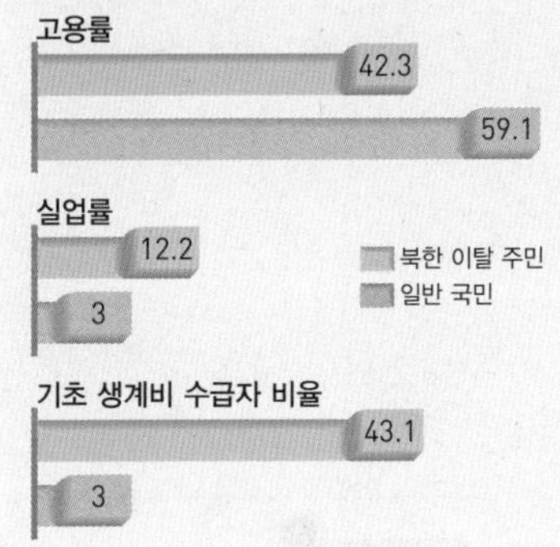

재미있는 도덕 읽기 | 북한의 사회 계층 구조와 특징

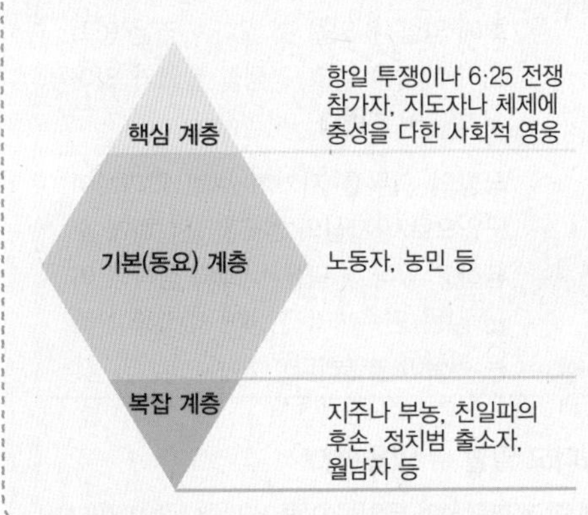

북한이 규정해 놓은 사회 계층은 인위적으로 만들어져 수직적인 이동이 제한적이다. 핵심 계층이었던 주민이 잘못을 저질러 하위 계층으로 하락하는 경우나 상위 계층에서 하위 계층으로의 이동은 가능하지만, 하위 계층에서 상위 계층으로의 이동은 거의 불가능하다. 지도자를 접견하였거나, 화재 혹은 수해 현장에서 지도자의 초상화를 목숨으로 지켰을 경우, 국위 선양 및 국가 건설 현장에 거액을 기부하였을 때 하위 계층에서 상위 계층으로의 이동이 가능하다. 그러나 이러한 일은 대부분의 북한 주민에게 해당하지 않는다.

– 통일교육원, 『2017 북한 이해』

1 북한을 어떻게 이해해야 할까?

마음 열기 풀이

교과서 96쪽

자료 해설
동 시간대의 남북한 교실을 비교하여 비슷한 점과 다른 점을 찾아본다. 남북 관계에 관심을 두고 남북한이 서로를 바라보는 관점이 어떻게 다를지 생각해 본다.

선생님: "여러분, 북한에 대해 알고 있는 것을 말해 볼까요?"

선생님: "동무들, 남조선에 대해 알고 있는 것을 말해 보겠습니까?"

1. 위의 두 그림은 같은 시각의 남북한의 교실을 나타낸 것이다. 그림을 보고 남북한 두 교실의 비슷한 점과 다른 점을 찾아서 발표해 보자.

예시 답안 | 책상 배치 등 교실의 모습이 비슷하다. / 남북한이 서로 다른 표준시를 사용한다. / 남한 교실에는 태극기가 걸려 있지만, 북한에는 김일성과 김정일 부자의 초상화가 걸려 있다. / 남한과 북한에서 쓰는 말투가 다르다.

2. 남북한의 학생들은 선생님의 질문에 어떤 대답을 하였을지 상상하여 말해 보자.

예시 답안 | **남한 학생들의 대답**: 북한은 세계에서 거의 유일하게 남은 공산주의 국가입니다. / **북한 학생들의 대답**: 남조선에는 유명한 아이돌 가수들이 많습니다.

스스로 활동하기 풀이 남한과 북한은 어떤 관계인가?

교과서 97쪽

이것이 핵심
북한은 우리에게 이중적 성격을 지니고 있다. 이에 따라 남북 관계도 한편으로는 화해와 협력이 이루어지지만, 다른 한편으로는 정치·군사적 긴장 관계도 지속하고 있음을 안다.

친절한 활동 안내
남북 관계에 대한 선입견이나 고정관념 없이 사진 속의 인물이 되어 자신의 느낌이나 생각을 솔직하게 말해 보자.

1. 남북 단일 팀으로 국제 대회에 참가하는 선수와 공동 경비 구역에서 대치하는 군인은 각각 어떤 심정일지 상상하여 말해 보자.

예시 답안 |

운동선수	남북에서 가장 뛰어난 선수들이 하나의 팀을 이루었기 때문에 메달을 딸 가능성이 더욱 커졌다. / 더욱 자신 있게 대회에 임할 수 있을 것 같다. / 같은 민족끼리 메달을 놓고 경쟁할 필요가 없어서 마음이 가볍다.
군인	국방의 의무를 지키기 위해 입대하여 군인으로서 자신의 임무를 충실하게 수행하고 있다. / 다른 나라의 침략이 아닌 같은 민족끼리 전쟁에 대비해야 하는 현실이 씁쓸하다.

2. 위 사진들로 미루어 볼 때, 남북한은 어떤 관계에 있다고 말할 수 있을까?

예시 답안 | 남과 북은 정치적·군사적 경계 대상인 동시에 함께 협력하여 통일을 이루어야 할 동반자이다.

스스로 활동하기 풀이 북한을 어떻게 바라보아야 할까?

교과서 98쪽

➔ 다음 두 학생의 주장이 지닌 문제점이 무엇인지 생각해 보고, 북한을 바라보는 바람직한 관점을 제시해 보자.

1. 위의 두 주장이 지닌 문제점은 무엇일까?

예시 답안 | 무조건적인 긍정이나 부정적 관점을 갖는다면, 남북 관계의 현실을 제대로 파악하지 못할 수 있다. 북한이 일으키는 문제에 대해서 양보만 하는 것도 바람직하지 않고, 북한과 화해하고 협력하려는 노력을 포기해서도 안 된다.

2. 북한을 바라보는 바람직한 관점을 써 보자.

예시 답안 | 북한의 이중적 성격을 정확하게 인식해야 한다. 북한 당국에 대해서는 정치적·군사적 경계의 대상임을 인정하면서 북한 주민은 통일을 위한 동반자라는 사실을 이해해야 한다.

이것이 핵심

북한에 대해 극단적인 의견을 가질 때 발생할 수 있는 문제점을 비판적으로 검토하고 이를 바탕으로 북한에 대한 균형적인 시각을 가진다.

친절한 활동 안내

남북 관계에 대한 두 주장이 지닌 문제점이 무엇인지 파악하고, 지금까지 배운 내용을 바탕으로 북한을 바라보는 바람직한 관점을 생각해 보자.

함께 활동하기 풀이 통일에 대한 북한 주민의 인식 알아보기

교과서 99쪽

➔ 다음 북한 주민을 대상으로 실시한 설문 조사 결과를 보고 물음에 답해 보자.

1. 북한 주민이 통일에 대해 지닌 생각과 나의 생각을 비교해 보자.

예시 답안 |

같은 점	북한 주민들도 통일을 바란다는 점이 나의 생각과 같다. / 통일 이후의 국가 체제로 사회주의보다는 자본주의 체제를 지지하는 점이 나와 비슷하다.
다른 점	상대적으로 북한 주민들의 통일에 대한 열망이 더 강한 것 같다. / 통일 이후 남한보다는 북한에서 살고 싶어 한다는 점이 나와 다르다.

2. 자료를 분석하면서 느꼈던 점이나 새롭게 알게 된 점을 친구와 함께 말해 보자.

예시 답안 | 북한 주민들은 모두 사회주의 체제를 선호하는 줄 알았는데 실제로는 자본주의 체제나 두 체제를 절충하는 것을 선호하고 있다는 사실을 알게 되었다. 또한, 북한 주민들은 통일되어야 하는 가장 큰 이유가 경제 발전 때문이며, 통일 이후에 경제 발전을 기대하고 있다는 것을 알게 되었다.

이것이 핵심

남북 관계는 어느 한쪽의 노력만으로 개선되지 않으므로 북한 주민들이 어떤 시각을 가지고 통일을 바라보고 있는지도 관심을 가져야 한다.

친절한 활동 안내

주어진 자료를 통해 북한 주민들의 통일과 남한에 대한 인식을 유추해 보고 나의 생각과 비교해 보자.

배움 정리하기 풀이

✔ 이중적 성격
✔ 경계 대상, 동반자

재미있는 도덕 읽기 통일의 필요성

개인적 차원	• 분단의 고통 해소(이산가족, 납북자 문제 해결 등) • 자유 확산 및 기회 확대(취업 및 소득 증대) • 평화롭고 풍요로운 삶 향유	국가적 차원	• 전쟁 위협 소멸 • 자원과 민족적 역량 낭비 제거 • 자원의 상호 보완적 활용, 규모의 효과(단일 경제권 형성) • 활동 영역 확대(유라시아 대륙과 태평양 연결)
민족적 차원	• 역사적 정통성 및 동질성 회복 • 민족 공동체 구현 • 민족 문화 융성	국제적 차원	• '북한 문제' 해결(한반도 전쟁 위협 제거) • 동북아 및 세계 평화에 기여

– 통일교육원, 『2017 통일 문제 이해』

2 북한 주민들은 어떻게 살고 있고, 그들은 우리에게 어떤 존재일까?

마음 열기 풀이

교과서 100쪽

자료 해설
평양의 과학자 거리는 김정은 국무위원장의 지시로 대동강 변에 조성된 과학자, 엔지니어, 연구원을 위한 주택 단지이다. 실제로는 만성적인 전력 부족으로 10층 이하에서는 승강기 사용이 금지되어 주민들이 입주를 꺼린다고 한다. 문수 물놀이장은 2013년 개장한 수영장이다.

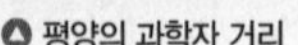

평양의 과학자 거리

평양의 문수 물놀이장

지방의 북한 마을

장사하는 북한 주민들

1. 위 사진 중에 북한 당국이 보여 주려는 모습과 보여 주지 않으려는 모습은 각각 어느 것일까?

예시 답안 | 평양의 과학자 거리와 문수 물놀이장과 같이 잘 꾸며진 곳은 다른 나라에 선전하고 싶겠지만, 대부분 북한 주민들의 열악한 생활 모습은 되도록 보여 주고 싶지 않을 것이다.

2. 북한 주민의 삶에 관하여 알고 있거나, 들은 것을 친구와 이야기해 보자.

예시 답안 | 방송에서 북한 주민들이 식량난으로 어려움을 겪고 있는 것을 보았다. / 북한 주민들도 컴퓨터와 스마트폰을 많이 사용한다고 들었다.

도덕으로 세상 보기 해설 평양의 지하철

교과서 101쪽

이것이 핵심
북한에서는 지하철이 교통수단으로서의 기능보다는 체제 방어 차원에서 대피소로서의 기능이 강조되고 있음을 이해한다.

➜ 남한의 지하철과 비교하여 어떤 장단점이 있는지 생각해 보자.

예시 답안 | 남한의 지하철은 많은 사람이 이동할 때 편리하도록 만든 대중교통이기 때문에 쉽게 이용할 수 있으며 이동하는 데 편하다는 장점이 있다. 그러나 북한처럼 전시 대피소의 역할은 하지 못할 것 같다. 이와 다르게 북한의 지하철은 교통수단의 역할보다는 전시 대피소의 역할에 중점을 두고 땅속 깊이 만들어 안전하게 대피할 수 있다는 장점이 있으나 평상시에 이용하는 데에는 불편한 점이 있을 것 같다.

스스로 활동하기 풀이 북한의 조선 중앙 텔레비전 편성표

교과서 102쪽

이것이 핵심
북한의 방송은 최고 지도자의 행보, 국가의 시책 등을 홍보하는 데 초점이 맞춰져 있음을 이해한다.

친절한 활동 안내
남북한의 텔레비전 프로그램을 비교하여 북한 방송의 특징을 분석하고, 이를 통하여 북한 주민의 사회·문화 생활에 대해서 생각해 보자.

1. 남한의 방송과 비교하였을 때, 북한의 방송에서 두드러지는 점은 무엇인가?

예시 답안 | 북한 방송은 최고 지도자와 국가 정책에 대한 홍보가 대부분이다. / 남한의 방송과 달리 북한 방송에는 상업적인 광고가 전혀 없다. / 방영되는 영화는 최고 지도자나 당에 대한 충성을 담은 내용이다. / 연속극(드라마)은 최고 지도자와 당에 대한 충성을 담은 내용이다.

2. 북한의 텔레비전 편성표를 통해 알 수 있는 북한 주민의 생활에 대해 발표해 보자.

예시 답안 | 북한의 문화는 주민들의 사상을 통제하기 위한 수단으로 사용된다. / 드라마나 영화 부분도 대부분 최고 지도자의 활동이나 당에 대한 충성을 주제로 하는 것을 보아 북한 주민들의 문화생활이 제한적이라는 것을 알 수 있다.

스스로 활동하기 풀이 북한 이해를 위한 퀴즈

교과서 103쪽

➔ 다음 문제를 읽고 정답을 골라 선으로 연결해 보자.

분야	번호	문제	보기
정치	1	북한의 유일한 지배 정당은?	초급 중학교
	2	북한이 1950년에 남한을 기습하여 일어난 전쟁은?	'일없다'
	3	남한의 국회에 해당하는 기관은?	국가
경제	4	북한 근로자 월급 2년 치를 모아야 살 수 있는 교통수단은?	손 전화기
	5	북한 주민이 거주하는 주택의 소유주는?	자전거
	6	북한의 사회주의 계획 경제가 무너지면서 나타난 시장은?	돈주
사회	7	남한의 중학교에 해당하는 북한의 학교는?	6·25 전쟁
	8	북한에서 장사해서 부자가 된 사람을 가리키는 말은?	장마당
	9	북한의 결혼식 때 신부가 주로 입는 옷은?	최고 인민 회의
문화	10	'괜찮다'에 해당하는 북한의 용어는?	한복
	11	남한의 휴대 전화에 해당하는 북한의 용어는?	조선 노동당
	12	북한의 표준말인 '문화어'의 기준이 되는 지역은?	평양

이것이 핵심
북한의 정치, 경제, 사회, 문화와 관련된 간단한 문제를 풀어 보면서 북한에 대한 지식을 정리해 본다.

친절한 활동 안내
문제를 풀면서 북한에 대해서 잘 몰랐던 부분과 남한과 차이가 있는 부분을 정리해 보자.

함께 활동하기 풀이 북한 주민과 시장 경제

교과서 104쪽

➔ 다음 자료를 보고 모둠 활동을 해 보자.

1. 북한 당국이 시장에 대한 허용과 통제를 반복하는 까닭은 무엇인지 토론해 보자.

예시 답안 | 북한 당국이 추진해 온 계획 경제가 실패하면서 시장 경제에 의존할 수밖에 없게 되었다. 그러나 시장의 힘이 강해지면 계획 경제가 불가능해지고, 조선 노동당의 지배 능력이 축소되는 것을 우려하기 때문에 시장을 통제하려는 것이다.

2. 북한 주민들의 시장 경제에 대한 이해가 높아지면 북한에 어떤 변화가 일어날지 발표해 보자.

예시 답안 | 북한 당국이 사회주의를 유지하기가 점점 어려워지고 시장 통제력이 약화하여 점차 시장 경제를 수용할 가능성이 커질 것이다. / 북한 주민이 시장 경제에 친숙해지면 집단주의가 점차 약화하고 시장 경제적 사고, 개인주의 확산과 같은 인식 변화도 나타날 것이다.

이것이 핵심
북한이 사실상 이중 경제 구조(계획 경제+시장 경제)로 되어 있다는 점을 이해한다.

친절한 활동 안내
북한 경제가 계획 경제의 실패로 이중적 구조를 가지게 되었음을 알고, 이러한 변화가 통일에 어떤 영향을 미칠지 생각해 보자.

배움 정리하기 풀이
✔ 집단주의 원칙
✔ 출신 성분, 계급
✔ 예 통일 한국에서 더불어 살아갈 사람들이다.

재미있는 도덕 읽기 북한의 돈주와 자본주의

외식을 즐기는 북한 돈주들

북한에서 시장이 활성화되자 장사를 통해 부를 축적한 기초적인 형태의 자본가들인 '돈주'가 등장하였다. 돈주는 대체로 상당한 규모의 화폐 자산(달러나 위안화 등 외화)을 보유한 사람으로서, 이들은 북한의 사금융 시장을 발달시켰다. 이들은 북한에서 시장화 현상이 확대되고 있음에도 제도적인 상업 금융 시스템이 구축되지 않자 이를 이용해 실물 경제 활동에 필요한 자본을 빌려주고 이자 수익을 획득하는 북한판 화폐 자산가라고 할 수 있다.

– 통일교육원, 『2017 북한 이해』

3 북한 이탈 주민의 생활을 통해 본 통일의 과제는 무엇일까?

마음 열기 풀이

교과서 106쪽

자료 해설
북한 이탈 주민들은 모든 것이 낯선 남한에서 자기 인생을 새로 개척해 나가고 있다. 북한 이탈 주민이라면 무조건 도움을 주어야 하는 대상이라고 생각할 수도 있지만, 북한에서의 지식과 기술을 바탕으로 남한에서도 훌륭하게 자기 역할을 해내는 사람들이 늘고 있다.

– 남북하나재단, 『착한 사례』

1. 북한 이탈 주민이 우리나라에 정착하기까지 어떤 어려움을 이겨 내야 했을까?

예시 답안 | 생명의 위협을 무릅쓰고 남한으로 넘어오면서 겪은 고통, 북한에 두고 온 가족에 대한 죄책감, 새로운 생활에 대한 불안감, 남한 사람들의 편견과 그로 인한 차별 등의 어려움이 있었을 것 같다.

2. 북한 이탈 주민이 우리나라에서 겪은 어려움에 우리가 주목해야 하는 까닭은 무엇일까?

예시 답안 | 현재 북한 이탈 주민이 겪는 어려움은 미래의 통일 과정에서 북한 주민이 겪을 어려움과 비슷할 것이다. 북한 이탈 주민들의 어려움을 이해하고 도와주는 것은 앞으로 통일 한국에서 남북한 주민들이 잘 어울려 살아가기 위한 발판이 될 수 있다.

스스로 활동하기 풀이 북한 이탈 주민의 적응에 필요한 것은 무엇일까?

교과서 107쪽

이것이 핵심!
북한 이탈 주민이 겪는 어려움에 공감하고 이들을 도울 수 있는 개인적인 차원에서의 방법과 사회·국가적 차원에서의 방법들을 생각해 보도록 한다.

친절한 활동 안내
각 그림에 나타난 북한 이탈 주민이 겪는 어려움은 무엇인지 파악하고, 이를 도울 수 있는 방법을 생각해 보자.

– 통일교육원, 『한반도의 오늘과 통일』

1. 위의 그림을 보고 북한 이탈 주민들이 겪는 어려움이 무엇인지 생각해 보자.

예시 답안 | 북한에 두고 온 가족에 대한 그리움과 죄책감으로 괴롭다. / 은행 업무 등 남한의 일상생활과 새로운 환경에 적응하는 데 도움이 필요하지만, 항상 도움을 받을 수는 없기 때문에 곤란하다. / 북한에서 얻은 지식과 기술을 남한에서 인정받지 못해 직업을 구하기가 어렵다. / 다른 학생보다 뒤떨어진 학업 성취와 주변의 편견과 선입견으로 학교에 가는 것이 싫어진다.

2. 위의 각 사례에서 북한 이탈 주민이 겪는 어려움을 해결할 수 있는 방법을 발표해 보자.

예시 답안 | 개인적으로는 북한 이탈 주민에 대한 편견을 버리고 인식을 개선해야 한다. / 사회적으로는 북한 이탈 주민을 돕는 시민 단체나 캠페인을 활성화해야 한다. / 국가적으로는 북한 이탈 주민이 적응하기 위한 물질적 지원과 서비스를 제공할 필요가 있다.

스스로 활동하기 풀이 북한 이탈 주민에 대한 태도

교과서 108쪽

➔ 다음 북한 이탈 주민의 대화를 읽고 물음에 답해 보자.

1. 위 내용을 통해 알 수 있는 북한 이탈 주민들이 남한에서 느끼는 어려움이 무엇인지 말해 보자.

예시 답안 | 북한 이탈 주민들은 사람들이 자신의 고향인 북한을 비하하거나 북한 출신이라는 점 때문에 차별을 받을 때, 남한에 적응하기 어렵다는 생각을 할 것 같다.

2. 북한 이탈 주민을 대하는 우리 자세를 살펴보고, 개선해야 할 점을 이야기해 보자.

예시 답안 | 많은 사람이 북한 이탈 주민을 무시하거나 편견을 가지고 대한다. 그러나 우리는 북한 이탈 주민에 대한 편견을 버리고 이들을 함께 통일 국가를 이루어 살아야 할 동반자로 대해야 한다.

이것이 핵심

북한 이탈 주민들이 실제 남한 정착 과정에서 겪었던 어려움이 무엇인지 알아본다.

친절한 활동 안내

북한 이탈 주민의 성공적인 정착을 위해 우리가 개선해야 할 점에는 무엇이 있는지 찾아보자.

함께 활동하기 풀이 내가 평양의 중학교로 전학을 간다면?

교과서 109쪽

➔ 다음의 가상 상황을 묘사한 글을 읽고 모둠별로 활동해 보자.

1. 모둠원과 함께 윗글의 주인공과 북한 이탈 주민이 겪는 어려움의 공통점과 차이점을 말해 보자.

예시 답안 |

공통점	혼자 낯선 곳에서 적응해야 한다. / 다른 사람들의 호기심 어린 시선이 부담스러울 수 있다. / 말투가 달라서 이상하게 쳐다보거나 사투리 때문에 오해가 생기기도 한다. / 자신이 이방인처럼 느껴지고 소외감이 든다.
차이점	북한 이탈 주민은 가족과 헤어져 만나기 힘들지만, 글의 주인공은 가족이 함께 북한 지역으로 이사한 것이다. / 북한 이탈 주민들은 이전에 배운 기술을 인정받지 못해 직업을 구하는 데 어려움을 겪기도 하지만 주인공은 아버지의 직장 때문에 이사한 것이다.

2. △△ 중학교의 학생들은 주인공을 어떤 방법으로 도와줄 수 있을까?

예시 답안 | 남한에서 왔다고 특별하게 생각하거나 편견을 갖지 않고 붙임성 있게 다가가면 주인공이 고마워할 것 같다. / 미처 생각하지 못한 부분을 챙겨 주거나 사소한 도움이라도 주고자 하는 마음을 주인공이 알게 된다면 힘이 될 것이다.

이것이 핵심

우리가 북한 이탈 주민에게 무조건 도움을 베풀어야 한다는 선입견에서 벗어나는 것이 필요하다는 것을 이해한다.

친절한 활동 안내

자신이 북한 지역으로 전학을 간 상황을 떠올려 보며 평양의 중학교에 유일한 남한 출신 학생으로 자신이 느끼고 생각하게 될 점들을 구체적으로 상상해 보자.

배움 정리하기 풀이

✔ 예 가족을 고향에 두고 왔다는 죄책감 등이 있다.
✔ 인식 개선

재미있는 도덕 읽기 북한 이탈 주민의 정착을 도와야 하는 이유

북한 이탈 주민과 함께하는 '통일 장터'

북한 이탈 주민을 이해하고 우리 사회에 정착하도록 지원하는 것은 다가올 통일을 미리 준비하는 것이다. 북한 이탈 주민의 가장 성공적인 정착은 그들이 우리 사회에서 평범한 대한민국의 시민으로 살아가는 것이다. 이것은 북한 이탈 주민과 우리의 이질성이 해소된 상태로, 우리가 바라는 완전한 의미의 통일이다.

오늘날 많은 사람이 다른 나라의 문화와 사람들에 대해서는 이해하려고 노력하면서, 같은 민족인 북한 주민들의 언어·역사·문화를 수용하지 못한다는 것은 모순이다. 북한 이탈 주민의 삶에 관심을 두고 이해하면서 그들을 우리 사회의 소중한 구성원으로 받아들이는 것은 남북한 사회의 통합과 통일을 위한 실천이다.

중단원 마무리

그림으로 정리하기

이것이 핵심

북한과 관련된 지식을 체계화하고 핵심 내용을 정리해 봄으로써 북한을 올바르게 이해할 수 있도록 한다.

친절한 활동 안내

공부한 내용을 스스로 이해하고 기억하기 쉽도록 핵심 내용의 관계를 그림으로 나타내 보자.

북한을 주제로 공부한 내용을 시각적으로 표현하여 정리해 보자.

활동 방법

1. 교과서의 중요한 내용에 밑줄을 긋는다.
2. 밑줄 친 부분에서 핵심적인 단어와 구절을 정리한다.
3. 내용을 잘 나타낼 수 있는 모양이나 그림을 구상하여 그린다.
4. 작품을 모둠원과 비교해 보고 보완한다.
5. 교실에 전시하여 가장 잘 정리된 작품을 선정한다.

활동 예시

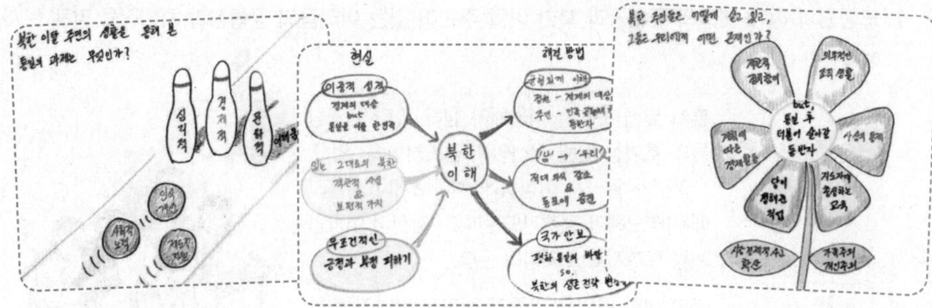

예시 답안 |

• 주제: 내가 이해한 북한

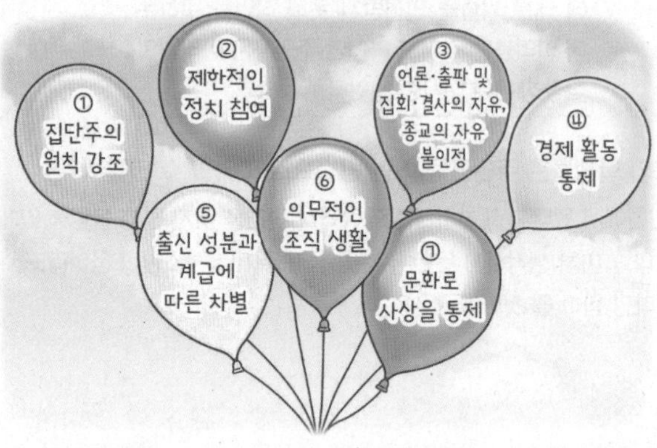

재미있는 도덕 읽기 평양의 걸 그룹, 모란봉 악단

2014년 5월에 개최된 제9차 전국 예술인 대회에서 김정은은 모든 예술인이 모란봉 악단의 창조 기풍을 따라 배워야 한다고 강조하였다. 이른바 모란봉식 창조 기풍의 확대로 북한 주민의 눈높이에 걸맞은 작품들을 탄생시키고, 이를 통해 선전·선동 능력을 강화하고자 하는 것이다.

김정은이 직접 창단한 모란봉 악단은 전자 기타, 전자 바이올린 등의 전자 악기를 사용하거나, 미(美) 제국주의라며 비난하였던 할리우드 영화 「록키」의 주제가를 연주하는 등 과거에는 볼 수 없었던 모습을 보여 주고 있다.

– ○○신문, 2014. 6. 3. 수정 인용

개념 확인 문제

01 빈칸에 들어갈 알맞은 단어를 쓰시오.

(1) 우리에게 북한은 경계의 대상인 동시에 통일을 해야 하는 한 민족이라는 (　　　) 성격을 갖고 있다.

(2) 북한 주민의 대부분은 북한 당국이 강조하는 (　　　) 가치관에 익숙하지만, 최근에는 시장 경제적 사고와 개인주의 등이 확산하고 있다.

02 밑줄 친 '이것'은 무엇인지 쓰시오.

> 이것은 북한을 벗어난 후 대한민국 이외의 국적을 취득하지 않은 사람을 말한다.

03 다음 내용이 옳으면 ○표, 틀리면 X표 하시오.

(1) 북한 사회는 출신 성분과 계급에 따라 차별이 존재한다. (　　)

(2) 북한의 문학과 예술은 개인의 자유로운 창작 활동을 목표로 한다. (　　)

(3) 북한의 교육은 개인의 자아실현을 목표로 하며 이를 강조한다. (　　)

(4) 북한은 수령이 모든 권력을 가진 정치 체제를 유지하고 있다. (　　)

04 다음에서 설명하는 개념이 무엇인지 쓰시오.

> 인간의 존엄성을 최고의 가치로 여기고 인종, 민족, 국가, 종교 등의 차이를 초월하여 인류의 안녕과 복지를 꾀하는 것을 이상으로 하는 사상이나 태도

실력 점검 문제

01 북한을 이해하는 방법으로 옳지 않은 것은?

① '있는 그대로의 북한'을 바라보는 것이 필요하다.
② 편견을 갖고 북한을 부정적으로만 바라봐서는 안 된다.
③ 북한 정권이 보여 주는 북한의 외형적 모습을 이해해야 한다.
④ 객관적 사실과 보편적 가치에 기초하여 북한을 이해해야 한다.
⑤ 통일을 이루기 위해서는 북한을 바르게 이해하는 것이 중요하다.

중요

02 다음은 북한에 대해 학생들이 나눈 대화이다. 북한을 바라보는 올바른 관점을 지닌 학생을 고른 것은?

> 가영: 남북한 간 군사적 대결 구도에서 볼 때 북한은 안보상 위협적 존재야.
> 남훈: 맞아! 그렇지만 한편으로는 북한 주민을 우리와 함께 통일 국가를 이루고 살아야 할 한겨레로 바라봐야 하지 않을까?
> 채영: 그래! 그렇게 바라봐야 한다고 생각해. 북한이 위협적인 존재라는 생각을 버려야만 해.
> 찬목: 나도 그렇게 생각해. 우리는 북한을 절대 경계의 대상으로 바라봐서는 안 돼.

① 가영, 남훈　② 가영, 채영
③ 남훈, 채영　④ 남훈, 찬목
⑤ 채영, 찬목

03 ㉠에 들어갈 개념으로 옳은 것은?

> 북한은 우리에게 경계의 대상인 동시에 통일을 해야 하는 한 민족이라는 [㉠] 성격을 갖고 있다. 북한의 이러한 [㉠] 성격을 정확하게 인식하여 균형 있게 이해해야 한다.

① 갈등적　② 대등적　③ 모순적
④ 이중적　⑤ 협력적

실력 점검 문제

04 ㉠에 들어갈 말로 가장 적절한 것은?

> 균형 있는 북한관(북한을 바라보는 관점)을 정립하기 위해서는 [㉠]이/가 평화적 통일의 바탕이라는 사실을 인식해야 한다. 튼튼한 [㉠]은/는 우리의 안전과 평화를 보장하여 통일의 기반이 될 수 있다.

① 국가 경쟁 ② 국가 기밀 ③ 국가 안보
④ 국가 체제 ⑤ 국가 협조

중요

05 북한을 바라보는 관점 중 균형적 접근에 대한 설명으로 옳지 않은 것은?

① 북한으로부터 협력만 기대한다면 남북한의 현실을 무시할 우려가 있다.
② 북한과의 관계를 '남'이라는 측면에서 '우리'라는 관계로 발전시켜야 한다.
③ 북한을 경계의 대상으로만 보면 남북 간의 적대 관계를 해소하기 어렵다.
④ 북한은 정치적으로나 군사적으로나 우리의 동반자라는 점을 기억해야 한다.
⑤ 서로 간의 적대 의식을 해소하고 동포애를 키워 나가는 지혜와 노력이 중요하다.

06 ㉠에 들어갈 말로 옳은 것은?

> 북한은 인간의 존엄성, 자유와 평등, 인권 등과 같은 보편적 가치보다 자신들만의 [㉠] 원칙을 강조하고 있다.

① 개인주의 ② 국가주의 ③ 자유주의
④ 집단주의 ⑤ 평화주의

07 북한 주민의 정치 생활에 대한 설명으로 옳지 않은 것은?

① 수령이 모든 권력을 가진 정치 체제를 유지하고 있다.
② 정부 기관의 통제가 거의 없는 편이며 주민들의 정치적 자유를 인정한다.
③ 언론·출판 및 집회·결사의 자유나 종교의 자유도 사실상 인정되지 않는다.
④ 북한 체제를 비판하거나 반대하는 북한 주민은 사회로부터 격리되어 탄압을 받는다.
⑤ 북한 주민의 정치 참여는 유일한 정당인 조선 노동당의 통제 속에서 제한적으로 이루어진다.

08 북한 주민의 경제생활에 대한 설명으로 옳지 않은 것은?

① 생산 수단은 대부분 국가 소유로 분류된다.
② 근로 소득 같은 제한적인 수준에서만 개인 소유를 인정한다.
③ 북한에서는 국가 계획에 따라 모든 경제 활동이 감독·통제된다.
④ 소수의 북한 주민들만 식량난을 겪으며 건강과 생존권을 위협받고 있다.
⑤ 경제 활동을 할 수 있는 직업 선택은 당의 인력 수급 계획에 따라 이루어진다.

09 북한 주민의 교육과 문화생활에 대한 설명으로 가장 적절한 것은?

① 교육의 목표는 개인의 자아실현이다.
② 교육은 중요하므로 국가가 통제하지 않는다.
③ 문화는 주민들의 사상을 통제하는 수단이다.
④ 문화는 북한이 지향하는 이념과는 무관하다.
⑤ 문학과 예술은 개인의 자유로운 창작을 가능하게 한다.

10 북한 이탈 주민이 겪는 고통으로 옳지 않은 것은?

① 취업의 어려움
② 새로운 생활에 대한 불안감
③ 자본주의 체제 적응의 어려움
④ 북한에 두고 온 가족에 대한 죄책감
⑤ 남한 사람들의 관용적 태도로 인한 차별

중요

11 북한 이탈 주민들이 겪는 어려움을 해결하는 방법으로 옳지 않은 것은?

① 북한에서 온 것을 숨기도록 돕는다.
② 북한 이탈 주민에 대한 편견과 무시하는 태도를 버린다.
③ 북한 이탈 주민을 포함한 북한 주민에 대한 인식을 개선한다.
④ 북한 이탈 주민을 돕기 위해 정부 차원에서 물질적·제도적으로 지원한다.
⑤ 북한 이탈 주민의 어려움을 미래의 통일 한국의 모습이라고 생각하며 그들을 이해한다.

서술형

12 우리는 북한의 '이중적 성격'을 정확하게 인식하여 균형 있게 이해해야 한다. 이때 '이중적 성격'의 의미를 서술하시오.

13 북한 이탈 주민이 겪는 어려움을 해결하기 위한 노력을 개인적 차원과 사회·국가적 차원에서 각각 서술하시오.

14 북한 주민의 삶과 남한 주민의 삶의 차이점을 정치적, 경제적, 사회·문화적인 측면에서 각각 서술하시오.

자유 학기제를 대비하는

수행 평가

3 북한 이해

1 통일에 대한 우리 반 친구들의 인식 알아보기

memo

❶ 통일에 대한 우리 반 친구들의 인식을 조사해 보자.

① 통일이 필요하다고 생각하십니까?	② 통일되면 어떤 일을 하고 싶습니까?
매우 필요하다 명 그저 그렇다 명 필요하지 않다 명 • 기타 의견	
③ 통일되어야 하는 가장 큰 이유는 무엇입니까?	**④ 통일되면 어느 지역에서 거주할 생각입니까?**
1. (명) 2. (명) 3. (명) 4. (명) 5. (명) 6. (명) 7. 기타:	남한 명 북한 명 상황에 따라 선택 명 기타 명 • 그 이유는?

❷ 통일에 대한 우리 반 친구들의 생각과 나의 생각을 비교해 보자.

• 같은 점: ____________________

• 다른 점: ____________________

❸ 통일에 대한 우리 반 친구들의 인식을 조사하면서 느낀 점이나 새롭게 알게 된 점을 써 보자.

2 북한의 인권 문제 제대로 알기

memo

➜ 영화 「태양 아래」를 감상하고 물음에 답해 보자.

영화 「태양 아래」의 한 장면

영화 「태양 아래」는 러시아와 북한 정부의 지원을 받아 제작하게 된 북한 평양 주민들의 일상을 담은 리얼 다큐멘터리이다.
오디션을 통해 '진미'라는 8살 소녀를 만나게 된 제작진은 '진미'가 준비하는 김정일 국방 위원장의 생일 기념행사 과정을 담기로 한다.
하지만 제작진이 촬영하기 직전 마주한 '진미'의 생활은 모두 조작되어 있었다. '진미'의 집은 새로 지은 대형 아파트로 바뀌어 있었고, 진수성찬이 차려진 밥상이 있는 부엌에는 흔한 식기 하나 보이지 않았다. 그리고, 촬영할 때마다 검은 코트의 경호원들이 등장하는데……. 사사건건 지켜보고 있는 태양, 그 아래 거대한 세트장 평양! 행복마저 조작된 곳, "진미야! 행복하니?"

– 네이버 영화

1 영화를 감상하고 알게 된 북한 주민들의 생활 모습을 구체적으로 써 보자.

2 영화에 나오지 않은 것 이외에 또 다른 북한의 인권 침해 사례를 찾아 써 보자.

예

식량	출신 성분, 계층에 따른 차별 배급
종교의 자유	종교 생활 탄압
강제 구금	수사 기관 마음대로 체포·구금
표현의 자유	일상적 통제 장치로 표현의 자유 억압
정치범 수용소	극도의 영양실조, 수용자 학대
북한 이탈 주민	송환된 북한 이탈 주민을 수용소에 가두고 폭행

– 통일교육원, 『한반도의 오늘과 통일』

3 북한 주민들의 인권 문제를 어떻게 해결할 수 있을지 친구들과 이야기해 보자.

인물로 배우는

도덕

프랑스 계몽주의를 대표하는 비판적 지식인

볼테르

(Voltaire, 1694 ~ 1778)

이번에 소개할 인물은 볼테르입니다.
그는 프랑수아 마리 아루에(François-Marie Arouet)라는
본명 대신 볼테르라는 필명으로 더 유명한
프랑스의 철학자이자 역사가, 문학가, 계몽주의 운동의 선구자입니다.

볼테르는 관용의 중요성을 누구보다도 강조한 사람이었습니다.
그는 1764년에 출판한 『철학사전』에서
'관용'에 대해 이렇게 말합니다.

"관용이란 무엇인가?
관용은 인간만이 지니고 있는 덕목이다.
인간은 누구나 할 것 없이 약점과 실수로 가득 차 있다.
우리의 어리석음을 서로서로 용서하도록 하자."

이처럼 볼테르는 자신과 의견이 같지 않다는 이유로
다른 사람을 박해하거나 차별 대우해서는 안 된다는 것을 알려 줍니다.
관용이 중요한 이유는
모든 차이를 동등하게 존중해 준다는 점에 있습니다.

그렇다면 관용을 어떻게 실천할 수 있을까요?
우리는 자기와는 다른 타인의 생각이나 행동을 받아들이고,
자신의 생각을 다른 사람에게 강제하지 않아야 합니다.

관용의 정신을 중시한 볼테르를 만나다.

볼테르 선생님, 안녕하세요. 선생님의 명언 중에 '나는 당신의 말에 동의하지 않는다. 그러나 당신의 그러한 말을 할 권리를 나의 목숨을 걸고 지킬 것이다.'라는 말이 있습니다. 정말 멋있는 말인데, 이런 말을 하시게 된 이유가 무엇인지 궁금합니다.

그 말을 제가 하였다고 전해지고 있지만, 사실은 제가 한 말이 아닙니다. 그러나 제가 '관용'에 대해 주장하고 있는 것이 그 명언에 담겨 있는 것은 사실입니다. 저 말도 관용의 중요성을 강조하고 있으니까요.

그렇다면 선생님께서 말씀하시는 관용은 구체적으로 무엇인가요?

처음에 관용의 의미는 자기와 다른 종교·종파·신앙을 가진 사람의 입장과 권리를 용납하고 인정하는 일이라는 의미가 강하였습니다. 그러나 이제는 일반적으로 나와 다르더라도 너그럽게 용서하고 용납하는 것을 의미한다고 할 수 있습니다.

그렇군요. 그럼 이러한 관용이 왜 중요하다고 생각하시나요?

우리 사회에는 언제 어디서나 '관용'이 있어야 합니다. 인간은 이성을 가졌기 때문에 무조건적인 용서나 이해를 하는 것이 아니라 합리적인 관용을 베풀 수 있어야 합니다. 제가 하였던 말 중에 '자신의 의견과 같지 않다는 이유로 자기 형제를 박해하는 사람은 괴물이다.'라는 말이 있습니다. 우리가 기억해야 할 것은 관용은 인간만이 가질 수 있는 덕목이며, 우리는 꼭 관용의 자세를 가져야 합니다. 관용의 자세야말로 인간 존엄성에 대한 존중이기 때문입니다.

04 통일 윤리 의식

교과서 112～127쪽

• **남북 분단 상황의 영향**
분단 상황은 우리가 인간다운 삶을 살아가는 데 필요한 보편적 가치의 실현에 장애가 되고 있다. 우리가 도덕적으로 바람직한 국가를 완성하고, 인간다운 삶을 살기 위해서는 통일이 필요하다.

• **평화의 사전적 의미**
1. 평온하고 화목함.
2. 전쟁, 분쟁 또는 일체의 갈등이 없이 평온함. 또는 그런 상태를 말함.

• **이산가족과 실향민의 고통**

남북 이산가족과 실향민의 고통을 해소하기 위해서라도 통일은 반드시 이루어져야 한다.

1 도덕적으로 바라볼 때 통일은 왜 필요할까?

1. 인간답게 살기 위한 보편적 가치의 추구와 통일

(1) **자유를 신장하기 위한 통일**: 분단은 우리가 할 수 있는 일이나 만날 수 있는 사람들의 범위를 제한함

(2) **인권을 보장하기 위한 통일** — 인간이라면 누구나 인간다운 삶을 보장받아야 하고 기본적인 권리를 보호받아야 함

① 인권의 관점에서 분단은 심각한 위협이 됨

② 북한 주민들의 인권 보장을 위해 통일이 필요함

(3) **평화를 누리기 위한 통일**: 분단은 전쟁의 가능성을 높여 우리의 삶을 위태롭게 함

2. 생존과 번영을 위한 통일

(1) **인도주의적 문제 해결**: 통일은 남북 이산가족과 실향민, 북한 주민이 겪고 있는 비인간적인 상황을 해소함

이산가족 — 남북 분단으로 이리저리 흩어져서 서로 소식을 모르는 가족

(2) **새로운 민족 공동체 건설**: 통일은 민족의 정통성을 계승하고 동질성을 회복함으로써 우리 민족의 재도약을 위한 발판이 됨

(3) **전쟁의 위협 제거와 평화 실현**: 통일은 전쟁의 공포에서 벗어나 평화를 누릴 수 있고 세계 평화에도 이바지할 수 있는 가장 확실한 방법임

(4) **경제적 발전과 번영**: 통일을 통한 새로운 성장 동력 확보로 한 차원 높은 국가 경쟁력을 갖출 수 있음

2 통일 한국을 어떤 모습으로 가꾸어야 할까?

1. 통일 한국의 정치·경제

자유 민주주의 — 개인의 자유와 권리를 보장하는 헌법을 세우고 민주적 절차를 통해 의사 결정을 하는 체제

(1) **자유 민주주의를 지향하는 국가 체제**: 인간 개개인의 존엄성을 최고의 가치로 존중하고, 개인의 자유와 권리가 보장되는 민주 국가를 구현해야 함

(2) **시장 경제를 바탕으로 하는 선진 복지 국가**: 자유로운 경제 활동을 통해 정의와 복지를 실현해야 함

재미있는 도덕 읽기 UN을 울린 한국 대사의 한 마디, "우린 남이 아니다"

UN 한국 대사의 발언 모습

23일 UN 안보리 회의에서 북한 인권이 공식 안건으로 채택되었다. 각국 대표들의 발언에 이어 마지막으로 UN 한국 대사는 다음과 같은 발언을 하였다.

"대한민국 국민에게 북한 주민은 그저 '아무나'가 아닙니다. 수백만 대한민국 사람의 가족과 친척이 여전히 북한에 살고 있습니다. 비록 우리가 그들의 목소리를 직접 듣지 못해도, 비록 지금까지 분단의 고통이 냉엄한 현실로 남아 있을지라도, 우리는 그들이 우리가 살고 있는 곳에서 겨우 수백 킬로미터 떨어진 곳에 살고 있는 것을 압니다. …… 우리가 이 안건에 온 마음을 기울이는 것은 거리 곳곳에서, 감옥에서, 죄 없는 우리 형제자매들이 아무런 이유 없이 고통을 당하고 있기 때문입니다. 우리는 다만 먼 훗날 오늘 우리가 한 일을 되돌아볼 때 우리와 동등한 인권을 가지고 있는 북한의 모든 형제자매를 위해 우리가 옳은 일을 하였다고 말할 수 있기를 바랄 뿐입니다." - ○○ 신문, 2014. 12. 24.

2. 통일 한국의 사회·문화와 평화 지향

(1) 진정한 사회 통합을 이룬 민족 공동체

① 남북한의 이질성 문제를 극복해야 함

② 구성원 간의 이해와 신뢰를 증진해 나가야 함

(2) 문화 선진국, 성공적인 다문화 사회

① 수준 높은 문화를 추구해야 함

② 전통문화를 계승하여 발전해 나가며 외국의 우수한 문화를 적극적으로 수용해야 함

(3) 한반도, 동북아, 세계의 평화를 지향

① 한반도 평화 정착 및 동북아시아의 평화 공동체 건설에 이바지해야 함

② 세계 평화와 인권 등 보편적 가치를 수호하기 위한 국가 역량을 강화해 나가야 함

• 통일 한국 미래상

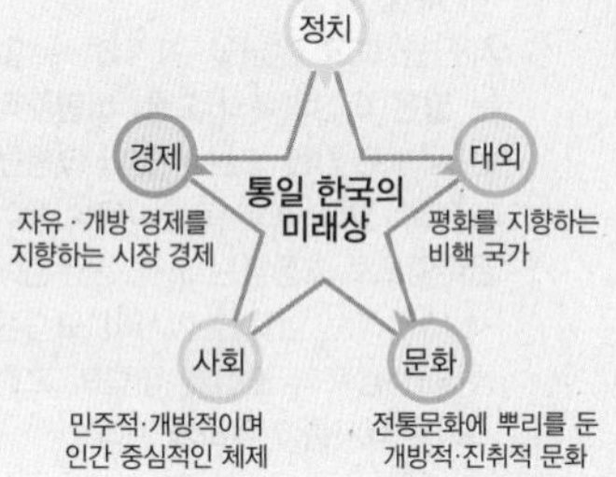

3 통일 국가를 형성하고 세계 평화에 이바지하는 데 필요한 자세는 무엇일까?

1. 통일 국가 형성을 위한 남북한 교류·협력

(1) 남북한 교류·협력을 위한 노력

① 상호 신뢰 관계 조성: 점진적이고 단계적인 평화적인 교류를 통해 민족의 공동 발전을 모색해야 함

② 상호 이익과 민족의 화해·공동 번영 추구: 일방적인 지원이나 시혜의 차원에 머물러서는 안 됨

└ 시혜: 은혜를 베풂

(2) 남북한 교류·협력의 사례: 금강산 관광, 이산가족 상봉, 대북 지원 사업, 개성 공단 사업 등

• 남북한 교류·협력의 사례

• 경제적 교류(개성 공단의 모습)

• 사회·문화적 교류(단일 탁구팀)

2. 남북통일과 세계 평화를 위한 자세

(1) 더불어 사는 삶을 위한 노력: 인류의 보편적 가치를 바탕으로 관용, 공존, 상호 존중 등의 가치 내면화 및 실천

(2) 냉철하고 균형 잡힌 태도: 나라 안팎의 갈등을 조정하고 통일에 유리한 환경 조성

(3) 통일 국가의 실현 후에는 세계 평화를 위해 경험과 역량을 제공해야 함

재미있는 도덕 읽기 | 남북 합작으로 만들어진 '뽀로로'

어린이들에게 인기 있는 캐릭터인 '뽀통령' 뽀로로는 초기 애니메이션 제작 단계에서 남북이 함께 만들었다고 알려졌습니다. 시즌 1의 52편 중 10여 편까지 애니메이션 영상을 남북이 함께 제작하였습니다. 우리나라와 북한의 기술자들이 평양 스튜디오에서 1년여간 공동으로 작업하면서 우리나라 제작사의 우수한 기술과 기획력, 북한의 인재들이 만나 최고의 애니메이션을 탄생시킨 것입니다.

– 통일교육원, 『한반도의 오늘과 통일』

1 도덕적으로 바라볼 때 통일은 왜 필요할까?

마음 열기 풀이 교과서 112쪽

자료 해설
사진을 보고 만남을 기약할 수 없는 많은 이산가족의 고통, 비민주적인 체제로 인한 북한 주민의 고통을 느낄 수 있다. 또한 북한 어린이들이 굶주림으로 고통받는 모습, 판문점에서 대치하는 남북한 병사의 모습을 통해서 남북의 불신과 대립의 고통스러운 역사를 기억하게 된다.

1. 우리가 지금까지 남북 분단으로 겪는 고통에는 어떤 것이 있을까?

예시 답안 | 이산가족들이 가족을 만나지 못하는 고통을 겪고 있다. / 북한 주민들이 자유를 누리지 못하고 있으며 인권을 침해받고 있다. / 전쟁에 대한 불안감을 안고 살고 있다.

2. 우리가 통일해야 하는 까닭은 무엇일까?

예시 답안 | 이산가족의 아픔을 해결하기 위해서이다. / 북한 주민들의 인간다운 삶을 위해서이다. / 민족 전체의 생존과 번영을 위해서이다. / 전쟁에 대한 불안감 없이 살기 위해서이다. / 세계 평화를 위해서이다.

스스로 활동하기 풀이 분단은 우리에게 어떤 비극으로 나타날까? 교과서 113쪽

이것이 핵심
분단 상황이 비도덕적이며 인간다운 삶을 위협하는 문제라는 것을 이해하고 이를 해결하는 방법은 통일밖에 없다는 사실을 인식한다.

친절한 활동 안내
형과 동생이 전쟁 상황에서 느꼈을 아픔에 대해 함께 공감해 보자.

1. 전쟁터에서 만난 형과 동생은 어떤 심정이었을까?

예시 답안 | 죽지 않고 가족을 다시 만났다는 안도감이 들 것 같다. / 형과 동생이 서로에게 총을 겨누고 있었던 상황에 대해 당황스럽고 슬플 것 같다. / 서로가 적이라는 사실이 황당하고 이에 따른 분노와 전쟁에 대한 공포 등이 뒤섞여 매우 혼란스러웠을 것 같다.

2. 우리 민족이 이와 같은 비극을 반복하지 않으려면 어떻게 해야 할까?

예시 답안 | 같은 민족끼리 전쟁하는 비극을 반복하지 않고 평화를 누릴 수 있는 유일한 방법은 통일을 이루는 것이다.

도덕으로 세상 보기 해설 남북 공동 역사 연구 교과서 115쪽

이것이 핵심
우리나라와 북한이 협력하여 성과를 거두었다는 점이 통일에 긍정적인 영향을 끼친다는 것을 인식한다.

➔ 남북한의 공동 역사 연구는 남북 민족 공동체의 형성에 어떤 도움을 줄 수 있을까?

예시 답안 | 전쟁과 분단으로 인해 한 민족으로서 정체성이 훼손되고 이질성이 심화하였다. 이러한 상황에서 남북 공동 연구가 우리 민족의 정통성을 계승하고 동질성을 회복하는 데 큰 도움이 될 것이다.

스스로 활동하기 풀이 분단과 평화의 관계 교과서 115쪽

이것이 핵심
전쟁의 위협을 제거하고 평화를 실현하는 데 통일이 꼭 필요한 요소임을 기억해야 한다.

친절한 활동 안내
우리나라의 세계 평화 지수 순위는 북한과의 관계에 많은 영향을 받고 있어.

➔ 다음은 우리나라의 세계 평화 지수의 순위 변화를 나타낸 자료이다. 자료를 보고 물음에 답해 보자.

1. 남북 관계와 세계 평화 지수는 어떤 관계가 있을까?

예시 답안 | 남북 관계가 개선되면 우리나라의 평화 상태가 좋아져 세계 평화 지수가 올라간다.

2. 만일 통일이 된다면 세계 평화 지수는 어떻게 변화할까?

예시 답안 | 통일 이후에는 통일 한국의 세계 평화 지수가 상승할 것이다. 그뿐만 아니라 동북아·세계 평화에도 긍정적인 결과를 가져다줄 것이다.

함께 활동하기 풀이 분단이 우리 가족에게 미치는 영향

교과서 116쪽

➔ 다음 남북한에서 각각 살아가는 두 가족의 이야기를 읽고 물음에 답해 보자.

1. 남한과 북한의 가족 중 한 가족을 선택하여 위 상황을 반영한 역할극을 만들어 보자.

예시 답안 |

• 남한에 사는 견우네 가족 이야기

어머니: 신우가 입대한 지 벌써 1년이 지났네요. 신우는 건강하게 잘 지내고 있을까요?
아버지: 최전방에서 군 생활하는 신우가 별일이 없어야 할 텐데 걱정되네요.
견우: 아버지, 통일이 되면 금강산으로 수학여행도 갈 수 있어서 좋을 것 같아요!
아버지: 그러게 말이구나. 통일만 되면 러시아로 통하는 육로도 열려서 지금 아버지가 하는 일도 훨씬 좋아질 거야.
(최전방에서 근무 중인 신우)
신우: 부모님과 견우는 잘 지내겠지? 빨리 통일이 되어 같은 민족끼리 총을 겨누는 일이 없어지면 좋겠다.

• 북한에 사는 직녀네 가족 이야기

할머니: 이맘때만 되면 헤어진 오빠가 살아 있는지 궁금하고 참 보고 싶구나.
어머니: 빨리 통일이 되어 어머니께서 남한에 있는 가족을 만나면 좋을 텐데요. 전 요즘 경제가 너무 어려워서 중국으로 가서 장사를 해야 할까 생각하고 있어요.
직훈: 제가 경제적으로 어머니께 힘이 되어드려야 하는데 군 복무가 10년 넘게 남아서……. 어찌할지 모르겠어요.
직녀: 빨리 통일이 되어 우리 가족의 고민이 해결되었으면 좋겠어요. 그리고 저는 진짜 통일된 이후의 삶이 너무 기대돼요. 학교에서 배운 내용과 몰래 본 남한 드라마 속 모습 중에 어떤 모습이 진짜 남한의 사회일까요?

2. 역할극을 한 뒤의 소감과 이러한 상황을 어떻게 해결할지 토론해 보자.

예시 답안 | 분단 상황은 우리가 인간다운 삶을 사는 데 큰 장애가 된다는 것을 느꼈다. 우리가 평소에 통일에 많은 관심을 가져야 할 것이며 주변 사람에게도 이러한 통일의 필요성을 알려야 할 것 같다.

이것이 핵심

분단이 나와 아무런 상관이 없는 문제가 아니라, 남북한의 평범한 가족에게도 영향을 미치고 있는 '현재 우리의 문제'이며 '해결해야 할 문제'라는 점을 분명하게 인식한다.

친절한 활동 안내

두 가족 중 한 가족을 선택하여 분단으로 인해서 남북한의 평범한 가족이 어떤 희생을 치르고 있는지 생각해 보자.

배움 정리하기 풀이

✔ 인권, 평화
✔ ㉠ 남북 이산가족의 아픔을 해결하기 위해서이다. / 북한 주민이 겪고 있는 인권 문제를 해결하기 위해서이다.

재미있는 도덕 읽기 이산가족의 고령화 현상

이산가족 상봉 모습

통일부와 대한 적십자사는 「남북 이산가족 생사 확인 및 교류 촉진에 관한 법률」에 따라 국내 거주하는 이산가족을 대상으로 2011년부터 5년마다 이산가족 실태 조사를 진행하고 있다. 이에 따라 남북 이산가족의 생사를 확인하고 교류에 대비하여 기존에 신청된 이산가족 찾기 신청서 정보를 현행화하는 등 이산가족 정책 수립에 필요한 기초 자료를 수집하고 있다.
2015년 12월을 기준으로 등록된 이산가족의 수는 총 130,808명으로 그중 생존자는 65,674명(50.2%), 사망자는 65,134명(49.8%)이다. 이산가족 중 전체 사망자 65,134명은 대부분이 80~90살 이상의 고령자다. 이산가족의 고령화로 인하여 사망자 수가 해마다 급증하는 추세이다.

– 통일부 누리 사랑방, 『2016년 이산가족 현황 및 실태 조사』

2 통일 한국을 어떤 모습으로 가꾸어야 할까?

마음 열기 풀이

교과서 118쪽

자료 해설
통일이 보편적 가치를 실현하고, 도덕적으로 올바른 국가를 완성하는 일임을 인식하고 개개인의 행복한 삶과도 밀접한 관계가 있음을 이해한다.

1. 내가 원하는 통일 한국의 모습을 말해 보자.

예시 답안 | 내가 원하는 통일 한국은 자유와 평등이 실현되는 나라이다. / 통일 한국은 모든 국민의 인권이 보장되는 나라여야 한다. / 통일 한국은 정의와 평등이 실현되는 나라였으면 좋겠다.

2. 통일 한국에서 나는 어떤 모습으로 살아갈지 상상하여 이야기해 보자.

예시 답안 | 나는 전쟁의 공포 없이 자유롭게 원하는 일을 하며 행복하게 살아갈 것이다. / 나는 자유와 평등을 누리며 행복하게 살 것이다. / 나는 모든 사람의 인권을 보호하고 보장해 주는 변호사가 되어 살아갈 것이다.

도덕으로 세상 보기 해설 통일 한국의 발전과 번영

교과서 119쪽

이것이 핵심
통일 한국이 어떤 모습일지 상상해 봄으로써 분단된 상태의 남한보다 긍정적인 측면이 많다는 점을 인식한다.

통일 후 북한 주민 '1인당 국민 소득' 성장세

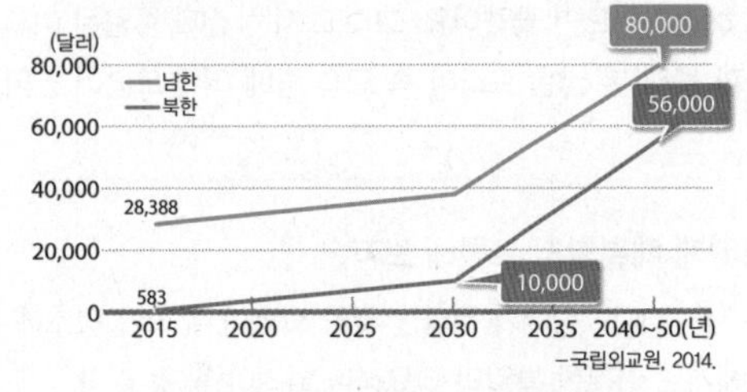

–국립외교원, 2014.

행복한 통일 한국의 사회·문화 요소

➔ 통일 한국의 모습을 상상하여 발표해 보자.

예시 답안 | 통일 한국은 국력이 강한 나라가 될 것이다. / 통일 한국은 차별 없이 모두가 평등하게 사는 나라가 될 것이다. / 통일 한국은 경제 강국이 될 것이다. / 통일 한국은 어려움을 겪는 나라들을 더욱 적극적으로 도와주는 나라가 될 것이다.

스스로 활동하기 풀이 통일 한국의 화폐 디자인하기

교과서 120쪽

이것이 핵심
화폐는 그 국가의 상징, 역사, 문화, 자부심을 담고 있다. 남북이 통일 국가를 이룩한 후에 사용하게 될 화폐를 디자인해 봄으로써 미래 지향적인 통일관을 가져 보도록 한다.

친절한 활동 안내
통일 국가의 화폐에 사용하기에 적당하다고 생각하는 인물이나 문화유산 등을 생각해 보자.

➔ 다음 남북한의 화폐를 살펴보고, 통일 한국의 화폐를 구상해 보자.

예시 답안 |

통일 한국의 화폐	통일 한국의 화폐에 대한 설명
통일은행 오만원 50000	통일 한국의 화폐 앞면에는 한반도의 모습이 크게 그려져 있고 평화의 비둘기가 숨겨져 있다. 뒷면에는 북한을 대표하는 백두산의 모습과 남한을 대표하는 한강의 모습을 표현하였다.

함께 활동하기 풀이 통일 한국의 미래와 나의 모습

교과서 121쪽

1. 통일 한국이 누리게 될 평화와 번영을 상상하여 빈칸의 내용을 작성하고 친구들과 서로 비교해 보자.

〈예시〉 더 잘사는 우리나라

통일이 되면 남한의 기술력과 북한의 노동력이 합쳐져 지금보다 경제가 발전할 것이다.

예시 답안 | 통일 한국은 유라시아 대륙과 태평양을 잇는 중심 국가가 되어 아시아의 경제 공동체에서 주도적인 역할을 할 것이다. / 한반도의 평화를 이룩한 경험을 바탕으로 동북아와 더 나아가 세계 평화에 이바지하는 국가가 될 것이다.

• **우리 모둠원들이 생각한 통일 한국의 공통점**

예시 답안 | 통일 한국이 경제적으로 더욱 성장한 나라가 될 것이라고 기대한다는 점이 같았다. / 통일 한국이 통일의 경험을 바탕으로 지구 공동체에서 더 중요한 역할을 하게 될 것으로 생각한 점이 같았다.

2. 통일 한국에서 나는 어떤 일을 하며 살고 싶은지 빈칸에 내용을 작성하고 친구들과 생각을 나누어 보자.

〈예시〉
북한의 아름다운 자연과 유적지를
전 세계에 알리는 사진작가

지금까지 알려지지 않은
북한의 자연과 유적지를
전 세계에 소개하는
사진작가가 되어 통일 한국의
좋은 이미지를 알리고 싶다.

예시 답안 | 정치적 이유로 연구가 어려웠던 북한 지역의 고구려 유적들을 연구하여 주변 국가의 역사 왜곡에 대응하고 우리 민족의 역사를 바로 알리는 역사가가 되고 싶다. / 백두산이나 개마고원과 같이 남한과는 다른 자연환경을 연구하여 한반도 전체의 생태계 지도를 완성하는 생태학자가 되고 싶다.

• **친구들과 이야기하면서 발견한 내가 미처 생각하지 못한 점**

예시 답안 | 통일 한국에서 내가 할 수 있는 일이 훨씬 많고 다양하다는 것을 깨달았다.

이것이 핵심

통일이 우리나라와 나의 삶에 어떤 긍정적 영향을 미치고, 분단된 상태에서는 꿈꾸지 못하였던 가능성을 어떻게 실현할 수 있는지에 대해 생각해 본다.

친절한 활동 안내

분단된 한반도와 비교하였을 때, 통일 한국이 누리게 될 발전과 번영의 모습을 상상해 보자.

배움 정리하기 풀이

✔ 자유 민주주의

✔ 예 더 잘사는 우리나라를 만들 수 있는 사업가가 되겠다. / 남북한 국민의 인권을 보장하는 데 앞장서는 인권 변호사가 되겠다.

재미있는 도덕 읽기 2050년 통일 한국의 미래상

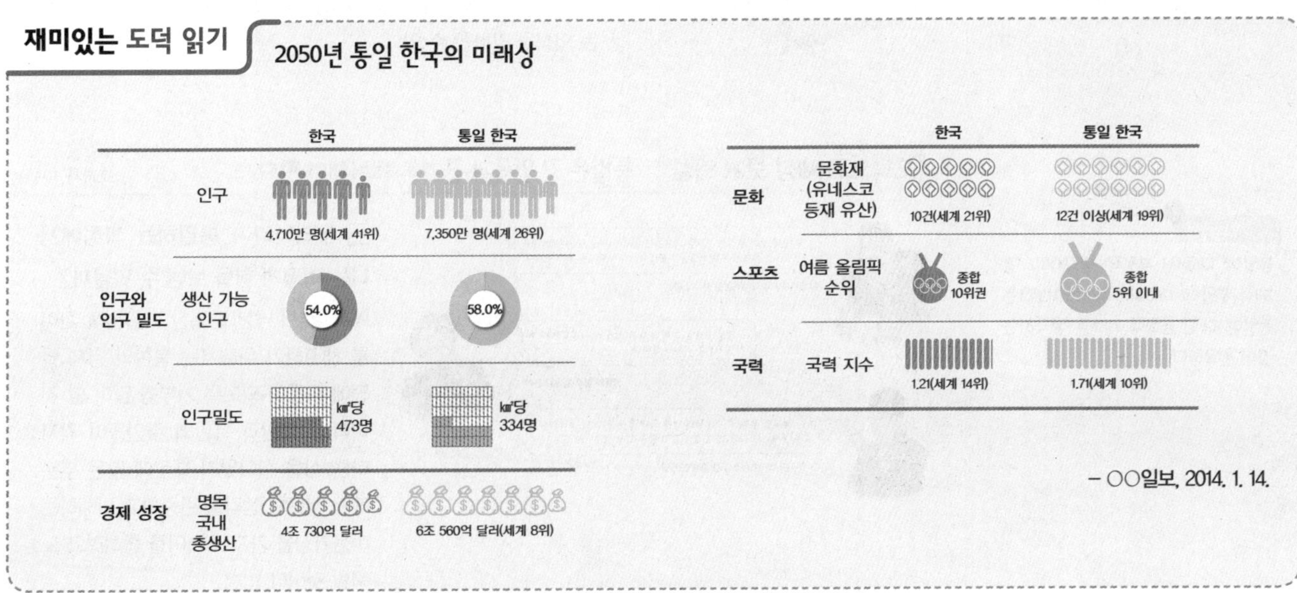

– ○○일보, 2014. 1. 14.

3 통일 국가를 형성하고 세계 평화에 이바지하는 데 필요한 자세는 무엇일까?

마음 열기 풀이

교과서 122쪽

자료 해설
분단은 우리 민족 내부의 일이면서 동시에 다른 나라와 이해관계가 얽힌 민감한 문제이다. 그러나 통일 후에는 한반도를 벗어나 아시아와 세계 평화를 위해서 의견을 제시할 수 있고, 강해진 국력으로 실질적인 이바지를 기대해 볼 수 있다.

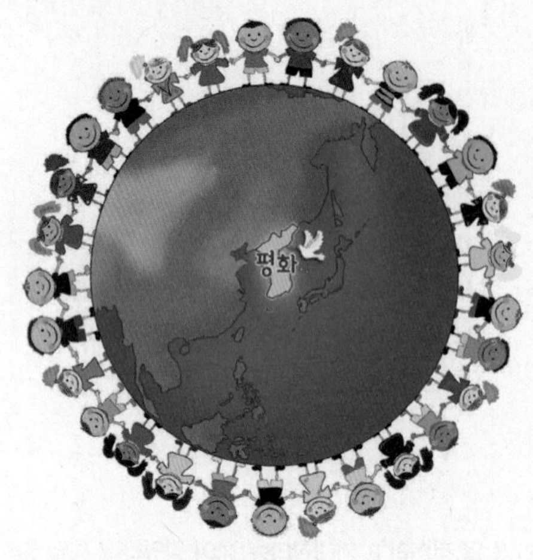

1. 한반도의 통일이 세계 평화에 어떤 영향을 미칠지 생각해 보자.

예시 답안 | 통일 이후에 우리나라는 분단국가라는 불리함을 극복하고 국가 경쟁력이 강화되어 국가 신용 등급이 향상될 뿐만 아니라, 국제 사회에서 더욱 주도적으로 의견을 제시할 수 있게 될 것이다.

2. 통일 한국이 아시아와 세계 평화를 위해 어떤 역할을 하면 바람직한지 말해 보자.

예시 답안 | 통일 한국은 갈등을 극복하고 평화적 통일을 이룩한 경험과 세계 평화 유지를 위해서 자신의 역량에 걸맞은 지원자의 역할을 맡을 수 있을 것이다.

스스로 활동하기 풀이 평화적 교류·협력의 확대 방안

교과서 123쪽

이것이 핵심
평화적 교류는 점진적이고 단계적인 접근이 필요하다. 교류는 서로의 의견이 충돌하지 않는 비정치적인 부분부터 시작하여 상호 신뢰를 쌓아서 점차 교류와 협력을 강화해 나가는 것이 좋다.

친절한 활동 안내
남북한이 부담 없이 실행할 수 있는 협력 분야들을 순서대로 선택한 후 그 분야의 협력으로 얻을 수 있는 긍정적 기대 효과를 정리해 보자.

➔ 남북한의 평화적 교류를 위한 과제들을 아래 〈보기〉에서 세 가지 골라 단계적으로 협력을 확대할 방법을 생각해 보고, 그에 따른 기대 효과를 써 보자.

예시 답안 |

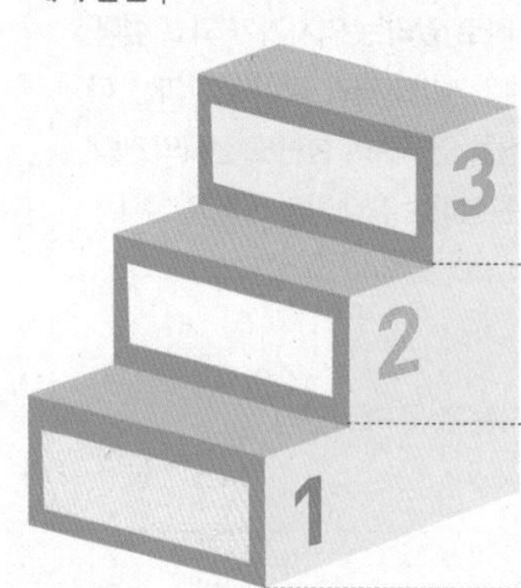

군비 축소
군비 축소를 통해 남과 북은 서로에 대한 신뢰를 강화할 수 있고, 국토 방어에 들어가는 비용을 통일을 위해 사용할 수 있다. 무엇보다도 전쟁의 가능성 자체를 줄일 수 있다.

자원 공동 개발
대립보다는 협력이 서로에게 이익이 된다는 점을 증명할 수 있다.

스포츠 교류
큰 부담이 없고 단기간 내에도 성과를 낼 수 있으며, 한 민족이라는 의식을 강화할 수 있다.

도덕으로 세상 보기 해설 통일은 긴 안목과 끈기로 대비해야 한다

교과서 124쪽

이것이 핵심
통일에 대해서 부정적 생각이나 경제적 부담에 대해서 걱정하기보다는 통일에 대한 긍정적 기대를 생각하는 것이 필요하다.

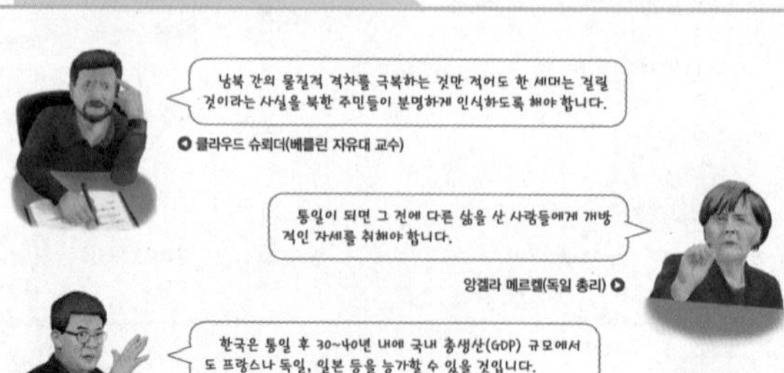

➔ 우리나라가 통일하는 과정에서 나는 어떻게 힘을 보탤 수 있을까?

예시 답안 | 남한과 북한의 물질적 차이를 해결하기 위해서는 북한의 경제 발전에 도움이 되도록 기부를 많이 할 것이다. / 남한과 북한의 주민들이 각자 다른 삶을 살아왔기 때문에 많은 부분에서 서로의 생각을 존중하고 이해하는 마음가짐을 가지고 차이를 좁히려고 노력할 것이다.

함께 활동하기 풀이 통일 엽서 만들기

교과서 125쪽

1. 모둠 활동을 통해 북한에 사는 친구에게 통일과 평화의 메시지를 전달하는 엽서를 기획하여 만들어 보자.

예시 | 앞면

예시 답안 |

"우리 손을 잡고 함께 앞으로 나아갑시다."

예시 | 뒷면

예시 답안 | 통일이 되면 이렇게 함께 손을 잡고 어디든 갈 수 있을 거라는 생각에 통일이 너무 기다려지는 것 같아. 그날이 올 때까지 기다리며 함께 준비하자!

받는 사람: 북한에 있는 동갑내기 친구에게
보내는 사람: 남한에서 민주가

2. 엽서에 담을 내용을 직접 써 보자.

예시 답안 | 통일이 되면 이렇게 함께 손을 잡고 어디든 갈 수 있을 거라는 생각에 통일이 너무 기다려지는 것 같아. 그날이 올 때까지 기다리며 함께 준비하자! / 너와 내가 많이 달라서 통일이 되면 처음에는 어색하겠지만, 우리 함께 좋은 시간을 보내면서 함께 이해하고 배려하며 친해지자. 다가올 통일이 무척 기대된다.

이것이 핵심

북한에 사는 친구에게 통일과 평화의 메시지를 전하는 엽서를 만들어 봄으로써 남과 북이 언젠가 통일 국가를 이루어 같이 살아가야 할 존재라는 점을 분명하게 인식한다.

친절한 활동 안내

통일에 대한 긍정적 기대를 하며 북한에 살고 있는 친구들에게 통일과 평화의 메시지를 담은 엽서를 써 보자. 앞면에는 통일과 평화를 상징하는 그림을 그려 보고 뒷면에는 북한 친구에게 쓰고 싶은 내용을 적어 보자.

배움 정리하기 풀이

- ✔ 신뢰, 화해, 번영
- ✔ 예 일상생활에서 타인에 대한 편견을 버리고 존중하겠다. / 모든 인간을 존중하고 배려하겠다. / 갈등을 잘 조정하고 평화를 추구하는 사람이 되겠다.

재미있는 도덕 읽기 신동엽의 「봄은」

봄은

신동엽

봄은
남해에서도 북녘에서도
오지 않는다.

너그럽고
빛나는
봄의 그 눈짓은,
제주에서 두만까지
우리가 디딘
아름다운 논밭에서 움튼다.

겨울은,
바다와 대륙 밖에서
그 매운 눈보라 몰고 왔지만

이제 올
너그러운 봄은,
삼천리 마을마다
우리들 가슴속에서
움트리라.

움터서,
강산을 덮은 그 미움의 쇠붙이들
눈 녹이듯 흐물흐물
녹여 버리겠지.

자료 해설

시인이 노래하는 봄이란 곧 통일, 또는 통일이 이루어지는 시대를 의미한다. 시인은 통일의 미래를 마지막 연에서 그리고 있다. 오늘날 우리의 땅을 덮고 있는 미움의 쇠붙이들은 군사적 대립, 긴장이라고 할 수 있다. 시는 우리 민족 모두의 마음속에서 싹트고 훈훈하게 자라나는 봄(통일)이 마침내 이 쇠붙이들을 모두 녹여 버리고 새로운 세계를 열게 될 것이라는 의미를 담고 있다.

이렇게 이해하세요

이 시에는 통일에 대한 시인의 뜨거운 염원이 담겨 있어요. 분단의 현실을 '겨울', 통일의 시대를 '봄'으로 상징하였어요. 시에서는 우리 민족이 자주적으로 힘을 길러 통일을 해야 하며 분단의 아픔도 극복해야 한다고 이야기합니다. 통일이 이루어지면 증오와 대결은 사라지고 새로운 화합이 이루어질 것이라고 말하고 있습니다.

통일 손수 제작물(UCC) 만들기

이것이 핵심

통일이 우리와 상관없는 먼 미래의 일이 아니라 우리가 살아 있는 동안에 일어날 가능성이 매우 큰 사건이라는 것을 인식한다.

친절한 활동 안내

우리가 통일을 적극적으로 대비하고 주도하는 세대라고 인식하고 통일 한국의 모습이 어떨지 생각해 보면서 손수 제작물을 만들어 보자.

통일에 대한 우리의 생각을 담은 손수 제작물(UCC)을 만들어 보자.

1. 다음 표를 보면서 손수 제작물 기획안을 작성해 보자.

예시 답안 |

주제	통일 한국의 미래	
형식	그림과 자막으로 영상 만들기	
내용	통일 한국에서 볼 수 있는 사람들의 다양한 생활 모습	
역할 분담	감독	김성균
	연출	김영체, 박경철, 김채영, 박준우
	촬영	심건, 안은비
	편집	오한솔, 이예강
	소품	이유진, 임정민, 장혜민

2. 손수 제작물의 내용을 그림 줄거리에 구상해 보자.

예시 답안 |

장면 번호 (장면 설명)	화면 (그림으로 그리기)	대사 / 음악 (내용 기록하기)
#1 (투표하는 사람들)	투표하는 그림	국민의 다양한 이익을 반영하는 자유 민주주의의 실현
#2 (평화=비핵화)	비핵화를 표현하는 그림	평화를 지향하는 비핵 국가
#3 (전통문화의 발전)	한복을 입고 함께 손잡은 그림	전통문화에 뿌리를 둔 개방적이고 진취적인 문화 국가
#4 (자유로운 경제 활동)	시장에서 물건을 사는 그림과 다양한 화폐 그림	자유 경제와 개방 경제를 지향하는 시장 경제

재미있는 도덕 읽기 | 남북한 통일 방안은 무엇인가요?

우리나라의 통일 방안은 '민족 공동체 통일 방안'으로 "하나의 민족 공동체 건설을 목표로 점진적·단계적으로 통일을 이루어 나간다."라는 기조 위에서 통일 과정을 3단계로 설정하고 있다.

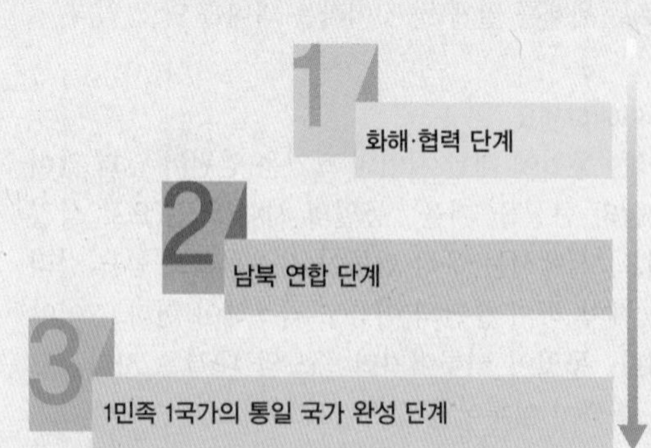

✓ 1단계: 남북이 불신과 대립 관계를 청산하고, 서로 간의 신뢰 속에 화해를 정착시켜 나가며, 교류와 협력을 강화함으로써 평화 공존을 추구해 나가는 단계이다.

✓ 2단계: 남북 간의 공존을 제도화하는 중간 단계로, 각기 대외적으로 주권을 유지하되 남북 정상 회의, 남북 평의회 등을 운영한다.

✓ 3단계: 남북 두 체제를 완전히 통합하는 것으로서 1민족 1국가 1체제 1정부의 단일 국가로의 통일을 완성하는 단계이다.

– 통일교육원, 『한반도의 오늘과 통일』

개념 확인 문제

01 다음 내용이 옳으면 ○표, 틀리면 X표 하시오.

(1) 분단 상황은 우리가 할 수 있는 일이나 만날 수 있는 사람들의 범위를 제한한다. (   )

(2) 분단 상황은 우리가 인간다운 삶을 살아가는 데 필요한 보편적 가치를 최대한 실현하고 있다고 볼 수 있다. (   )

(3) 인권의 관점에서 분단은 우리에게 심각한 위협이 된다. (   )

(4) 북한 주민들의 인권 보장을 위해서 통일이 필요하다. (   )

02 밑줄 친 '이것'은 무엇인지 쓰시오.

> 통일을 통해 한반도의 <u>이것</u>을 실현해야 한다. 분단은 한반도의 진정한 <u>이것</u>을 가로막고 전쟁의 가능성을 높여 우리의 삶을 위태롭게 한다.

03 빈칸에 들어갈 알맞은 단어를 쓰시오.

(1) 남북 분단으로 이리저리 흩어져서 서로 소식을 모르는 가족을 (   )(이)라고 한다.

(2) 통일 한국은 남북한의 이질성 문제를 극복하고 진정한 사회 통합을 이루어 낸 (   )이어야 한다.

04 다음에서 공통으로 설명하는 개념이 무엇인지 쓰시오.

> • 통일 한국이 지향해야 하는 국가 체제
> • 자유주의와 민주주의가 결합한 정치 원리로, 인간의 존엄성을 바탕으로 개인의 자유와 권리를 보장하는 헌법을 세우고 민주적 절차를 통해 의사 결정을 하는 체제

실력 점검 문제

01 통일을 해야 하는 이유로 옳지 <u>않은</u> 것은?

① 경제적 발전과 번영을 위해서
② 민족 공동체를 건설하기 위해서
③ 민족의 이질성을 보전하기 위해서
④ 전쟁의 위협을 제거하고 평화를 실현하기 위해서
⑤ 분단으로 발생한 인도주의적 문제를 해결하기 위해서

02 다음 사진을 통해 알 수 있는 남북 분단으로 인한 고통으로 적절하지 <u>않은</u> 것은?

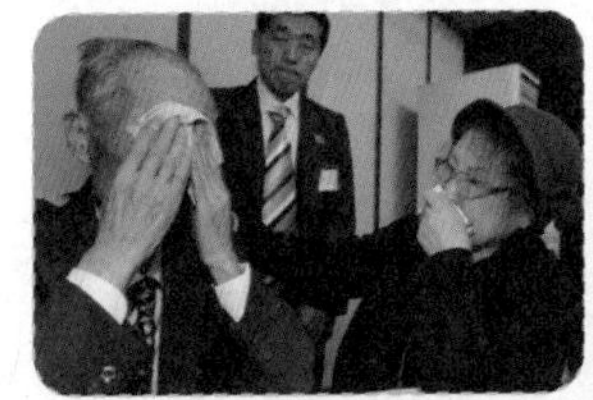

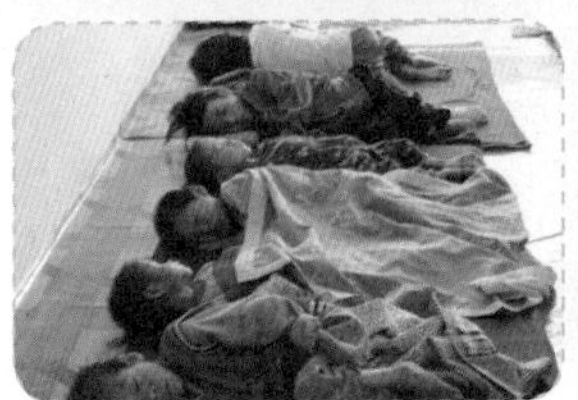

① 전쟁에 대한 불안감을 안고 살고 있다.
② 북한 주민들은 인간다운 삶을 살고 있다.
③ 이산가족들이 가족을 만나지 못하고 있다.
④ 북한 주민들이 자유를 누리지 못하고 있다.
⑤ 실향민들은 그리운 고향에 가지 못하고 있다.

03 다음 글에 나타난 통일을 통해 실현해야 하는 보편적 가치로 옳은 것은?

> 우리는 타인에게 피해를 주지 않는 한 자기 뜻대로 삶을 살아갈 수 있어야 한다. 그러나 분단 상황은 우리가 할 수 있는 일이나 만날 수 있는 사람들의 범위를 제한한다.

① 배려　② 자유　③ 존중
④ 평등　⑤ 평화

실력 점검 문제

중요

04 바람직한 통일 한국의 미래상을 바르게 짝지은 것은?

(가)	통일 한국은 인간 개개인의 존엄성을 최고의 가치로 존중하며, 개인의 자유와 권리가 보장되는 민주 국가를 구현해 나가야 한다.
(나)	통일 한국은 시장 경제를 바탕으로 구성원이 모두 행복하게 살 수 있는 국가여야만 한다. 국민이 모두 풍요롭고 안정된 삶을 영위할 수 있도록 자유로운 경제 활동을 통해 정의와 복지를 실현해 나가야 한다.

	(가)	(나)
①	민족주의	선진 복지 국가
②	선진 복지 국가	민족주의
③	선진 복지 국가	자유 민주주의
④	자유 민주주의	민족주의
⑤	자유 민주주의	선진 복지 국가

05 통일 한국이 보여 줄 발전과 번영에 대한 설명으로 옳지 않은 것은?

① 무력 충돌 가능성이 해소되고 국방비 부담이 줄어든다.
② 유라시아 대륙과 태평양을 잇는 교량 역할을 할 수 있다.
③ 국민에게 분단 극복의 성취감과 역사적 자존감을 심어 준다.
④ 남북 갈등에 따른 소모적 외교전으로 인해 많은 경제적 비용이 필요하다.
⑤ 북한 지역에 대한 투자 및 개발을 통해 한반도 경제에 활력을 불어넣을 수 있다.

06 남북한 교류와 협력의 사례로 적절하지 않은 것은?

① 금강산 관광
② 국방력 강화
③ 이산가족 상봉
④ 대북 지원 사업
⑤ 개성 공단 사업

07 ㉠, ㉡에 들어갈 말을 바르게 짝지은 것은?

> 통일이 되면 남한의 [㉠]과 북한의 [㉡]이 합쳐져 지금보다 경제가 발전할 것이다.

	㉠	㉡
①	국방력	기술력
②	국방력	노동력
③	기술력	국방력
④	기술력	노동력
⑤	노동력	기술력

08 통일 국가 형성을 위한 남북한의 교류와 협력 방법으로 옳은 것은?

① 정치 체제를 통합하는 것이 우선시 되어야 한다.
② 군사적 위협이나 침략을 하지 않을 것만 약속하면 된다.
③ 통일을 위해서 남북한 간의 교류와 협력이 꼭 필요한 것은 아니다.
④ 교류와 협력은 점진적이고 단계적인 것보다는 급진적일수록 효과가 좋다.
⑤ 상호 간의 이익과 민족의 화해와 공동 번영이라는 목표를 가지고 진행해야 한다.

09 올바른 평화적 교류와 협력의 확대 방안만을 〈보기〉에서 있는 대로 고른 것은?

보기
㉠ 국방력 강화(군비 증가)
㉡ 스포츠 교류
㉢ 자원 공동 개발
㉣ 이산가족 상봉
㉤ 경제 협력 축소

① ㉠, ㉡　② ㉡, ㉢
③ ㉠, ㉡, ㉣　④ ㉡, ㉢, ㉣
⑤ ㉡, ㉢, ㉣, ㉤

10 ㉠에 들어갈 말로 옳은 것은?

통일이 되면 그 전에 다른 삶을 산 사람들에게 [㉠] 적인 자세를 취해야 합니다.
–앙겔라 메르켈(독일 총리)

① 개방　② 독립　③ 보수
④ 주체　⑤ 폐쇄

11 남북통일과 세계 평화를 위한 자세로 옳지 않은 것은?

① 한반도의 통일은 전적으로 민족 내부의 문제임을 명심해야 한다.
② 통일 국가를 실현한 후에는 세계 평화의 증진을 추구해야 한다.
③ 남북한 구성원들은 더불어 사는 삶을 위해 노력하는 자세를 지녀야 한다.
④ 민족 구성원 중 누구도 소외되지 않고 모두가 통일의 주인공이 될 수 있어야 한다.
⑤ 인류의 보편적 가치를 바탕으로 관용, 공존, 편견 해소 등의 가치를 내면화해야 한다.

서술형

12 남북 분단으로 인해 겪은 고통과 관련하여 '통일을 해야 하는 이유'를 두 가지 이상 서술하시오.

13 통일을 통해 실현해야 하는 보편적 가치를 두 가지 이상 서술하시오.

14 통일 한국이 갖추어야 할 모습을 정치적인 측면과 경제적인 측면에서 각각 서술하시오.

자유 학기제를 대비하는
수행 평가

4 통일 윤리 의식

1 통일 한국의 국기 만들기

memo

① 통일된 미래를 꿈꾸며 통일 한국의 국기를 만들어 보자.

• 조건1: '남한과 북한의 화합'이라는 의미가 드러나도록 표현하기
• 조건2: 통일 이후 국민이 국기를 그리고 표현하는 데 어려움이 없도록 디자인하기
• 예시 작품

② 내가 만든 통일 한국의 국기가 어떤 의미를 가지고 있는지 설명해 보자.

③ 나의 통일 한국의 국기를 친구들에게 소개하고 어떤 평가를 들었는지 써 보자.

2 통일 버킷리스트 만들기

memo

① 통일된 미래의 한국 모습을 꿈꾸며 버킷리스트를 만들어 보자.

- 조건1: 통일 한국을 꿈꾸며 통일이 되면 하고 싶은 것들을 표현해 보기
- 조건2: 버킷리스트의 내용이 잘 표현되게 디자인하기
- 예시 작품

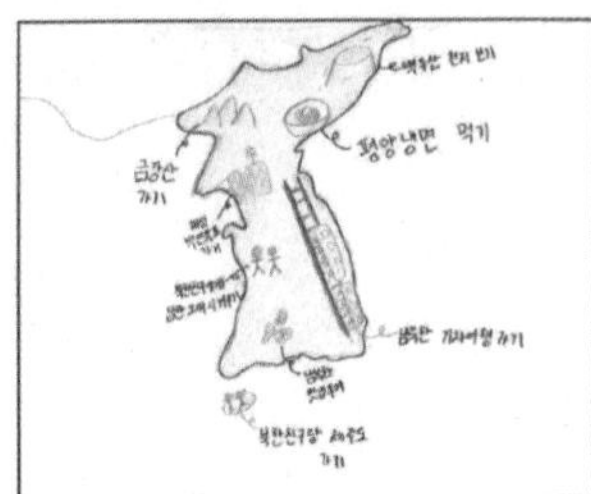

② 나의 통일 버킷리스트를 설명해 보자.

③ 나의 통일 버킷리스트를 친구들에게 소개하고 어떤 평가를 들었는지 써 보자.

신분의 벽에 가로막힌 신라 최고의 천재

최치원

(崔致遠, 857 ~ ?)

이번에 소개할 인물은 최치원입니다.
최치원은 유교·불교·도교에 이르기까지
깊은 이해를 지녔던 학자이자 뛰어난 문장가였습니다.

그는 6두품이라는 신분적 한계 때문에
일찍이 당나라로 유학을 가 훌륭한 문장가로 이름을 떨쳤고,
신라에 돌아와서는 사회 개혁을 시도하였던 실천적 지식인이었습니다.
그는 신라 말기의 사회적 갈등을 해소하기 위해
접화군생(接化群生)의 정신을 제시하여 '사회 통합'을 강조하였습니다.

"접화군생이란 서로 이질적인 사회 주체들이 만나
소통함과 동시에 각자 자유롭게 발전해 간다는 것이다."

신라 말기와 마찬가지로
오늘날 우리 사회 역시 분단으로 혼란스러운 상황입니다.
이러한 상황 속에서 통일은
우리 민족이 풀어가야 할 막중한 과제이며,
이는 결코 쉽게 이루어지는 것이 아닙니다.
신라 말기 최치원이 강조한
'접화군생'의 정신을 통해 서로 이질적인
남과 북의 사회 주체들이 만나 소통하고
각자 자유롭게 발전해 나가며
통일을 이룰 수 있다는 점을 기억해야 합니다.

사회 통합 정신을 강조한 최치원을 만나다.

최치원 선생님, 안녕하세요. 선생님께서는 어떤 이유로 어린 나이에 당나라로 유학을 떠나시게 되었나요?

당시 신라에는 엄격한 신분 제도가 있었습니다. 저는 6두품이라는 신분적 한계로 실력과 관계없이 높은 관직에 오를 수 없었습니다. 그래서 제 꿈을 펼치기 위해 일찍이 당나라로 유학을 떠나게 되었고 6년 만에 빈공과에 합격하여 당나라에서 높은 관직을 지낼 수 있었습니다.

그렇다면 유학 생활을 마치고 신라로 돌아오신 뒤에는 어떤 일을 하셨나요?

당시 신라 사회는 몹시 어지러웠습니다. 귀족과 관리들은 부패하여 재정이 궁핍하고 백성들은 불만을 품고 난을 일으켰습니다. 이러한 현실을 극복하려는 방법으로 사회 통합을 제시하였습니다. 도가 인간의 본성 가운데 들어 있어서 사람들 사이에 차별을 두고 대하면 안 된다는 것이지요.

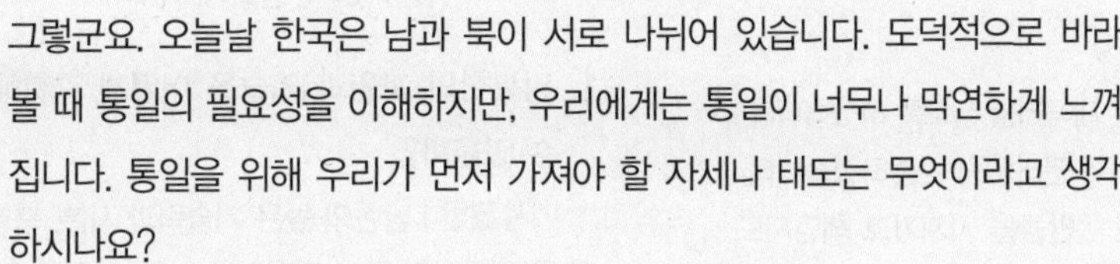

그렇군요. 오늘날 한국은 남과 북이 서로 나뉘어 있습니다. 도덕적으로 바라볼 때 통일의 필요성을 이해하지만, 우리에게는 통일이 너무나 막연하게 느껴집니다. 통일을 위해 우리가 먼저 가져야 할 자세나 태도는 무엇이라고 생각하시나요?

사회 통합을 위한 의지와 그에 따른 노력이 필요합니다. 제가 제시하였던 접화군생(接化群生)의 정신처럼 남한과 북한도 무리하지 않고 서로를 인정하고 조화롭게 관계를 유지해 나가며 통합을 이루어 나가야 한다고 생각합니다.

그런 이유에서 통일을 이루기 위해 먼저 남북한이 교류하고 협력하면서 민족 통합을 이루려고 노력하고 있는 것이군요. 선생님의 사상을 잘 기억하고 우리가 사회적 통합의 의지를 갖추고 공동체 정신을 함양하며 통일 문제에 더 많은 관심을 기울여야겠습니다.

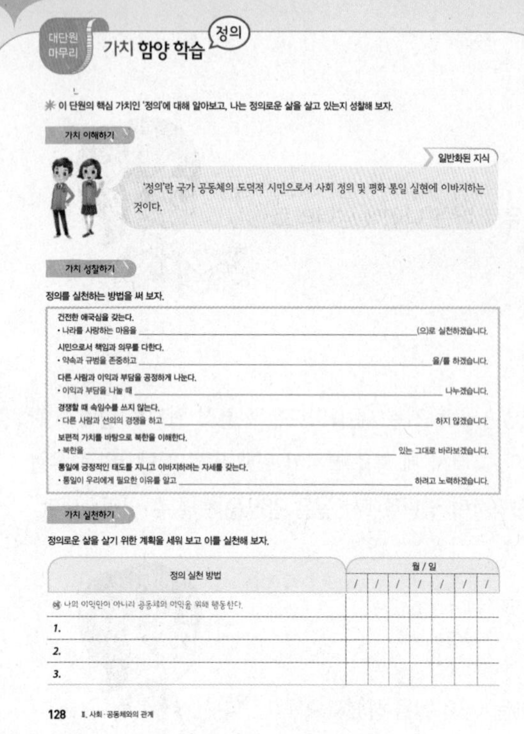

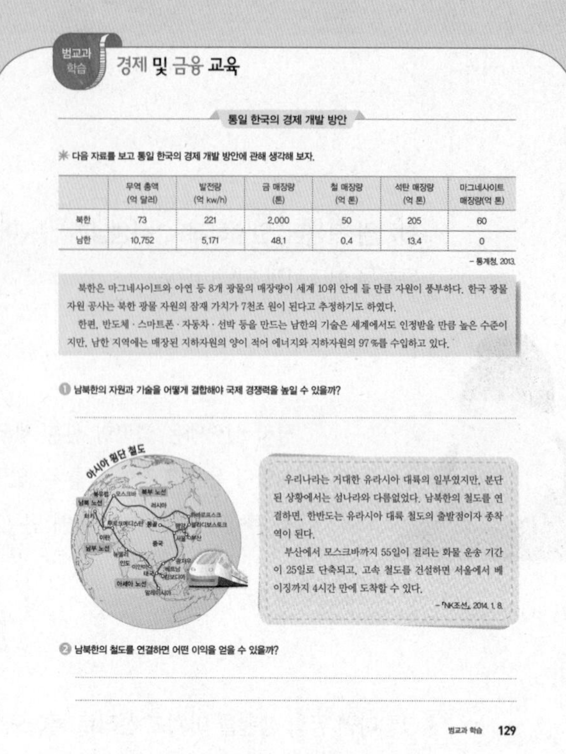

가치 함양 학습 교과서 128쪽

이것이 핵심 사회 공동체 속에서 정의를 지향하는 성숙한 시민으로 살아가는 것이 중요함을 깨닫는다. 또한, 이러한 정의의 가치를 실제의 삶 속에서 어떻게 함양할 수 있는지 생각해 본다.

• 정의를 실천하는 방법을 써 보자.

예시 답안 |

- 나라를 사랑하는 마음을 가지고 국경일에는 태극기를 달도록 하겠습니다.
- 약속과 규범을 존중하고 타인의 권리도 나의 권리처럼 존중하겠습니다.
- 이익과 부담을 나눌 때 나 자신의 정당한 몫만큼을 가져가고 책임지도록 하겠습니다.
- 다른 사람과 선의의 경쟁을 하고 남과 나 자신을 속이지 않겠습니다.
- 북한을 올바로 이해하고, 있는 그대로 바라보겠습니다.
- 통일이 우리에게 필요한 이유를 알고 통일에 필요한 자세를 갖추도록 노력하겠습니다.

범교과 학습 교과서 129쪽

이것이 핵심 통일이 되면 그동안 수입에 의존하던 자원 중 많은 부분을 자급자족할 수 있게 되며 이는 우리 경제가 도약할 기회가 된다는 점을 깨닫는다. 더 나아가 통일 비용에 대한 부담감으로 통일에 대해서 부정적 인식을 갖지 말고 오히려 통일이 우리에게 좋은 기회가 될 수 있다는 점을 이해한다.

1. 남북한의 자원과 기술을 어떻게 결합해야 국제 경쟁력을 높일 수 있을까?

예시 답안 | 남한의 높은 기술력과 자본, 북한의 풍부한 자원과 노동력을 결합하면 국제 경쟁력을 높일 수 있을 것이다.

2. 남북한의 철도를 연결하면 어떤 이익을 얻을 수 있을까?

예시 답안 | 남한과 북한의 철도를 연결하면 지금까지 항공이나 해운으로 비싸게 수송하였던 자원을 더욱 값싸게 들여올 수 있다. 유럽까지 사람들도 쉽게 이동할 수 있을 뿐만 아니라, 시장에 대한 접근성도 향상될 것이다. 또한 분쟁 지역이라서 투자를 꺼렸던 기업들이 유라시아와 태평양 지역의 핵심 지역이 된 통일 한국에 투자할 가능성도 커질 것이다.

대단원 마무리 문제

정답과 해설 214쪽

01 국가의 역할과 기능에 대한 설명으로 옳지 않은 것은?

① 국민의 인간다운 삶을 보장하고자 노력한다.
② 사회적 합의에 따른 공정한 사회 제도를 확립하고 운영해야 한다.
③ 국민이 건강하고 행복하게 살 수 있도록 국민의 생명과 안전을 보호한다.
④ 국가가 지향하는 가치와 정책은 개인의 도덕적 삶에 아무런 영향을 미치지 못한다.
⑤ 다양한 복지 혜택을 제공하고 개인이나 집단의 갈등을 공정하게 조정하는 역할을 한다.

02 다음 이야기의 교훈으로 가장 적절한 것은?

> 1936년 베를린 올림픽 마라톤 경기에서 손기정 선수는 세계 신기록을 세우며 금메달을, 함께 출전한 남승룡 선수는 동메달을 획득하였다. 당시에는 한반도가 일본의 지배 아래에 있었기 때문에 그들은 일본 대표 팀의 자격으로 뛰어야 하였다. 시상대에서는 손기정, 남승룡이라는 이름이 아닌 일본식 이름으로 호명되었다. 두 사람은 메달을 목에 걸었지만, 표정은 밝지 않았다.
> – ○○신문, 2011. 8. 9.

① 능력이 뛰어나면 모든 것을 극복할 수 있다.
② 국가 없이는 자아실현과 행복을 누리기 어렵다.
③ 국가가 없어도 자신의 꿈은 노력하면 이룰 수 있다.
④ 누구나 태어남과 동시에 한 국가의 구성원이 된다.
⑤ 국가와 상관없이 엄청난 노력 끝에 세계 최고가 되는 것이 중요하다.

03 다음에서 설명하는 보편적 가치로 옳은 것은?

> 경쟁에서 뒤처진 사회적 약자에게도 최소한의 인간다운 삶을 살 수 있도록 도와주어야 한다.

① 공정 ② 복지 ③ 인권
④ 자유 ⑤ 평등

04 ㉠, ㉡에 들어갈 말을 바르게 짝지은 것은?

> • (㉠): 사회적 약자를 보호하고 모든 구성원을 정당하게 대우해야 한다.
> • (㉡): 누구나 정당한 이유 없이 다른 대우를 받지 않고 균등한 기회가 주어져야 한다.

	㉠	㉡
①	공정	인권
②	공정	평등
③	복지	자유
④	자유	평등
⑤	평화	공정

05 소극적 국가관에 대한 설명으로 옳지 않은 것은?

① 국가의 개입은 개인의 자유와 권리를 제한한다.
② 국가는 국민 생활에 되도록 개입해서는 안 된다.
③ 국가가 중요하게 생각해야 하는 것은 개인의 자유이다.
④ 국가는 공정한 경쟁을 하도록 질서만 유지해 주는 등 소극적 역할을 해야 한다.
⑤ 세금을 더 거두어들이더라도 국가가 광범위한 복지 혜택을 제공하는 것이 필요하다.

06 개인과 공동체의 관계에 대한 설명으로 적절하지 않은 것은?

① 지나친 사익 추구는 다른 사람의 권리를 침해할 수 있다.
② 지나친 공익 추구는 개인의 자유와 권리를 위축시킬 수 있다.
③ 지나친 공익 추구는 국가 구성원의 책임과 의무를 소홀히 하기 쉽다.
④ 공동체를 우선시하면 시민의 책임과 의무가 강조되고 공익을 중시하게 된다.
⑤ 개인을 우선시하면 개인의 자유와 권리가 강조되고 사익을 더 중요시하게 된다.

대단원 마무리 문제

07 다음에서 공통으로 설명하는 개념으로 옳은 것은?

> • 국가를 유지하고 발전시키는 원동력
> • 자신이 속한 국가를 사랑하고 국가에 헌신하려는 마음

① 애국심
② 정의감
③ 인권 의식
④ 평등 의식
⑤ 세계 시민 의식

08 준법의 근거와 필요성에 대한 설명으로 옳은 것은?

① 법을 지키면 국가가 혜택을 주기 때문이다.
② 법은 인간의 자유를 제한하려는 목적을 지니기 때문이다.
③ 준법은 다른 사람의 자유와 권리를 침해하는 것이기 때문이다.
④ 법은 모든 시민이 반드시 따라야만 하는 자율적 규범이기 때문이다.
⑤ 법을 어기는 것은 다른 사람의 자유와 권리를 침해하는 것이기 때문이다.

09 시민 불복종의 조건으로 옳지 않은 것은?

① 비폭력적인 방법으로 시행해야 한다.
② 합법적인 절차를 거친 후 최후의 수단으로 이루어져야 한다.
③ 불복종으로 인해 받게 되는 처벌을 기꺼이 받아들여야 한다.
④ 불복종의 이유가 공동선에 부합하는 등 그 목적이 정당해야 한다.
⑤ 비폭력을 원칙으로 하나 최후에는 폭력의 사용이 어느 정도 허용된다.

10 경쟁에 대한 설명으로 옳지 않은 것은?

① 공정한 경쟁은 개인 자신과 공동체 전체의 발전을 이끈다.
② 불공정한 경쟁은 사회 전체를 갈등과 혼란에 빠뜨릴 수 있다.
③ 무조건 이기기 위해서는 불공정한 수단과 방법을 사용할 수 있다.
④ 경쟁에서 이기는 것에만 집중하면 여러 가지 문제점이 발생한다.
⑤ 개인의 행복과 사회 발전이 공존하는 공동체를 만들기 위해서는 공정한 경쟁을 해야 한다.

11 다음 글에서 설명하는 공정한 경쟁의 조건으로 가장 적절한 것은?

> 모든 사람에게 똑같이 경쟁의 기회를 주면 그 경쟁은 무조건 공정하다고 말할 수 있을까? 예를 들어, 달리기 시합에서 어린이, 장애인, 노인, 육상 선수가 같은 출발선에서 출발한다면 이 경쟁을 공정하다고 할 수 있을까?

① 결과의 공개성
② 결과의 정당성
③ 결과의 평등성
④ 과정의 공개성
⑤ 과정의 공정성

12 부패 행위의 발생 원인에 대한 설명으로 옳지 않은 것은?

① 사회의 비합리적인 관행 때문에
② 부패를 조장하는 사회 구조 때문에
③ 혈연, 지연, 학연을 중시하는 관습 때문에
④ 청렴 의식을 강조하는 사회 분위기 때문에
⑤ 자신과 자기 주변의 이익만을 추구하기 때문에

13 다음 대화에 나타난 문제점을 해결하기 위한 방법으로 가장 적절한 것은?

> 사회자: 북한 이탈 주민 세 분을 모시고 이야기 나누어 보겠습니다. 대한민국에서 살아가면서 어떤 점이 가장 어려우신가요?
> 은혜: 구인 광고를 낸 회사에 전화하면 제가 북한 사투리를 써서 그런지 그냥 전화를 끊어요.
> 성국: 맞아요. 남한 사람들이 북한 이탈 주민을 싫어하는 것 같아요. 북한에서 온 걸 숨겨야 구박을 덜 받는 것 같아요.
> 다희: 우리가 차 한 대를 사도 남한 사람들은 좀 다른 눈으로 보는 것 같아요.

① 국가 차원에서의 물질적인 지원이 필요하다.
② 북한 이탈 주민에게 경제적으로 더 많은 지원을 해 주어야 한다.
③ 국가에서 북한 이탈 주민을 위한 제도를 만들어 지원해 주어야 한다.
④ 북한 이탈 주민들이 자본주의 체제에 적응할 수 있도록 도와주어야 한다.
⑤ 북한 이탈 주민을 편견을 갖고 바라보거나 무시하는 태도를 버려야 한다.

서술형

14 다음 글을 참고하여 국가 공동체 안에서의 성숙한 시민의 모습을 서술하시오.

> 개인의 이익과 공동체의 이익 중 어느 한쪽만을 강조하는 태도는 바람직하지 않다. 개인적 선과 공동선, 사익과 공익은 양립할 수 있으며, 양자의 조화를 이루기 위한 노력이 필요하다.

15 시민 불복종의 조건을 두 가지 이상 서술하시오.

논술형

16 다음 두 국가관 중에 자신이 적합하다고 생각하는 국가관을 고르고 그 근거를 논술하시오.

구분	내용
소극적 국가관	국가의 개입은 개인의 자유와 권리를 제한한다. 따라서 국가는 국민 생활에 되도록 개입해서는 안 된다.
적극적 국가관	국가의 개입은 개인의 자유를 침해하는 것이라기보다는 자유를 누릴 수 있는 기본적인 조건을 만들어 주는 것이다.

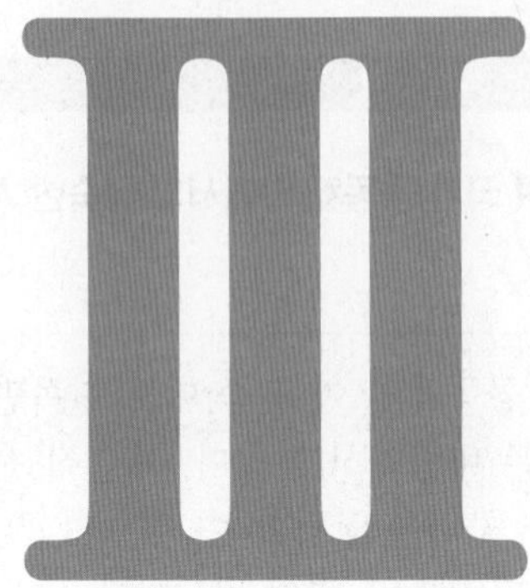

자연 · 초월과의 관계

교과서 | 130쪽 ~ 193쪽

III 자연 · 초월과의 관계

단원 미리 보기

01 자연관

1. 인간은 자연의 주인일까?
2. 환경에 대한 가치관과 소비 생활은 어떤 관계가 있을까?
3. 환경친화적 삶을 위한 구체적인 실천 방안은 무엇일까?

02 과학과 윤리

1. 과학 기술은 인간의 삶을 어떻게 바꾸어 놓았을까?
2. 과학 기술로 모든 문제를 해결할 수 있을까?
3. 과학 기술에 책임이 필요한 이유는 무엇일까?

03 삶의 소중함

1. 나의 삶을 소중하게 만드는 것은 무엇일까?
2. 죽음을 어떻게 생각해야 할까?
3. 의미 있는 삶을 위해 해야 할 일은 무엇일까?

04 마음의 평화

1. 고통을 어떻게 대해야 할까?
2. 나는 무엇을 희망할 수 있을까?

이 단원에서는 자신과 자연·초월과의 관계를 바르게 이해하고, 이러한 관계 속에서 발생하는 도덕적 갈등을 탐구하여 생명 친화적인 태도와 평온한 마음을 지니도록 한다.

이 단원의 활동 구성

중단원		활동 주제		
		스스로 활동하기	함께 활동하기	중단원 마무리
01	자연관	• 자연 친구 소개하기 • 생활 속의 환경 문제 찾아보기 • 환경친화적 자연관 • 일상생활의 소비 습관 반성하기 • 나의 오래된 물건 소개하기 • 나만의 환경 보호 실천의 날 • 환경을 위한 제도적·국제적 노력	• 개발과 보존 중 무엇이 더 중요할까? • 내가 소비한 탄소량은? • 환경친화적 생활 홍보 영상물 제작하기	물을 어떻게 아낄까?
02	과학과 윤리	• 과학 기술이 나에게 주는 혜택 • 나의 삶을 변화시키는 과학 기술 찾아보기 • 가상 현실과 인간 소외 • 자율 주행차의 윤리적 문제 • 챌린저호 폭발 사고와 과학 기술자의 책임 • '공포의 발견술'과 과학 기술에 대한 도덕적 책임	• 모든 인간을 위한 과학 기술 • 과학 기술은 인간을 자유롭게 하는가? • 공상 과학(SF) 소설 쓰기	인공 지능 로봇 개발에 관한 합의 회의
03	삶의 소중함	• 대추 한 알 속에 깃든 우주 • '생명 존중 실천 서약' 작성하기 • 삐약이의 죽음 • 인간다운 죽음 • 의미 있는 삶을 살기 위하여 • 오늘만 할 수 있는 일	• 소중한 나의 삶 • 동서양의 사상 속에 나타난 삶과 죽음 • 취미로 삶의 의미 확장하기	내 삶을 의미 있게 나누기
04	마음의 평화	• 고통을 다루는 방법 배우기 • 예술로 이겨 낸 고통 • 마음의 평화를 이루는 사랑의 힘 • 아름다운 세상을 위하여	• 고통의 경험을 나누며 평정심 연습하기 • '희망' 이어 가기 연설	취미로 평정심 기르기

01 자연관

교과서 132~147쪽

1 인간은 자연의 주인일까?

1. 인간과 자연

(1) **자연이 소중한 이유**: 자연으로부터 얻는 혜택 때문만이 아니라, 자연과 자연에 속한 수많은 생명체는 그 자체로 소중하기 때문임

자연은 우리에게 이익을 주는 도구나 수단이 아니라 그 자체로 소중한 존재임

(2) **인간과 자연의 관계**

① 인간을 포함한 자연의 모든 존재는 서로 영향을 주고받음 (생태계의 유기성)

② 자연에 속한 모든 것의 가치를 소중히 여기며 조화롭게 살아야 함

2. 환경 문제의 심각성

(1) **환경 문제의 원인**: 자연의 자정 능력을 넘어서는 자연 훼손

자정 능력: 자연환경이 시간의 흐름에 따라 대기와 해양의 순환 과정을 통해 스스로 오염 정도를 낮추어 정화하는 능력이나 작용

(2) **환경 문제의 영향**

① 대기·수질·토양 오염, 지구 온난화, 오존층 파괴

② 인간의 생명과 건강을 위협하는 다양한 질병 유발

③ 기상 이변과 생물 종(種) 감소 등 지구 생태계 위협

(3) **환경 문제 해결의 어려움**

① 영향을 미치는 범위가 넓어 책임이 분명하지 않음

② 현대의 환경 문제는 범위가 넓고 오랫동안 지속해 왔기에 장기간에 걸친 전문적 노력 및 막대한 비용이 필요함

3. 인간과 자연의 조화로운 삶

(1) **환경 문제에 대한 고려**

① 무분별한 환경 파괴 → 환경 문제의 심각성을 깨닫게 됨

② 인간 중심의 가치관을 반성해야 함 → 도덕적 고려의 범위를 확장하려는 입장 등장

(2) **환경친화적 자연관**

① 생태계의 모든 요소를 도덕적 고려 대상으로 포함하여 환경 파괴를 최소화함

② 미래 세대와 생태계의 지속 가능성을 고려해야 함

③ 인간의 필요와 생태계의 가치 간의 조화를 가능하게 만듦

2 환경에 대한 가치관과 소비 생활은 어떤 관계가 있을까?

1. 자연을 바라보는 관점

(1) **자연을 이해하는 관점**

관점	내용
인간 중심주의	• 자연을 도구적 수단으로 보는 관점 • 인간을 다른 생태계 구성 요소보다 우월한 존재로 보고, 인간의 필요와 이익에 따라 자연을 사용할 수 있다고 봄
생명 중심주의	동식물 등 생명의 가치를 존중하는 관점
생태 중심주의	전체 환경에 대한 배려를 강조하는 관점

(2) **자연 친화적 태도**: 인간을 다른 생명체보다 우월한 것으로 보지 않음

(3) 자연환경에 대한 관점과 태도는 인간의 소비 습관에도 영향을 줌

• **유기성(有機性)**
따로 떼어 낼 수 없을 만큼 서로 긴밀히 연관된 성질을 말한다.

• **먹이 피라미드와 생태계의 평형**

생태계에서 생물 간의 먹고 먹히는 관계를 '먹이 사슬'이라고 표현한다. 이러한 먹이 사슬 단계에 따라 생물의 수 또는 양을 표시하여 피라미드 모양으로 표현한 것을 '먹이 피라미드'라고 한다. 먹이 피라미드에서는 어느 한 단계의 생물이 크게 줄거나 늘어나면 생태계의 평형이 무너진다. 그렇기 때문에 우리는 자연스러운 먹이 피라미드의 단계가 유지될 수 있도록 노력해야 한다.

• **자연을 바라보는 관점과 소비 생활의 관계**
- 자연을 인간을 위한 수단으로만 본다면, 자연환경을 파괴하는 무분별한 소비 습관이 확산될 것
- 자연의 모든 존재를 도덕적 고려의 대상으로 여긴다면, 자연을 활용한 소비에 신중해질 것

2. 환경친화적 소비 생활

(1) 소비와 자연의 관계

① 자연은 소비 생활을 가능하게 하는 기초적인 자원으로 우리는 삶에 필요한 많은 것을 한정된 자연으로부터 얻음

② 환경친화적 소비 생활

- 환경 보전의 가치 및 소비가 환경에 미치는 영향을 고려하는 것
- 제품의 생산과 유통, 소비 과정과 이용, 폐기와 재생의 전 과정에 관심을 두는 것

(2) 소비의 종류

① 합리적 소비: 적은 비용으로 최대한의 만족을 추구하는 소비

② 윤리적 소비: 자신의 소비가 사회와 환경에 미치는 영향을 고려하는 소비

③ 녹색 소비: 환경에 미치는 영향을 최소화하는 소비

절제, 절약 책임 등의 자세가 필요함

(3) 지나친 소비 습관의 특징

① 비합리성: 비용을 무분별하게 사용함

② 비윤리성: 자신의 소비가 자연에 미칠 영향을 고려하지 않음

- **윤리적 소비의 사례**
  - 공정 무역: 개발도상국의 경제적 자립과 지속 가능한 발전을 위해 더욱 유리한 무역 조건을 제공하는 무역 형태
  - 슬로푸드 운동: 패스트푸드를 반대하고 친환경적인 농산물을 이용한 먹거리의 생산과 방식을 지향하는 운동
  - 로컬 푸드 운동: 생활 지역과 가까운 곳에서 생산된 신선한 먹거리의 소비를 강조하는 운동

3 환경친화적 삶을 위한 구체적 실천 방안은 무엇일까?

1. 환경친화적 습관의 실천 방법

(1) **환경친화적 소비 생활의 중요성**: 환경친화적 소비 생활은 합리적이고 윤리적인 소비를 가능하게 함 → 지구 생태계와 미래 세대에 대한 책임과 의무를 이행할 수 있음

(2) **환경친화적 삶의 다양한 실천 방법**: 일상생활이 환경에 미치는 영향 고려하기

① 쓰레기 배출 감소: 일회용품 사용하지 않기

② 자원의 효율적 활용: 사용한 물건 재활용하기, 업사이클링 제품 사용하기 등

③ 에너지 절약: 대중교통 이용하기, 사용하지 않는 전등 및 전자 제품 꺼두기 등

④ 저탄소 실천 생활화: 가전제품 에너지 효율 확인하기

2. 환경친화적 삶을 위한 사회적 실천 방안

(1) 개인적 노력만으로 모든 환경 문제를 해결할 수 없음 → 사회적·제도적 노력 필요

(2) 탄소 포인트 제도, 에코 마일리지, 기후 변화 협약 등 공동의 노력 전개

- **환경 마크**

'환경 마크'란 친환경적이며 우수한 품질 제품에 대해 국가가 친환경 상품임을 공인하는 마크이다. 소비자는 환경 마크를 통해 자신의 소비에 대해 심사숙고할 수 있고, 생산자는 기업의 이미지 개선과 환경에 긍정적인 영향을 줄 수 있다.

재미있는 도덕 읽기 | 인공지능 재활용 분리수거 기계

□□시의 시민회관 앞에는 '인공지능 재활용 분리수거' 기계가 있다. 기계에 빈 캔과 페트병을 넣으면 알아서 분리수거 및 압착을 시켜준다. 이러한 과정을 통해서 저장의 효율성을 높여 페트병과 캔을 합쳐 3,000개까지 보관하는 것이 가능하다. 기계의 특별한 점은 폐기물에 대해서 학습하고 이를 근거로 스스로 분리수거하여 제품의 재활용이 쉽도록 만들어졌다는 점이다. 기계를 사용하여 분리수거하고 휴대폰 번호를 입력하면, 포인트가 적립되고 이 포인트는 실제 돈으로 바꾸어서 사용할 수 있다.

이처럼 사회 및 국가는 환경 보호를 실천하기 위한 친환경기술과 제도를 마련하기 위한 노력을 실천하도록 해야 한다.

– ○○신문, 2016. 12. 10.

1 인간은 자연의 주인일까?

마음 열기 풀이

교과서 132쪽

자료 해설
인간의 욕심으로 인한 무분별한 개발이 환경 파괴의 근본 원인임을 설명하고 있는 기사이다.

꿀벌은 꽃의 수술과 암술을 교배시켜 열매를 맺도록 돕는다. 이러한 꿀벌은 식물의 교배를 돕는 곤충 중 70%가량을 차지하며, 생태계의 큰 축을 담당하고 있다.

하지만 요즈음 이러한 꿀벌이 사라지는 '꿀벌 군집 붕괴 현상'이 나타나고 있다. 그린피스에 따르면, 최근 10년간 미국에서는 꿀벌의 개체 수가 40%가량 감소하였으며, 해마다 피해는 더 늘어나고 있다. 공기 오염, 살충제 살포, 전자파 발생, 지구 온난화 등 '인간의 욕심'에서 비롯된 무분별한 개발이 그 원인으로 꼽힌다.

– 『매일경제』, 2016. 10. 6. 수정 인용 / 『소년조선일보』, 2016. 10. 5. 수정 인용

1. 꿀벌이 돌아오지 못하는 까닭은 무엇일까?

예시 답안 | 지구 온난화로 꽃이 피지 않아서 벌들이 꿀을 먹지 못하기 때문이다.

2. 꿀벌이 모두 사라진다면 어떤 일이 생길까?

예시 답안 | 꿀벌은 꽃가루를 실어 날라 식물의 개화를 돕는다. 만약 꿀벌이 모두 사라진다면 식물은 개화할 수 없을 것이고, 열매 맺는 식물을 먹고 사는 인간의 생존이 위협받게 될 것이다.

스스로 활동하기 풀이 자연 친구 소개하기

교과서 133쪽

이것이 핵심!
무심코 지나쳤던 자연에 대해 생각해봄으로써 친밀감을 느끼고, 소중함을 일깨운다.

친절한 활동 안내
우리는 소중한 사람에게 함부로 하지 말아야겠다고 억지로 생각하지 않아도 저절로 그렇게 행동하고는 해. 이와 마찬가지로 자연을 보호해야 한다고 지식적으로 아는 것보다는 진심으로 자연을 사랑하고 보호하려는 자세를 가지는 것이 중요해.

➔ 우리 주변의 자연환경 중 내가 친구로 삼고 싶은 대상을 찾아 '자연 친구 소개서'를 작성해 보자.

예시 답안 |

자연 친구의 이름	푸름이(바다)
친구를 고른 이유	보는 것만으로도 많은 사람에게 위안을 주고, 바다에 사는 많은 생명체의 안식처가 되어주기 때문이다.
친구를 관찰한 모습	• 생김새: 푸르다, 역동적이다 • 냄새: 짭짤하다 • 표면: 차갑다, 시원하다, 촉촉하다 • 소리: 파도 소리, 주변의 갈매기 소리, 뱃고동 소리
친구 소개서	나의 자연 친구는 바다인 푸름이야. 항상 푸른 빛의 푸름이는 보는 것만으로도 많은 사람에게 위로가 돼. 그리고 여름에는 더위를 피할 수 있는 휴식처가 되어 주지. 물놀이를 통해 친구와의 추억도 쌓게 해 주고 말이야. 그리고 많은 바다 생명체를 품어 주는 엄마의 역할도 하고 있지. 푸름이와 같이 있으면 첨벙거리는 파도 소리, 주변을 날아다니는 갈매기 소리, 뱃고동 소리들이 잔잔하게 들려와. 옆에 있으면 평화로워지는 기분이 들어서 나는 푸름이를 참 좋아해.

스스로 활동하기 풀이 생활 속의 환경 문제 찾아보기

교과서 134쪽

이것이 핵심!
우리 주변에서 발생하는 환경 파괴의 구체적 사례를 통해 환경 파괴의 심각성을 알고, 그로 인한 문제점에는 어떤 것들이 있는지 파악한다.

친절한 활동 안내
환경 문제의 종류와 원인을 개념으로만 알지 않고, 우리가 흔히 보는 사물과 연결해 보자. 이를 통해 생활 속에서 항상 환경을 생각하는 습관을 기를 수 있을 거야.

➔ 우리 주변의 사물을 통해 환경 문제의 심각성을 표현해 보자.

예시 답안 |

제목	쓰는 것은 한순간인 자원, 분해되는 시간은 얼마일까?
작품 설명	자본주의 사회에서는 사람들의 '소비' 심리를 부추겨 많은 사람이 '소비'로 인한 영향을 고려하지 않고, 무분별하게 물건을 구매하는 바람에 많은 '자원이 고갈'되고 낭비된다. 이뿐만 아니라 우리가 사용한 물건은 자연스럽게 사라지는 것이 아니라 분해 및 폐기되는 데 오랜 시간이 걸린다. 이러한 과정에서 토양·수질·대기가 '오염'되고, 이들을 터전으로 삼고 있는 동식물과 인간에게도 영향을 미쳐 '생태계 파괴'를 초래한다.

스스로 활동하기 풀이 환경친화적 자연관

교과서 135쪽

1. 윗글을 읽고 우리가 자연을 소중히 여겨야 하는 까닭을 설명해 보자.

예시 답안 | 자연은 우리에게 필요한 것들을 제공하여 우리 삶을 유지하고 지탱할 수 있게 해 주기 때문이다.

2. 평소 자연을 소중히 여기지 않았던 경험을 성찰하고 윗글의 내용과 비교해 보자.

예시 답안 | 급식 시간에 내가 좋아하지 않는 반찬이 나와서 아무 생각 없이 전부 버린 적이 있다. 그 음식을 만들기 위해 자연의 많은 식물이 희생되었을 텐데, 인디언들처럼 자연이 나에게 주는 것의 감사함을 알고 앞으로는 음식을 남기지 말아야겠다.

이것이 핵심

자연은 정복하거나 이용해야만 하는 대상이 아니라 우리와 함께 살아가는 존재임을 이해한다.

친절한 활동 안내

제시문을 통해 인디언들이 보여 준 자연과 인간의 관계를 생각해 보자. 인디언들에 비해 우리가 자연에 대해 어떠한 잘못된 태도를 지니고 있는지 다양한 사례를 찾아 보자.

함께 활동하기 풀이 개발과 보존 중 무엇이 더 중요할까?

교과서 136쪽

1. 위 내용을 참고하여 다음 사람들이 하는 고민의 해결 방안을 써 보자.

예시 답안 |

- **자연을 사랑하는 산악인**: 케이블카를 설치하더라도 산을 깎거나 하는 등의 행위는 금지하여 동물들의 서식지가 파괴되지 않도록 한다.
- **지역 주민**: △△산 국립 공원에 케이블카를 설치하는 것 말고도 △△산을 한류 드라마의 촬영 장소로 사용하는 등 산의 아름다움을 알릴 수 있는 다른 방안을 찾을 수 있다. 우리 지역을 관광 도시로 만들고, 지역 경제를 활성화하는 방법도 많을 것이다.
- **한국을 찾은 외국 관광객**: 케이블카를 설치하지 않고, 케이블카 설치에 투자하기로 하였던 비용 중 일부를 산의 관리비로 사용하여 산이 가지고 있는 고유한 아름다움을 발전시킨다.

2. 위의 입장 중 하나를 선택하여 내 생각을 정리해 보고, 친구와 이야기해 보자.

예시 답안 | 나는 △△산에 케이블카를 설치하는 것에 반대한다. 산에서 나는 풀 냄새와 바람, 아름다운 꽃들, 나무를 바라보고 직접 느끼는 것이 케이블카를 타고 산에 올라가는 것보다 산이 가진 고유한 아름다움을 더욱 깊이 느끼는 방법이라고 생각하기 때문이다.

이것이 핵심

특정 문제에 대해 각 사람이 가지는 태도 및 근거를 파악하고 이를 통해 그에 맞는 적절한 해결 방안을 제시한다.

친절한 활동 안내

짝과 대립하는 입장에서 대화하면 다양한 도덕 원리를 발견할 수 있을 거야. 입장에 따라 나의 의견이 달라질 수도 있지. 이를 통해 나만의 생각을 정리해 보자.

배움 정리하기 풀이

- ✓ ㉠ 인간의 욕심으로 인한 무분별한 개발 때문이다.
- ✓ 환경친화적

재미있는 도덕 읽기 △△산 케이블카 설치 허가 취소하라

11월 말 □□군이 천연기념물 △△산에 케이블카를 설치하기로 한 것에 대해 문화재청이 조건부로 허용하며 이에 대한 시민들과 종교·시민·사회단체들의 반발이 거세다. 지난해 11월 24일 문화재 위원회가 이에 대해 불허가 결정을 내렸음에도 불구하고 문화재청이 케이블카 설치를 위한 문화재 현상 변경을 조건부 허가하였기 때문이다. △△산 국립 공원 지키기 국민 행동 대표 A씨는 문화재청에서 자신들이 천연기념물로 지정해 놓고도 케이블카의 설치를 허용하는 결정을 내린 것은 말이 안된다며, 해당 결정을 즉각 취소해야 한다고 강조하였다.

– ○○신문, 2018. 1. 21.

2 환경에 대한 가치관과 소비 생활은 어떤 관계가 있을까?

마음 열기 풀이

교과서 138쪽

자료 해설
자료에서는 쓰레기를 함부로 버림으로써 생기는 토양 오염, 사용하지 않음에도 불구하고 전원을 끄지 않아 소모되는 전력 등으로 인해 초래되는 환경 오염의 문제점을 제시하고 있다. 이를 통해 소비와 환경이 서로 연관되어 있음을 알 수 있다.

1. 우리가 환경을 파괴하는 소비 습관에는 어떤 것이 있을까?

예시 답안 | 사용하지 않는 전기 제품의 코드를 뽑지 않는 것 / 포장 규격을 지키지 않는 과대 포장 과자 구입 / 일회용품의 사용 / 무분별한 충동구매 및 과소비

2. 환경을 파괴하는 소비를 멈추기 힘든 까닭은 무엇일까?

예시 답안 | 사람들은 보통 물건을 살 때 가격과 품질 등을 고려하지만, 소비가 환경에 미치는 영향에 대해서는 크게 고려하지 않기 때문이다. 설령 소비가 환경에 미치는 영향을 알더라도 다른 가치관을 우선시하여 환경에 미치는 악영향을 무시하는 경우가 많다.

스스로 활동하기 풀이 일상생활의 소비 습관 반성하기

교과서 139쪽

이것이 핵심
평소 자신의 소비 습관을 점검하여 환경에 악영향을 미치는 잘못된 습관이 있는지 파악하고 이에 대한 원인을 안다.

친절한 활동 안내
문제 해결의 출발점은 그 원인을 파악하는 것이야. 평소 자신의 소비 습관을 검토하여 환경에 악영향을 미치는 습관이 무엇인지 알아보자.

1. 내가 지난 한 주 동안 꼭 필요해서 소비한 것과 자기만족과 욕심 때문에 소비한 것을 구분해 보자.

예시 답안 |
- 꼭 필요해서 소비한 것: 평소에 사용하는 로션이 다 떨어져 재구매하였다.
- 자기만족과 욕심 때문에 소비한 것: 핸드폰이 고장 나지 않았음에도 새로 나온 최신형 핸드폰을 구매하였다.

2. 필요 없는 것을 소비하는 까닭을 친구와 함께 이야기해 보자.

예시 답안 | 최신형 핸드폰을 갖게 되면 다른 친구들이 부러워하고 관심을 갖는 것이 좋아서 그런 것 같아.

스스로 활동하기 풀이 나의 오래된 물건 소개하기

교과서 140쪽

이것이 핵심
환경을 고려한 신중한 소비 습관을 갖도록 오래된 물건을 소중히 여기는 마음가짐의 중요성을 이해한다.

친절한 활동 안내
나는 어떠한 이유로 그 물건을 오래 가지고 있었는지 생각해 보자. 또한, 친구들과 여러 가지 경험을 공유하며 환경친화적 소비 생활에 대해 생각해 보자.

1. 윗글에서 글쓴이가 물건을 대하는 태도는 환경친화적 소비 생활과 어떤 관련이 있을까?

예시 답안 | 자신이 소유하고 있는 물건에 애착을 가지고 오랫동안 사용하도록 한다. 이러한 태도는 불필요한 자원을 낭비하지 않게 한다.

2. 자신의 오래된 물건을 가져와 윗글의 밑줄 친 부분과 같이 시작하도록 친구에게 이야기해 보자.

예시 답안 | 나에게 어떤 오래된 물건이 있을지 고민하고 찾다가 어렸을 때 나의 소중한 물건이었던 곰 인형이 떠올랐어. 나는 초등학교에 입학하고도 혼자 자는 것을 매우 무서워했어. 부모님께서는 나를 위해 곰 인형을 사주셨지. 그 이후로 내 머리맡에는 항상 이 곰 인형이 있었어. 덕분에 혼자서도 용감히 잘 수 있었지. 중학생이 되었지만 곰 인형을 보면 항상 마음이 편해져.

함께 활동하기 풀이 내가 소비한 탄소량은?

교과서 141쪽

1. 탄소 소비량 표를 기준으로 모둠원끼리 상의하여 아래 표의 빈칸을 채워 보자.

예시 답안 |

할 일	모둠의 선택	소비한 탄소량	선택 이유
1) 연락	문자 10건	0.14g	문자 10건을 써도 전화 통화를 1분 동안 하는 것보다 탄소 소비량이 적다.
2) 이동	자전거	90g	탄소 소비량이 적을 뿐 아니라 건강에도 좋다.
3) 선물	운동화 한 켤레	11.5kg	탄소 소비량을 따지는 것도 중요하지만, 친구에게 꼭 필요한 물건을 사주는 것이 중요하다. 탄소 소비량이 적다고 하더라도 친구에게 필요한 물건을 사준다면 오히려 더 많은 자원을 낭비할 수 있다. 그래서 우리는 미나에게 필요한 것이 운동화였으므로 운동화를 선택하였다.
4) 식사	빵 한 개 800g, 우유 500ml	1.634kg	식사가 아닌 간식으로 먹는 것이므로 둘이서 빵 하나와 우유를 나누어 먹는 것이 적당하다고 생각하였다.

2. 탄소 소비량 합계를 모둠끼리 비교해 값이 가장 큰 모둠과 가장 작은 모둠을 선정하고, 선정된 모둠의 대표가 그렇게 선택한 까닭을 설명해 보자.

예시 답안 |

- **가장 큰 모둠**: 우리 조의 가장 중요한 소비 기준은 탄소 소비량이 아니었다. 소비할 때 환경을 고려하는 것도 중요하지만 물건의 가격이 합리적인지, 얼마나 품질이 좋은지, 나에게 꼭 필요한 것인지 또한 중요하기 때문이다.
- **가장 작은 모둠**: 소비를 할 때 가장 중요한 기준은 환경에 미치는 악영향을 최소화하는 것이다.

3. 활동 후 느낀 점을 각자 정리해 보자.

예시 답안 | 나도 모르게 행동하는 사소한 것들에서 탄소가 배출되어 환경에 영향을 줄 수 있다는 것을 알게 되었다. 앞으로는 물건을 사거나 어떤 행동을 할 때 환경에 영향을 주는 다양한 요소를 고려할 것이다.

이것이 핵심!

일상생활에서 무의식적으로 하는 행동들이 환경에 영향을 미침을 이해한다.

친절한 활동 안내

어떤 행동을 하거나 물건을 구매할 때 우리는 다양한 방법 중에서 한 가지를 선택하게 돼. 그 선택에는 각자의 가치관이 반영되기 마련이지. 따라서, 우리는 어떠한 가치관을 우선으로 하여 행동할 것인지 고려해야 해.

배움 정리하기 풀이

- ✔ 인간 중심주의, 생명 중심주의, 생태 중심주의
- ✔ 환경친화적

재미있는 도덕 읽기 탄소 배출량 0, 탄소 중립 제품 첫 등장

탄소 중립 제품 인증은 제품을 제작하는 전 과정에서 발생하는 온실가스 배출량에 상응하는 만큼 탄소 배출권을 구매하거나, 온실가스 감축 활동을 하여 실질적인 탄소 배출량을 영(0)으로 만든 제품에 부여하는 인증이다.

한국환경산업기술원은 13개 제품을 국내 첫 탄소 중립 제품으로 인증한다고 밝혔는데, 이들 제품이 상쇄하는 이산화 탄소는 총 12만 톤 규모로 이는 30년생 소나무 1,800만 그루가 1년 동안 흡수하는 이산화 탄소의 양과 같다.

이번 탄소 중립 제품 인증에 따라 탄소 성적 표지 제도를 체계적으로 갖추게 되었다. 탄소 성적 표지 제도는 제품의 온실가스를 측정하고(1단계 탄소 배출량 인증), 절감하고(2단계 저탄소 제품 인증), 이를 상쇄하는(3단계 탄소 중립 제품 인증) 제품에 인증을 부여할 수 있는 체계이다. 저탄소 기술을 적용해서 2단계 저탄소 제품 인증을 받은 제품은 264개로 이들이 줄인 이산화 탄소의 양은 약 256만 톤에 이른다.

– ○○일보, 2015. 1. 8.

3 환경친화적 삶을 위한 구체적 실천 방안은 무엇일까?

마음 열기 풀이 교과서 142쪽

자료 해설
우리가 자주 사용하는 자원 중 하나는 종이이다. 종이는 한정된 자원인 나무로 만들어지며, 얻는 데 오랜 시간이 걸리기도 한다. 그러므로 우리는 작은 실천을 통해 나무의 소비량을 줄여 환경 보호에 이바지할 수 있다.

1. 종이를 버리기 전에 재활용하는 방법에는 어떤 것이 있을까?

예시 답안 | 이면지를 연습장으로 사용한다. / 재생지로 재사용한다.

2. 우리가 종이를 계속 낭비하면 자연은 어떻게 될까?

예시 답안 | 나무는 이산화 탄소를 흡수하고 산소를 배출하는 역할을 한다. 벌목을 많이 하면, 탄소 배출량은 증가하고 산소 배출량이 줄어들어 지구 온난화가 심해질 것이다. 또한, 동물들의 서식지가 파괴되고 이로 인해 생태계 자체가 파괴될 수 있다.

스스로 활동하기 풀이 나만의 환경 보호 실천의 날 교과서 143쪽

이것이 핵심
환경친화적 행동을 실천하는 날을 직접 구상하며, 환경을 위한 행동에는 어떤 것들이 있고 구체적으로 어떻게 행동할 수 있을지 생각한다.

친절한 활동 안내
어떤 행동을 직접 실천하려면 구체적으로 어떻게 실천할지 생각하는 것이 중요해. 환경친화적 행동을 실천하는 날과 이를 실행할 수 있는 구체적인 약속을 설정해 보고 직접 실천해 보자.

➔ 다음 자료를 참고하여 환경친화적 행동을 실천하는 날을 그림과 실천 약속으로 표현해 보자.

예시 답안 |

	설명: 그릇 싹싹의 날이란, 음식물 쓰레기를 남기지 않고 모두 먹는 날로, 못 먹을 때에는 남은 음식을 포장해 온다. 〈실천 약속〉 1. 식당에서 음식이 남으면 남은 음식을 식당 사장님께 말씀드려 포장해 온다. 2. 식당에서 기본 반찬이 나올 때 어떤 것이 나오는지 물어보고 원하는 것만 달라고 말씀드린다.

스스로 활동하기 풀이 환경을 위한 제도적·국제적 노력 교과서 144쪽

이것이 핵심
환경 문제를 해결하기 위해서는 개인적 노력뿐 아니라, 사회적 노력 또한 필요함을 알고 이에 대한 실제 사례를 설명한다.

친절한 활동 안내
환경 문제를 해결하기 위해서는 개인적 노력과 더불어 사회적 노력도 중요해. 활동을 하며 내가 몰랐던 단체에 대해 스스로 정리해 보자.

➔ 환경친화적 삶을 실천하기 위해 노력하는 국내외의 단체를 조사하여 정리해 보자.

예시 답안 |

단체 이름	트리 플래닛
설명	세상 모든 사람이 나무를 심는 방법을 만드는 소셜 벤처로, 개인 또는 단체로 신청을 받아 숲을 조성하는 자금을 모으고 있다. '중국 사막화 방지 숲', '네팔 지진 피해 지역 복구를 위한 커피 나무 농장' 등 다양한 환경적·사회적 가치가 있는 숲을 조성하고 있다.
새롭게 알게 된 점	세계 한류 스타의 팬들이 숲을 만드는 '스타 숲 프로젝트'를 통해 80여 개의 스타 숲이 조성되었고, 2016년 3월까지 12개 나라의 116개 숲에 55만 그루의 나무가 심어졌다는 사실이 신기하고도 놀라웠다.

함께 활동하기 풀이 환경친화적 생활 홍보 영상물 제작하기

교과서 145쪽

▲ 줄이기

▲ 재사용하기

▲ 재활용하기

➔ 다음 활동 방법에 따라 홍보 영상물을 제작해 보자.

예시 답안 |

주제	중고 거래
실천 방법	중고 거래를 활성화하여 자원 낭비를 막고 생활 쓰레기의 배출량을 줄일 수 있다.
그림 줄거리	나: 키가 자라면서 예전에 입던 청바지가 작아서 입지 못하게 되었어. 그냥 버려야 할까? 아직 새것 같은데 아까워. 친구 1: 인터넷 중고 거래를 활용해 보는 것은 어때? 돈도 벌고 자원 낭비도 줄이고 일석이조야! 나: 우와. 어떻게 하는지 알려 줄래? (다음날) 문자 알림: 안녕하세요. 인터넷 보고 연락드려요. 혹시 청바지 구매 가능할까요?

이것이 핵심

일상생활에서 환경친화적 삶을 위해 실천할 수 있는 개인적 노력에는 어떤 것들이 있는지 이해하고 이를 영상물로 제작한다.

친절한 활동 안내

일상생활에서 우리가 하는 모든 행동은 환경에 많은 영향을 주고 있어. 그래서 우리의 사소한 노력만으로도 환경 보호를 위해 이바지할 수 있어. 이번 활동을 통해 생활 속에서 환경을 위해 실천할 수 있는 개인적 노력에는 어떤 것들이 있는지 구체적으로 생각해 보자.

배움 정리하기 풀이

✔ 예 재사용과 재활용을 습관화할 것이다.

✔ 예 탄소 포인트 제도와 서울시의 에코 마일리지 등이 있다.

재미있는 도덕 읽기 벼룩시장은 무슨 뜻일까

▲ 전국 어린이 벼룩 시장의 모습

벼룩시장은 우리나라뿐만 아니라 세계 어느 나라를 가더라도 쉽게 찾아볼 수 있다. 구체적으로는 한국의 서울, 청계천, 황학동의 벼룩시장이 대표적이며, 스페인 마드리드의 '라스트로', 브라질의 '레푸블리카 공원', 스웨덴 스톡홀름의 '회토리에트 광장' 등이 세계적으로 손꼽히는 벼룩시장이다. 그렇다면 벼룩시장의 어원은 무엇일까? 벼룩시장은 영어로 'flea market'이며, 프랑스어로는 'marche aux puces'이다. 영어의 'flea'와 프랑스어의 'puce'는 둘다 벌레인 벼룩을 뜻한다. 때문에 벼룩이 들끓을 정도의 고물을 많이 판다는 것에서 '벼룩'이라는 이름이 붙었다는 의견도 있으며, 불어의 'puce'가 벼룩 이외에 다갈색이라는 뜻도 가지고 있어 오래된 가구 시장을 가리킨다는 의견도 있다.

중단원 마무리

토론·토의 | 체험 활동 | 글쓰기 | 역할 놀이 | 교과서 146쪽

물을 어떻게 아낄까?

이것이 핵심

직접 사용하는 물의 양뿐 아니라, 간접적으로 사용하는 물의 양 또한 많음을 알고, 물을 절약할 수 있는 구체적 실천 방법을 생각한다.

친절한 활동 안내

직접 사용하는 물의 양은 우리가 얼마만큼의 물을 사용하는지 알 수 있지만, 간접적으로 사용하는 물의 양은 눈에 직접 보이지 않기 때문에 어느 정도 사용하는지 느끼기 어려워. 그렇기에 물을 더욱 함부로 사용하기도 하지. 우리 주변에서 간접적으로 물을 사용하는 경우는 언제인지, 이때 물을 절약하는 방법에 어떤 것들이 있는지 생각해 보자.

다음 글을 읽고 '가상 수와 물 발자국' 역할을 해 보자.

물 발자국은 일상생활에서 우리가 사용하는 물건을 만들고 소비하는 것에 직간접적으로 사용하는 물의 총 사용량이다. 물 발자국은 '가상 수(Virtual water)' 개념을 사용한다. 예를 들어, 우리가 물 한 컵을 마시는 상황을 가정한다면, 컵에 있는 물의 양뿐만 아니라 컵을 만들 때 사용된 물의 양까지 포함한 물의 총소비량이 바로 '가상 수'이다. 우리가 매일 사용하는 책, 전자 기기, 옷 그리고 우리가 매일 먹는 과일부터 고기에 이르기까지 보이지 않는 곳에서 엄청난 양의 물이 사용되고 있다.

– 한국환경공단 누리 사랑방

1. 다음 활동 방법에 따라 역할극을 기획해 보자.

예시 답안 |

물 절약 실천 방법	소고기 대신 돼지고기를 먹기
역할극 제목	식재료값이 많이 나가 걱정인 우리 엄마
역할	아빠, 엄마, 오빠, 나(여학생), 환경 관련 TV 프로그램 진행자
줄거리	요즘 우리 엄마는 우리 남매의 식재료값 때문에 고민이 많으시다. 우리가 사춘기에 접어들면서 식욕이 왕성해진 데다가 고기를 좋아하여 하루라도 고기가 없으면, 엄마에게 반찬 투정을 부리기 때문이다. 엄마는 우리가 좋아하는 소고기를 자주 사다가 여러 가지 반찬을 해 주셨다. 지난 일요일에는 모처럼 가족이 다같이 환경 관련 TV 프로그램을 보았다. 물 발자국에 관한 내용이었는데 소고기 1,000g을 얻기 위해서는 15,500L의 물 발자국이 필요하지만, 돼지고기는 6,000L의 물 발자국이면 된다는 사실을 알게 되었다. TV를 보고 난 후 우리 가족은 식재료값도 줄이고 환경 보호에 힘쓰기 위해서 소고기보다는 돼지고기를 자주 먹기로 결심하였다.

2. 역할극을 끝낸 후 각자 느낀 점을 이야기해 보자.

예시 답안 | 모둠원과 협동하면서 물 절약에 대해 구체적으로 알게 되었다. 그리고 역할극을 통해 실제로 그 이야기의 역할을 맡아서 생각해 보니 더 쉽게 느껴지고, 생동감이 있어서 좋았다.

재미있는 도덕 읽기 | 물 발자국

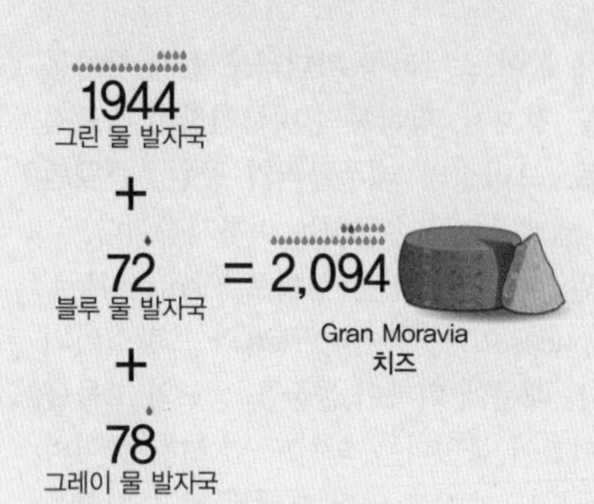

물 발자국은 블루(blue, 파란색), 그린(green, 초록색), 그레이(grey, 회색) 세 가지로 구성되며 각각 직접적인 물 사용과 간접적인 물 사용으로 구성된다.

- 그린 물 발자국: 재화와 용역 생산 시 사용한 토양에 저장된 빗물의 양
- 블루 물 발자국: 개인이나 공동체가 소비한 재화와 용역을 생산하기 위해 사용한 지표수와 지하수의 양
- 그레이 물 발자국: 재화와 용역의 생산으로 오염된 물의 양이며, 오염원을 수질 기준 이상으로 정화하는 데 필요한 물의 양으로 계산함

위 설명을 토대로 그림을 살펴보면, 그란 모라비아 치즈 1,000g을 만드는 데에는 그린 물 발자국 1,920L, 블루 물 발자국 87L, 그레이 물 발자국 62L가 사용되어 총 2,094L의 물 발자국이 계산된 것을 확인할 수 있다.

– 세계물포럼 누리집

개념 확인 문제

01 다음 내용이 옳으면 ○표, 틀리면 X표 하시오.

(1) 우리는 자연으로부터 삶에 필요한 많은 것을 얻으며 살아간다. ( )

(2) 자연에 속한 수많은 생명체는 우리에게 혜택을 준다는 점에서만 소중하다. ( )

(3) 시냇물이나 바위조차도 그 나름의 아름다운 가치를 지니고 있다. ( )

02 밑줄 친 '이것'은 무엇인지 쓰시오.

> 이것은 자연환경이 시간의 흐름에 따라 대기와 해양의 순환 과정을 통해 스스로 오염 정도를 낮추어 정화하는 능력이나 작용을 말한다.

03 자연을 이해하는 관점과 그 설명을 바르게 연결하시오.

(1) 인간 중심주의 •	•	㉠ 자연을 도구적 수단으로 보는 관점
(2) 생명 중심주의 •	•	㉡ 전체 환경에 대한 배려를 강조하는 관점
(3) 생태 중심주의 •	•	㉢ 동식물 등 생명의 가치를 존중하는 관점

04 다음 글에서 설명하는 제도가 무엇인지 쓰시오.

> • 국민 개개인이 온실가스 감축 활동에 직접 참여하도록 유도하는 제도
> • 가정, 상업 시설, 기업이 감축한 온실가스를 적립하여 현금, 교통 카드, 상품권, 종량제 쓰레기봉투 등으로 선택하여 사용 가능함

실력 점검 문제

01 환경에 대한 설명으로 옳지 <u>않은</u> 것은?

① 자연에 속한 수많은 생명체는 그 자체로 소중하다.
② 산업화와 도시화는 환경 문제의 주요 원인 중 하나이다.
③ 인간을 포함한 자연의 모든 존재는 서로 영향을 주고받는다.
④ 환경 문제는 그 범위가 넓고 오랫동안 지속한 것이지만, 쉽게 해결할 수 있다.
⑤ 인간을 비롯한 다양한 생명체에 영향을 주는 자연적인 조건을 자연환경이라고 한다.

02 ㉠에 들어갈 말로 가장 적절한 것은?

> [㉠](이)란 인류와 지구 생태계를 구성하는 모든 생명의 가치를 고려하여 환경 파괴를 최소화하고, 건강한 생태계를 미래 세대까지 지속적으로 이용할 수 있게 해 주는 정신적 기초를 말한다.

① 물 발자국　② 합리적 소비
③ 인간 중심주의　④ 에코 마일리지
⑤ 환경친화적 자연관

03 인간과 자연의 조화로운 삶에 대한 설명으로 가장 적절한 것은?

① 도덕적 고려의 범위를 인간으로 한정해야 한다.
② 자연을 정복의 대상이나 인간만을 위한 도구로 여겨야 한다.
③ 인간의 필요와 생태계의 가치를 조화시키는 삶의 태도를 형성해야 한다.
④ 자연의 본래적 가치를 지키기 위해 인간은 현재의 삶의 방식을 모두 포기해야 한다.
⑤ 자연은 본래적 가치를 훼손하지 않기 위해서 인간은 자연을 절대 이용하지 말아야 한다.

실력 점검 문제

04 자연을 바라보는 관점에 대한 설명으로 옳지 않은 것은?

① 인간 중심주의는 자연을 도구적 수단으로 바라본다.
② 인간 중심주의는 인간을 다른 생명체보다 우월한 존재로 본다.
③ 동식물 등 생명의 가치를 존중하는 관점을 생태 중심주의라고 한다.
④ 생태 중심주의는 인간을 다른 생명체보다 우월한 존재로 보지 않는다.
⑤ 생태 중심주의는 자연에 속한 모든 것의 가치를 서로 동등하게 존중해야 한다고 본다.

05 다음 글의 근거로 가장 적절한 것은?

> 만약 자연을 인간을 위한 수단으로 한정하여 생각한다면, 자연환경을 파괴하는 무분별한 소비 습관이 확산될 것이다. 반대로, 자연의 모든 존재를 고려한다면 자연을 활용한 소비에 신중해질 것이다. 따라서, 우리는 자연을 바라보는 관점에 따라 소비 생활도 영향을 받는다는 사실을 명심해야 한다.

① 소비와 자연은 아무런 관련성이 없다.
② 합리적 소비는 자연에 악영향을 미친다.
③ 어떤 물건을 구매할 때 자연을 고려할 이유가 전혀 없다.
④ 환경 오염의 유일한 원인은 인간 중심주의적 사고에서 비롯한 잘못된 소비 습관이다.
⑤ 인간은 의식주를 비롯해 생활에 필요한 여러 가지 물질적 자원을 자연으로부터 얻는다.

06 환경과 소비에 대한 설명으로 옳지 않은 것은?

① 환경친화적 소비는 제품의 생산과 유통에만 관심을 두는 것이다.
② 지나친 소비 습관은 환경에 악영향을 미칠 뿐 아니라 비합리적이다.
③ 자연환경은 우리의 소비 생활을 가능하게 하는 기초적인 자원이다.
④ 우리는 소비 습관이 환경을 파괴할 수도 있음을 알고 환경친화적 소비 생활을 실천해야 한다.
⑤ 지나친 소비 습관은 사회와 환경을 고려하지 않는다는 점에서 비윤리적 소비라고 할 수 있다.

07 ㉠과 ㉡에 들어갈 말로 옳은 것은?

> 자신의 소비가 사회와 환경에 미치는 영향을 고려하는 소비를 '윤리적 소비'라고 한다. 이러한 윤리적 소비의 사례 중 하나로 자신의 생활 지역과 가까운 곳에서 생산된 신선한 먹거리의 소비를 강조하는 (㉠)을/를 들 수 있다. 또한, 패스트푸드를 반대하고 친환경적인 농산물을 이용한 먹거리의 생산과 방식을 지향하는 (㉡) 또한 윤리적 소비의 일종이다.

	㉠	㉡
①	공정 무역	로컬 푸드
②	공정 무역	슬로 푸드
③	로컬 푸드	공정 무역
④	로컬 푸드	슬로 푸드
⑤	슬로 푸드	로컬 푸드

08 **환경친화적 습관의 실천 방법으로 적절하지 않은 것은?**

① 대중교통 이용하기
② 녹색 소비 실천하기
③ 사용한 물건 재활용하기
④ 불필요한 쓰레기 배출 줄이기
⑤ 건강한 머릿결을 위해 샴푸를 많이 사용하기

중요

09 **환경친화적 습관에 대한 설명으로 적절하지 않은 것은?**

① 환경친화적 소비는 환경뿐만 아니라 다른 생명까지 고려하는 소비이다.
② 지나친 소비 습관을 점검하는 것은 합리적이고 윤리적 소비로 이어진다.
③ 환경친화적 습관을 통해 지구 생태계와 미래 세대에 대한 책임을 수행할 수 있다.
④ 환경친화적 습관을 실천해도 다른 사람이 지키지 않는다면 소용이 없으므로 하지 않는다.
⑤ 환경친화적 삶을 실천하려면 먼저 일상생활이 환경에 미치는 영향을 충분히 고려해야 한다.

10 **환경친화적 삶을 위한 사회적 실천 방안의 필요성으로 가장 적절한 것은?**

① 개인적 차원의 노력만으로 모든 환경 문제를 해결하기는 어렵다.
② 환경 오염의 전적인 원인은 사회에 있으므로 사회만 책임지면 된다.
③ 경제 발전이 환경 파괴의 가장 큰 원인이므로 지금 당장은 경제 발전을 멈추어야 한다.
④ 현재 환경친화적 삶을 위해 시행되는 사회적 실천 방안은 없으므로 새롭게 만들어야 한다.
⑤ 일상생활에서 개인적으로 환경친화적 습관을 실천해도 환경 보호에 미치는 영향은 미미하다.

서술형

11 **생명 중심주의, 생태 중심주의의 공통점과 인간 중심주의와의 차이점을 서술하시오.**

12 **지나친 소비 습관이 비합리적·비윤리적인 이유에 대해 서술하시오.**

13 **일상생활 속에서 환경친화적 삶을 실천하는 방법을 세 가지 서술하시오.**

1 자연관

1 나는 친환경 마크 수집가

memo

➔ 다음 글을 읽고 보고서를 작성해 보자.

친환경 마크란 국가에서 환경 오염에 미치는 영향을 최소화하고 환경 보호를 위해 힘쓰는 제품이라고 인정하는 제품에 부여하는 마크를 말한다.

〈보고서〉

친환경 마크 종류	
관련 제품 사진	
친환경 마크를 선택한 이유	
느낀 점	

2 환경친화적 소비 프로젝트

memo

❶ 2주 동안 환경친화적 소비를 실천하고 실천 정도에 따라 실천 지수를 표시해 보자.

(80~100%면 ⊙표, 50~70%면 ○표, 30~50%면 △표, 0~30%면 ×표)

번호	실천 내용	실천 지수
1	제품을 구매할 때 친환경 마크를 확인하였다.	
2	밖에서 음식을 먹을 경우, 음식물을 남기지 않았다.	
3	환경 파괴에 영향을 미치는 과대 포장 과자를 먹지 않았다.	
4	일회용품 사용을 자제하였다.	
5	물건을 구매하기 전에 나에게 필요한 것인지 생각하고, 충동구매를 하지 않았다.	
6	구매한 물건은 다 닳을 때까지 사용하려고 노력하였다.	
7	생활 속에서 발생한 쓰레기는 올바르게 분리수거하였다.	
8	대기 전력 사용을 줄이기 위해 사용하지 않는 전기 코드를 빼놓았다.	
9	가지고 있는 물건 중 불필요한 것은 필요한 사람에게 주거나, 교환하려고 노력하였다.	
10	비윤리적으로 생산·유통·판매되는 제품은 구매하지 않았다.	

❷ 위의 항목 중 가장 잘 지킨 것 세 가지를 골라 구체적 사례 및 경험을 써 보자.

번호	관련된 구체적 사례 및 경험

❸ 위의 항목 중 가장 지키기 어려웠던 세 가지를 골라 지키지 못한 원인을 분석하고 구체적인 개선 방안을 생각해 보자.

번호	지키지 못한 원인	구체적 개선 방안

❹ 활동하며 느낀 점을 써 보자.

책임 윤리의 창시자

한스 요나스

(Hans Jonas, 1903~1993)

이번에 소개할 인물은 요나스입니다.
요나스는 독일의 생태 철학자로,
나치를 피해 1933년 영국으로 탈출하였다가 1935년 팔레스타인,
1949년 캐나다를 거쳐 1955년에는 미국으로 이주하였습니다.

요나스는 뉴욕의 프랑크푸르트 사회연구소에서 교수로 활동하면서,
『책임의 원칙』이라는 책을 출간합니다.
이를 통해 요나스는 환경 윤리학 또는 생태 철학이라고 불리는
철학의 한 분야를 열었습니다.

요나스는 인간 중심주의가 도구적 기술관과 어우러져
환경 파괴와 기술 만능주의를 가져왔다고 보았습니다.
그는 이를 토대로 이전에는 없었던 새로운 책임의 윤리를 주장하였습니다.

"너의 행위의 영향이 지상에서의 진정한
인간적 삶의 지속과 조화될 수 있도록 행위하라."

이처럼 그는 새로운 시대에 맞는 윤리는
인간과 자연까지 포함하도록 전통 윤리의 영역을 확장해야 하고,
의도적인 행위의 결과에서 의도하지 않은 행위의 결과까지
책임의 범위를 확장해야 한다고 주장하였습니다.

책임을 말하는 한스 요나스를 만나다.

요나스 선생님, 현대에는 산업화와 도시화 등으로 환경 문제가 걷잡을 수 없을 만큼 심각해지고 있어요. 선생님께서는 이에 대해 어떻게 생각하시나요?

이러한 시대적 특징에 맞는 새로운 윤리학이 필요하다고 생각합니다. 특히 현대 사회는 과학 기술의 무한한 진보로 인해 생태계의 심각한 파괴를 초래하는 것이 특징입니다. 저는 이에 맞추어 윤리적 나침반의 역할을 할 수 있는 '공포의 발견술'을 주장하였습니다.

사람들에게 공포심을 주는 것인가요? 구체적으로 말씀해 주세요.

인간은 자신이 원하는 것보다 원하지 않는 것을 더 잘 아는 특징이 있습니다. 그렇기에 인간에게 특정한 윤리적 원리를 도출하기 위해서는 희망보다는 공포로부터 논의를 시작해야 한다고 봅니다. 특히 기술의 발달로 인해 우리가 미처 예측할 수 없는 것들이 정말 많습니다.
'공포의 발견술'은 구체적으로 크게 3단계입니다. 상황의 부정적 결과를 상상하고, 어떠한 문제점이 있는지 명료화한 후 예방책을 마련하는 것입니다. 이러한 단계를 통해 미래에 발생할 문제점을 더욱 명확히 인식하고 대책을 마련할 수 있습니다.

현재인 '지금' 뿐만 아니라 '미래'도 생각해야 한다는 말씀이시군요.

맞습니다. 특히나 현대 사회처럼 빠르게 발달하는 요즈음은 현재 세대의 욕구를 충족하기 위해서 무분별하게 기술을 발달시키기 보다는 현재 세대의 욕구와 미래 세대의 욕구를 조화시켜야 합니다. 이를 통해 우리는 미래 세대에 대한 책임의 의무를 져야 합니다.

02 과학과 윤리

교과서 148~163쪽

1 과학 기술은 인간의 삶을 어떻게 바꾸어 놓았을까?

1. 과학 기술의 의미와 목적

(1) 의미

① 과학: 자연을 탐구하고 과학적 진리를 발견하는 이론 체계

② 기술: 과학적 지식을 활용하여 실제 생활의 다양한 필요를 충족해 주는 것

③ 과학 기술: 과학의 객관적 지식을 적용하여 인간의 생활을 유용하게 하는 수단

(2) 목적

① 수단적 목적: 삶에 필요한 다양한 수단을 제공하는 것

② 궁극적 목적: 삶의 질 향상을 통한 인간의 존엄성을 구현하는 것

• 동물 복제

복제 강아지 스너피(오른쪽)와 타이(왼쪽)

스너피는 타이의 체세포를 복제하여 태어난 강아지이다. 스너피는 타이와 같은 생명체인 동시에 다른 생명체이다.

2. 과학 기술을 통한 삶의 긍정적 변화

(1) **풍요롭고 편리한 생활**: 의식주 문제 개선, 힘든 일도 편리하게 처리할 수 있음 (로봇 청소기, 잡무 처리용 인공 지능 로봇 등)

(2) **인간관계의 확장**: 다양한 사람과 언제 어디서나 교류할 수 있음

(3) **건강 증진과 위험 예방**: 많은 질병을 치료하여 평균 수명이 늘어났으며, 여러 가지 재해를 예측하여 대비할 수 있음

(4) **지식과 문화의 확산**: 새로운 지식과 정보를 생산하여 많은 사람과 혜택을 나눌 수 있음 (누구나 수정이 가능한 인터넷 백과사전 등)

2 과학 기술로 모든 문제를 해결할 수 있을까?

1. 과학 기술 발달에 따른 부작용

(1) **과학 기술에 지나치게 의존하려는 문제**: 인간의 주체성 상실과 비인간화 (과학 지상주의: 과학 기술이 다른 어떤 가치보다 최우선시하고, 모든 문제를 과학 기술을 통해 해결할 수 있다고 보는 태도)

(2) **생명의 존엄성을 훼손하는 문제**: 배아 복제, 유전자 가위, 동물 복제 등

(3) **안전 문제**: 원자력 발전소와 핵무기 등 대량 살상 무기로 인한 잠재적 위험성 증가

(4) **인권 및 사생활 침해 문제**: 개인 정보 유출 및 감시와 통제, 과도한 사생활 노출 등

재미있는 도덕 읽기 | 기술의 발달은 항상 좋은 것일까

「모던 타임즈」의 주인공인 찰리의 모습

자료 해설

왼쪽의 사진은 「모던 타임즈」라는 영화 속 한 장면으로 주인공 찰리는 공장의 컨베이어 벨트에서 나사를 조이는 일을 맡고 있다. 매일매일 똑같은 일을 반복하던 찰리는 일을 하지 않을 때도 모든 사물을 조이고 싶어한다. 결국 그는 정신 병원에 수감되어 치료를 받게 된다. 퇴원한 찰리는 우연히 길에 떨어진 깃발을 주워 들었다가 시위대라고 오인받아 감옥에 갇히고 만다. 편하게 수감 생활을 하던 찰리는 곧 사면된다는 소식에 우울해 한다.

이렇게 이해하세요

영화의 시대적 배경인 제2차 산업 혁명 시기의 특징은 기계화와 분업화라고 할 수 있어요. 영화는 기계가 인간의 일을 대체하고, 인간은 동료와 대화도 하지 않은 채 생산성을 높이기 위해 의미 없는 단순 노동만을 반복하는 장면을 강조해요. 이를 통해 인간이 자신의 재능과 본성을 발휘할 기회를 박탈당하고 주체성이 상실된 현실을 비판하고 있어요.

2. 과학 기술의 한계와 그 위험성

(1) **한계** — 신중하게 대비하는 자세를 지녀야 함

① 과거에 과학적 진리로 통하였던 이론이 잘못된 것으로 판명되는 경우가 존재함

② 새로운 과학 기술로 발생할 수 있는 모든 문제를 예상할 수는 없음

(2) 과학 기술의 긍정적인 측면만을 강조하면 과학 기술의 위험성을 지나치기 쉬움

└ 새롭게 고안된 발명품이나 약품이 문제를 일으킨 사례가 보고되기도 함

3 과학 기술에 책임이 필요한 이유는 무엇일까?

1. 과학 기술 개발과 인간의 존엄성

(1) **과학 기술의 목적**: 인간의 존엄성과 인간 삶에 대한 도덕적 고려를 토대로 인간의 삶을 개선하는 것

(2) **과학 기술에 대한 도덕적 책임감의 필요성**

① 인간의 존엄성을 훼손하거나 생활 전반에 걸쳐 나타날 수 있는 윤리적 문제를 남긴 채로는 인간의 삶을 개선할 수 없음

② 인간의 생활에 큰 영향을 미치는 과학 기술은 도덕적 고려의 대상

2. 과학 기술에 대한 도덕적 고려

(1) **도덕성에 어긋나는 압력을 받을 가능성**: 국력과 밀접한 관계가 있기 때문

(2) **상업주의적 사고가 팽배할 가능성**: 과학 기술의 경제적 가치가 증가하였기 때문

(3) 과학 기술에 의해 부정적 영향을 받는 사람들에 대한 충분한 고려가 필요함

3. 과학 기술에 대한 도덕적 책임

(1) **과학 기술자에게 높은 도덕적 책임감이 요구되는 이유**

① 과학 기술의 장단점을 일반인보다 더 잘 알고 있음

② 과학 기술로 인해 발생할 문제를 예방하기 위해서는 전문적 능력이 필요함

(2) **과학 기술에 대한 사회적 합의 및 제도 마련의 필요성** ┌ 특정 과학 기술자에게 문제에 대한 직접적인 책임을 묻기 어려운 상황도 발생

① 현대 사회의 과학 기술 개발 과정이 과거보다 매우 복잡하고 거대해짐

② 과학 기술자, 정부, 시민 단체 등이 모여 사회적 합의와 제도를 마련해야 함

• 천동설(天動說)
우주의 중심은 지구이고, 모든 천체는 지구의 둘레를 돈다고 주장하였던 '천동설'은 16세기까지 진리로 통하였으나, 오늘날에는 옳지 않은 학설임이 입증되었다.

• 과학 기술의 비윤리적 활용으로 인한 인간 존엄성 침해 사례
- 인간의 신체를 수단화하는 행위
- 충분한 정보 없이 이루어지는 인체 실험
- 사생활 침해

• 연구 부정 행위
- 위조: 연구 결과를 허위로 만들어 내는 것
- 변조: 연구 내용 및 결과를 왜곡하는 것
- 표절: 다른 사람의 저작물을 출처 표기 없이 자신의 것처럼 부당하게 사용하는 것
- 부당한 저자 표기: 연구한 사람에게 저자 자격을 주지 않거나, 연구하지 않은 사람에게 저자 자격을 주는 것

재미있는 도덕 읽기 — 제4차 산업 혁명의 부작용

(서울경제신문, 2016년)

자료 해설

이달의 과학 기술자상 수상자들은 '서울포럼 2016' 개막에 앞서 제4차 산업 혁명이 가져올 최대 부작용으로 양극화 심화(61.7%)를 꼽았다. 다음으로는 대량 실업(14.7%), 인간의 효용가치 하락(8.8%) 등을 지적하였다. 제4차 산업 혁명 관련 기술이 결국 인간의 노동력을 대체하는 자동화를 지향하는 만큼 여러 직업이 사라질 것이라는 우려이다.

– ○○신문, 2016. 5. 8.

이렇게 이해하세요

많은 과학자는 현대 사회를 4차 산업 혁명으로 넘어가고 있는 과도기 단계라고 보고 있어요. 4차 산업 혁명이란 생명 과학, 로봇, 인공 지능(AI)을 통해 사물을 자동적, 지능적으로 제어할 수 있는 시스템을 구축하는 산업상의 변화를 말해요. 우리는 이러한 흐름에 따라 어떤 문제점이 발생할 수 있을지 예측하고 준비하는 것이 중요해요.

1 과학 기술은 인간의 삶을 어떻게 바꾸어 놓았을까?

마음 열기 풀이

교과서 148쪽

자료 해설
과학 기술이 발달하여 인간이 할 수 있는 일 중 많은 것을 기계가 대신하면서 인간은 편리함을 얻기도 하였지만, 많은 일자리가 사라지게 되었다. 위의 자료는 버스 안내원이라는 사례를 통해 과학 기술이 가진 양면성을 보여주고 있다.

1. 오늘날 버스에는 왜 안내원이 없을까?

예시 답안 | 오늘날에는 버스 요금을 직접 내거나 교통 카드를 통해 내고, 내리는 곳 또한 방송을 통해 안내하기 때문이다.

2. 과학 기술이 인간의 삶을 바꾼 다른 사례에는 무엇이 있을까?

예시 답안 | 교통, 의료, 여가, 편의 시설, 정보 탐색, 사물 인터넷 등

스스로 활동하기 풀이 과학 기술이 나에게 주는 혜택

교과서 149쪽

이것이 핵심
과학 기술의 발달로 얻게 된 혜택 및 편리함에는 구체적으로 어떤 것들이 있는지 안다.

친절한 활동 안내
과학 기술은 궁극적으로 인간 삶의 질을 향상시켜 인간의 존엄성을 구현하는 것을 목표로 해. 일상생활에서 삶의 질을 향상시키는 과학 기술에는 어떤 것이 있는지 파악해 보자.

➔ 다음 예시를 참고하여 내가 직접적으로 혜택을 누리고 있는 과학 기술을 한 가지 정하여 소개해 보자.

예시 답안 |

정보 통신의 발달에 따라 거리와 시간에 관계없이 영상 통화를 할 수 있다. 그래서 나는 멀리 떨어진 외국에서 공부하는 친오빠와 실시간으로 얼굴을 보며 이야기할 수 있게 되었다.

스스로 활동하기 풀이 나의 삶을 변화시키는 과학 기술 찾아보기

교과서 150쪽

이것이 핵심
과학 기술의 발달로 인해 변화된 다양한 분야에서의 긍정적 혜택에 대해 알고 이를 설명한다.

친절한 활동 안내
하나의 과학 기술이 발전함에 따라 다양한 영역에 걸쳐 편리함을 가져온 과정에 주목해 보자. 과학 기술이 나와 동떨어진 것이 아니라 밀접하게 연결되어 있음을 생각해 보자.

➔ 다음 그림을 보고 물음에 답해 보자.

가

나

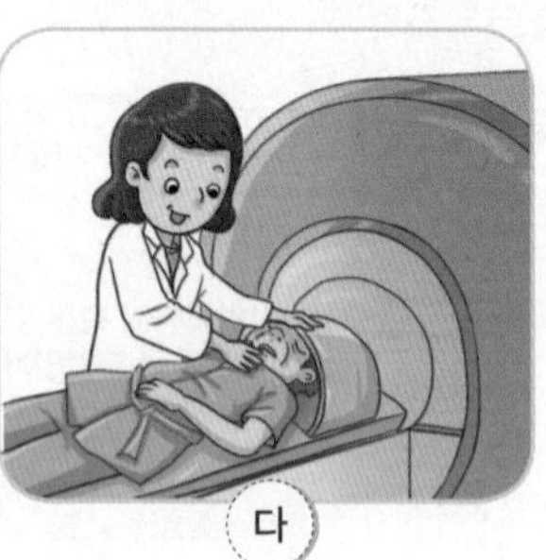
다

1. 위 그림에서 알 수 있는 과학 기술의 혜택을 써 보자.

예시 답안 |

가: 기기의 발달로 계절과 날씨에 상관없이 음식을 썩히지 않고 신선하게 오랫동안 보관할 수 있다.

나: 인터넷을 통해 필요한 지식을 쉽고 빠르게 검색할 수 있다.

다: 의료 기술의 발달로 예전에는 고치지 못하였던 질병을 고쳐 오랫동안 건강하게 살 수 있다.

2. 최근 나의 삶을 바꾸어 놓은 과학 기술에 관해 설명해 보자.

예시 답안 | 최근 빵을 만드는 것에 대한 관심이 많아졌는데, 인터넷 동영상을 통해 제빵과 관련된 지식을 얻어 직접 만들어 볼 수 있었다. 빵을 만드는 것은 너무 재밌었고 나는 제빵사라는 꿈을 가지게 되었다.

함께 활동하기 풀이 모든 인간을 위한 과학 기술

교과서 151쪽

➔ 다음 글을 읽고 물음에 답해 보자.

우리는 일반인보다 어려운 처지에 있는 사람들의 필요에 맞게 과학 기술을 활용할 수 있다. 예를 들어, 신호등 음향 신호기는 시력이 약한 노약자 또는 장애인의 통행을 돕기 위해 개발되었다.

신호등 음향 신호기는 빨간색 신호등에는 "잠시만 기다려 주십시오.", 초록색 신호등에는 "녹색 불이 켜졌습니다. 건너가도 좋습니다."라고 신호등의 상태를 안내함으로써 보행을 돕는다. 이를 이용해 교통 약자들은 다른 사람의 도움 없이 안전하게 도로를 이용할 수 있게 되었다.

▲ 신호등 음향 신호기

1. 윗글에 나타난 과학 기술 활용의 목적은 무엇인지 써 보자.

예시 답안 | 시각장애인이 횡단보도를 안전하게 이용하게 하는 것이다.

2. 모둠별로 우리 주변에서 비슷한 사례를 조사해 보자.

예시 답안 |

- **시설물**: 엘리베이터
- **시설의 목적**: 편리한 이동
- **혜택을 받는 사람**: 교통 약자(임산부, 노약자, 장애인 등)

예시 답안 |

- **시설물**: 지하철 장애인 유도 블럭
- **시설의 목적**: 울룩불룩 튀어나와 있어 지팡이를 통해 가야할 길을 알려줌
- **혜택을 받는 사람**: 시각 장애인

이것이 핵심!

과학 기술의 궁극적 목적은 인간 존엄성의 실현임을 알고, 이와 관련된 구체적 사례에 대해 조사한다.

친절한 활동 안내

과학 기술은 과학자의 의도와 계획에 따라 특정한 목적을 가지고 만들졌어. 그리고 이때 과학 기술은 궁극적으로 삶의 질 향상을 통한 인간 존엄성의 실현을 목표로 해. 구체적 사례를 통해 이에 대해 파악해 보자.

배움 정리하기 풀이

✓ 인간 존엄성

✓ ㉡ 풍요롭고 편리한 생활, 인간관계의 확장, 건강 증진과 위험 예방, 지식과 문화의 확산 등이 있다.

재미있는 도덕 읽기 장영실, 세종의 애민 정신을 과학 기술로 실현하다

⬆ 세종대왕 기념관 야외 전시장 물시계

조선 시대 수많은 왕 중에서도 백성을 사랑하는 마음이 강하였던 세종 대왕은 아버지 태종이 등용하였던 노비 출신의 과학자 장영실에게 관심을 가졌다. 장영실이 백성을 사랑하는 자신의 마음을 여러 가지 과학 기술을 통해 실현할 수 있는 사람이라고 생각하였기 때문이다. 세종은 시계가 없어 시간에 대한 개념이 없던 백성들을 안타까워하며, 장영실과 함께 해시계를 제작한다. 하지만, 해시계는 해가 없는 밤이나 비가 오는 날이면 시간을 확인할 수 없었다. 이러한 한계를 극복하기 위해 세종 대왕과 장영실은 물시계를 제작하여 백성들이 시간을 확인하고 중요한 약속 시간에 늦지 않을 수 있도록 하였다.

물시계의 맨 위에 있는 큰 물그릇에 물을 부으면 그 물이 아래의 작은 그릇을 거쳐, 제일 아래의 물받이 통에 흘러든다. 물받이 통에 물이 고이고 그 위의 잣대가 점점 올라가 눈금에 닿으면, 그곳에 장치해 놓은 지렛대 장치를 건드려 쇠 구슬을 구멍에 굴려 넣어준다. 이 쇠 구슬은 다른 쇠 구슬을 굴려주고 그것들이 차례로 종과 징·북을 울린다. 지금 남아 있는 물시계는 쇠구슬이 굴러 가던 부분이 없어진 채, 물통 부분들만 남아 있다. 이 사례에서 볼 수 있듯 과학 기술은 삶의 질 향상을 통해 인간 존엄성을 향상시킨다는 궁극적 목적을 위해서 발달되어야 한다.

2 과학 기술로 모든 문제를 해결할 수 있을까?

마음 열기 풀이

교과서 152쪽

자료 해설
과학 기술의 발달로 인하여 인간은 이전과는 다르게 다양한 분야에서 많은 편리함을 누리게 되었다. 그렇지만, 과학 기술이 인간의 모든 문제를 해결해 주는 것은 아니다. 과학 기술에 대한 무비판적 태도는 인간의 존엄성을 침해하는 도덕적 문제를 가져올 수 있기에 경계해야 한다.

1. 민수의 태도에 나타난 문제점은 무엇인가?

예시 답안 | 과학 기술에 지나치게 의존하고 있다.

2. 준영이가 더 하고자 하는 말을 상상해서 써 보자.

예시 답안 | 정보의 유출이 쉬워져 사생활을 침해받을 가능성이 높아지지 않을까?

도덕으로 세상 보기 해설 유전자 가위

교과서 153쪽

이것이 핵심
과학 기술이 인간에게 주는 혜택 및 편리함도 있지만, 이로 인한 도덕적 문제가 발생할 수 있음을 안다.

친절한 활동 안내
과학 기술이 발달하면서 인간은 생명에 관여할 수 있게 되었고, 이로 인해 발생하는 도덕적 문제점들도 있어. 유전자 가위를 통해 구체적으로 어떤 문제점들이 있는지 파악해 보자.

➔ 유전자 편집을 법적으로 허용할 때 예상되는 문제에는 어떤 것이 있을까?

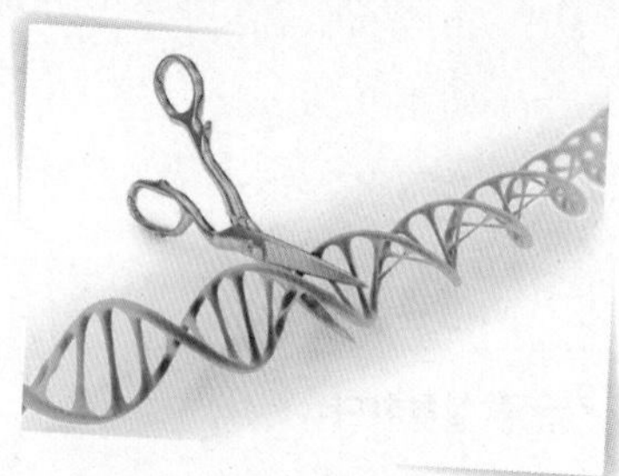

예시 답안 | 편집한 유전자를 자궁에 착상하는 것을 법적으로 금지하더라도 법을 위반하고 이를 시행하려는 사람이 있을 수 있다. / 비윤리적 방법을 통해 수정란을 무분별하게 수집할 수 있다. / 난자와 정자가 수정된 시점부터 인간으로 보아야한다고 생각하는 사람들의 입장에서는 유전자 가위 기술이 인간의 생명권을 침해하는 것이라고 주장할 수 있다.

스스로 활동하기 풀이 가상 현실과 인간 소외

교과서 154쪽

이것이 핵심
과학 기술에 대한 비판적 검토를 통해 특정 과학 기술의 발달로 발생할 문제점에 대해 미리 예측해 본다.

친절한 활동 안내
과학 기술을 활용할 때에는 긍정적 측면과 부정적 측면을 모두 검토해 보아야 해. 과학 기술을 무조건 믿거나, 무조건 비판하는 등의 태도는 피하려는 자세가 중요해.

1. 가상 현실 기술을 활용하여 가장 경험해 보고 싶은 것을 써 보자.

예시 답안 | 에베레스트산에 올라가 보고 싶다. / 좋아하는 연예인을 만나러 가 보고 싶다.

2. 가상 현실의 경험으로 일상생활에서 나타날 수 있는 부정적 영향은 무엇일까?

예시 답안 | 가상 현실을 통해 대부분의 것들을 간접적으로 경험할 수 있기에 직접 눈으로 보고, 듣는 등 직접적인 체험의 필요성이 사라질 수 있다. 이로 인해 인간이 직접적으로 하는 일이 사라지며 인간 소외 현상이 나타날 수 있다.

함께 활동하기 풀이 과학 기술은 인간을 자유롭게 하는가?

교과서 155쪽

➔ 다음을 참고하여 토론해 보자.

1. 사회자의 질문에 대한 아래 두 가지 주장의 사례를 제시해 보자.

예시 답안 |

- **인간이 더욱 자유로워졌다:** 식기세척기나 건조기 등 집안일을 편리하게 할 수 있게 도와주는 기술의 발달로 인해 효율적 시간 활용이 가능해졌다. / 의료 기술의 발달로 인간의 생명이 연장되었다.
- **인간은 기계의 노예가 되었다:** 스마트폰이 생기며 핸드폰만 보는 시간이 늘어나고, 이로 인해 정작 해야할 일을 제대로 못하는 경우가 많다. / 친구와 만나서도 얼굴을 보고 대화하는 것이 아니라 각자 스마트폰만 사용하여 깊은 대화를 하지 못하는 경우가 많다.

2. 인간이 과학 기술에 의존할수록 예상되는 문제점과 그 해결책에 관해 토론해 보자.

예시 답안 |

- **문제점:** 새로운 과학 기술에 대한 윤리적 기준을 만들기가 어려울 것이다. / 인간으로서의 본질을 잃고 인간 소외 현상이 발생할 수 있다. / 인간으로서의 주체성을 잃고 과학 기술에 종속될 것이다.
- **해결책:** 특정 과학 기술이 개발되었을 때 이를 허용하기 전 청문회나 TV 시사 프로그램 등을 통한 공개적 토의로 예측되는 문제점을 파악하고, 이를 예방하기 위한 제도 및 법률 등을 마련하도록 한다.

이것이 핵심

과학 기술의 양면성에 대해 구체적 사례를 통해 생각한다.

친절한 활동 안내

과학 기술은 어떻게 활용하느냐에 따라 긍정적으로 작용할 수도 있지만, 도덕적 문제점을 가져올 수도 있어. 따라서 과학 기술로 인해 발생할 수 있는 도덕적 문제점을 미리 생각해 보고 이에 대한 해결책을 마련하는 것이 무엇보다 중요해.

배움 정리하기 풀이

✔ 예 생명의 존엄성 훼손, 잠재적 위험성의 증가, 인권 및 사생활 침해 문제 등이 있다.
✔ 예측, 해결

재미있는 도덕 읽기 국민 85%, "과학 기술 발달 편하지만, 사생활 침해 우려돼"

우리나라 국민 중 94%는 과학 기술의 발달로 생활이 편리해질 것으로 예상하면서도, 85%는 이로 인한 개인 정보의 무분별한 사용 등의 우려를 갖고 있는 것으로 나타났다. 과학 기술의 발전이 가져올 미래 변화상에 대한 설문에서는 미래 기술 발전에 따른 혜택에 대해 생활의 편리성(94.3%)을 가장 높게 꼽았으며, 여가 시간의 증가(84.2%), 새로운 에너지원의 발견(83%) 등에 대해서도 높은 기대를 보였다. 미래 기술 발전이 가져올 부작용을 묻는 질문에 대해서는 개인의 사생활 침해가 89.4%, 빈부 격차에 89%, 기후 변화 심화에 86.9%가 응답하였다. 미래 과학 기술의 수용 여부에 대해서는 난치병 치료를 위한 유전자 조작(87.6%)이나 치료용 로봇 개발(74.8%) 등은 긍정적인 반면, 약물에 의한 인간지능 향상(60.5%) 등에는 부정적인 것으로 나타났다. - ○○신문, 2014. 5. 25.

3 과학 기술에 책임이 필요한 이유는 무엇일까?

마음 열기 풀이

교과서 156쪽

자료 해설
같은 과학 기술이라도 어떻게 활용하느냐에 따라 서로 다른 결과를 가져올 수 있다. 따라서 과학 기술을 사용하고 그 영향을 받는 인간이 책임감을 가지고 활용하는 것이 중요하다.

1. 드론을 활용한 결과가 때로는 이롭고, 때로는 해로운 까닭은 무엇일까?

예시 답안 | 드론을 사용하는 사람이 어떤 의도를 가지고 쓰느냐에 따라 달라질 수 있다.

2. 과학 기술의 활용으로 나타날 위험을 막기 위해서는 어떤 노력을 해야 할까?

예시 답안 | 과학 기술의 활용으로 인해 나타날 수 있는 문제점을 미리 예측하여 이를 위한 제도나 법을 마련한다. / 과학 기술의 양면성에 대한 의식이 향상될 수 있도록 각종 교육이나 캠페인 활동을 통해 이에 대해 알리도록 한다.

스스로 활동하기 풀이 자율 주행차의 윤리적 문제

교과서 157쪽

이것이 핵심
자율 주행차의 등장으로 인해 나타날 수 있는 긍정적 측면과 부정적 측면에 대한 사실을 객관화하여 기사문을 작성한다.

친절한 활동 안내
자율 주행차는 새롭게 등장한 기술인만큼 우리에게 주는 혜택과 발생할 수 있는 문제가 무엇인지 꼼꼼히 살펴보는 것이 중요해.

1. 다음을 읽고 자율 주행차의 등장으로 나타날 수 있는 사회 변화를 상상하여 아래의 기사문을 완성해 보자.

예시 답안 | 자율 주행차가 상용화되면 거대한 사회 변화가 일어날 것이다. 앞으로 수십 년 내에 대부분의 운전 관련 직업은 사라지게 될 것이다. 또한 운전자 없이도 자동차 스스로 주행이 가능하기에 차량 유지비 및 보험비 등이 사라질 수 있다. 자율 주행차로 인한 긍정적 변화는 운전할 시간에 다른 일을 하는 것이 가능해지며, 개인이 여가를 즐길 수 있는 시간이 늘어난다는 것이다. 그러나, 자율 주행차로 인한 부정적 변화는 사고 발생 시 자동차 개발 회사, 소프트 업체 등 사고 책임의 주체가 모호해질 가능성이 높다는 것이다. 또한, 자율 주행차에 프로그래밍 되어 있지 않은 돌발 상황이 발생하였을 때 이를 어떻게 처리할지에 대한 문제가 있을 수 있다.

2. 자율 주행차를 개발할 때 도덕적으로 생각해야 할 점은 무엇일까?

예시 답안 | 도덕적으로 판단해야 하는 사고 상황에서 자율 주행차에 어떤 대응 방안을 프로그래밍해야 할지에 대한 문제가 있을 것 같다.

스스로 활동하기 풀이 챌린저호 폭발 사고와 과학 기술자의 책임

교과서 158쪽

이것이 핵심
과학 기술로 인해 도덕적 문제가 발생하였을 때 객관적으로 사건을 바라보고 보편적인 도덕적 기준을 토대로 누가 책임을 져야 하는지 파악한다.

친절한 활동 안내
챌린저호의 폭발 사건은 누구에게 책임이 있을까? 주관적인 판단이 아니라 객관적인 기준을 두고 각각의 입장에서 생각해 보도록 하자.

1. 챌린저호의 폭발 사건은 누가 책임져야 할까?

예시 답안 |

- **과학 기술자**: 큰 위험성을 지닌 일인 만큼 안전성 여부와 관련하여 사전에 더욱 면밀히 검토하였어야 한다.
- **회사의 경영진**: 챌린저호를 발사하기 바로 전날 위험성에 대해 알게 되었으면서도 회사의 이익을 위해 챌린저호의 발사를 무리하게 강행하였다.

2. 위와 같은 일이 되풀이되는 것을 막기 위해서 어떤 노력을 해야 할까?

예시 답안 | 과학 기술과 관련된 주요한 결정권을 기업에게만 주지 않아야 한다. 기업은 인간의 존엄성이나 안전성보다는 회사의 경제적 이익을 위한 결정을 내릴 가능성이 크기 때문이다.

스스로 활동하기 풀이 '공포의 발견술'과 과학 기술에 대한 도덕적 책임

교과서 159쪽

➔ 다음을 읽고 아래 질문에 대한 각각의 단계를 작성해 보자.

로봇 기술이 발달하여 인간보다 지능이 뛰어난 인공 지능 로봇이 등장하면 인간의 삶은 어떻게 달라질까?

예시 답안 |

부정적 결과 상상하기		문제점 명료화하기		예방책 마련하기
로봇이 인간의 많은 일을 대체함으로써 인간은 자신이 쓸모없는 존재라고 생각할 수 있다.	⇨	인간만이 가진 인간다움에 대해 인간 스스로 잘 모르고 있다.	⇨	로봇과 인간에 대한 이해도를 높임으로써 대체할 수 없는 인간만의 위대함이 무엇인지 파악해 본다.

이것이 핵심!

인간보다 지능이 높은 로봇이 개발되었을 때 발생할 수 있는 문제점에는 무엇이 있는지 살펴 보고 이를 토대로 어떠한 예방책이 있을지 생각한다.

친절한 활동 안내

미래는 우리가 아직 겪지 않은 것이기에 특히나 상상력이 중요해. 상상력을 발휘하여 각 단계를 완성해 보자.

함께 활동하기 풀이 공상 과학(SF) 소설 쓰기

교과서 160쪽

➔ 다음 '10대 유망 기술' 중 하나를 선택하여 30년 후의 미래 사회를 배경으로 한 소설을 창작해 보자.

예시 답안 |

- **내가 선택한 10대 유망 기술:** 여가용 가상 현실(VR) 기술
- **소설 줄거리:**

오늘은 학교에 가지 않는 토요일이다. 아침에 느지막하게 눈을 뜬 나는 이내 침대맡에 있는 VR 기기를 썼다. VR을 통해 강아지 뽀삐를 만들었다. 뽀삐와 놀고, 야구를 하고, 내가 좋아하는 가수의 콘서트를 보러 갔다. 가만히 노래를 듣고 있으려니 예전에 부모님과 다투었던 일이 생각났다. 그때 나는 강아지가 키우고 싶었고 매일매일 친구들과 야구하고 싶었고, 좋아하는 가수를 매일 보러 다니고 싶었다. 내가 항상 밖에서 맴도는 것이 싫으셨던 부모님은 요즘 많이 사용한다는 VR 기기를 사주셨다. VR을 통해 나는 내가 원하는 모든 것을 할 수 있었다. 털이 보송한 강아지를 직접 만질 순 없지만, VR을 통해 현실감 있게 뽀삐와 놀 수 있었다. 매일 밖으로 나가지 않아도 원할 때 야구를 할 수 있었다. 또한, 직접 내가 좋아하는 가수를 보러가지 않아도 내가 원할 땐 언제든 그를 볼 수 있었다. 친구들과 얼굴 보고 이야기하는 일도 많이 줄었다. 친구들은 모두 VR 기기를 가지고 있었고 다들 집에서 나오지 않았다. 가끔은 친구들과 떠들던 그때가 조금 그립기도 하지만, 나는 지금 너무 행복하다.

이것이 핵심!

발전 가능성이 큰 과학 기술에 대해 알아보고, 객관적 사실을 토대로 미래에 발생할 수 있는 일에 대하여 상상력을 발휘해 예측한다.

친절한 활동 안내

객관적 사실을 토대로 나만의 실감 나는 이야기를 만들어 보도록 하자.

배움 정리하기 풀이

- ✓ 인간 존엄성
- ✓ ⓔ 부정적인 요소들의 영향을 최소화하여 지혜롭게 사용하는 것이다.
- ✓ ⓔ 과학 기술에 대해 전문적으로 알고 있기 때문이다.

재미있는 도덕 읽기 인간과 실체가 없는 인공 지능 프로그램이 사랑에 빠질 수 있을까?

영화 「Her」의 주인공 테오도르의 모습

영화 「Her」 속 사람들은 이어폰을 끼고 철저히 개인적인 모습을 보인다. 발달된 사회 속에서 스스로 생각하고 느끼는 인공 지능 프로그램인 OS1이 개발된다. 영화의 주인공 '테오도르'는 다른 사람들의 편지를 대신 써 주는 대필 작가로 다른 사람들의 마음을 전해 주지만, 아내와는 별거 중이며 외로운 삶을 살고 있다. 테오도르는 OS1 '사만다'를 만나고, 사만다는 테오도르의 말에 귀 기울이 그의 마음을 이해해 준다. 사만다로 인해 조금씩 행복을 되찾기 시작한 테오도르는 점점 사만다에게 사랑을 느낀다. 영화는 말하고자 하는 주제에 대해 명확한 답을 주지는 않는다. 다만, 사람과 사람 사이의 관계, 그리고 진정한 사랑의 본질과 조건에 대한 여러 생각을 하게 한다.

인공 지능 로봇 개발에 관한 합의 회의

이것이 핵심

인공 지능 로봇이 개발된다면, 직접적으로 영향을 받게 될 사람들은 누구인지 생각해 보고, 각 사람들의 입장에서 발생할 장점 및 문제점에는 어떤 것들이 있는지 구체적으로 작성한다.

친절한 활동 안내

4차 산업 혁명에 접어들면서 가장 큰 주제 중 하나는 인공 지능 로봇이라고 할 수 있어. 그렇기에 더욱 자세히 알아보고 미리 대처할 수 있어야 해.

➔ 다음 글을 읽고 인공 지능 로봇 개발에 관한 합의 회의를 진행해 보자.

1. 다음 글을 읽고 인공 지능 로봇 개발에 관해 각 분야의 전문가들에게 질문할 내용을 정리해 보자.

예시 답안 |

질문 대상	질문
과학 기술자	인간을 가르치는 것과 인공 지능 로봇을 학습시키는 것에는 어떤 공통점과 차이점이 있나요?
윤리 전문가	인공 지능 로봇으로 인해 인간이 노동을 하지 않아도 된다면, 인간은 어떻게 될까요?
사회학자	인공 지능으로 많은 사람이 직장을 잃는다면, 국가가 기본 소득을 지급해야 할까요?
근로자	인공 지능도 동료 노동자로 대해야 할까요?
기업가	인공 지능 시대에 고용할 인재는 어떠한 특징이 있을까요?

2. 회의를 진행한 후 성찰 일지를 작성해 보자.

예시 답안 |

토론 전 내 생각	나는 인공 지능 로봇 개발에 대해 긍정적이다.
토론 후 내 생각	여러 가지 문제점이 발생할 수 있고 이에 대비해야 한다.
생각이 바뀐 까닭	인공 지능 로봇이 실제로 활용된다고 할 때 각 분야별로 문제점이 많았기 때문이다.
토론을 통해 알게 된 점	윤리 전문가, 사회학자 등 다양한 관점에서 인공 지능 로봇 개발 기술을 살펴보아야 함을 알게 되었다.

재미있는 도덕 읽기 로봇이 대체할 수 있는 직업, 살아남을 수 있는 직업에는 어떤 것들이 있을까?

인간 고유의 영역이던 일자리들이 자동화, 컴퓨터, 로봇에 의해 위협받거나 사라지고 있다. 본래 '로봇'이라는 단어 자체가 인간의 노동을 대체한다는 뜻을 담고 있는데, 이는 허드렛일 또는 노예 상태를 뜻하는 체코어 로보타에서 나온 말이다. 2015년 영국 옥스퍼드 대학 마틴스쿨의 칼 프레이 교수와 마이클 오즈번 교수는 「창의성 대 로봇」이라는 연구 보고서를 발표하였다. 이 연구는 미국 노동부의 분류에 따른 702개 직업군을 대상으로 각각의 직업이 컴퓨터와 자동화 등의 영향으로 대체될 위험성을 진단한 것으로, 연구 결과 2010년 직업군 중 47%가 10~20년 안에 컴퓨터 자동화의 영향으로 줄어들거나 사라질 위험에 처하였다고 나타났다. 그중 특히 취약한 직군은 교통, 물류, 제조, 건설, 사무 행정 분야이다. 구체적으로는 콜센터 직원, 도서관 사서, 농업과 목축업 종사자, 벌목꾼, 광부, 자동차 판매원, 호텔 직원 등의 미래가 유난히 암울하였다. 반면 예술가, 건축가, 웹디자이너, 정보기술 전문가 등 창의성 높은 21%의 직업군만 컴퓨터 자동화에도 안전할 것으로 조사되었다.

– 구본권, 『로봇 시대, 인간의 일』

개념 확인 문제

01 다음 내용이 옳으면 ○표, 틀리면 X표 하시오.

(1) 과학은 자연을 탐구하고 과학적 진리를 발견하는 이론 체계를 뜻한다. ( )

(2) 과학은 기술의 진보를 촉진하고 기술은 과학의 발전을 자극하는 경향이 있으므로 과학과 기술은 밀접한 관계를 맺고 있다. ( )

(3) 과학 기술은 절대적인 지식을 토대로 하는 것이기 때문에 도덕과는 관련이 없다. ( )

02 밑줄 친 '이것'은 무엇인지 쓰시오.

> 이것은 인간과 동식물 세포의 유전체를 편집하는 데 사용되는 기술로, 손상된 DNA를 잘라내고 정상 DNA를 갈아 끼우는 짜깁기 기술을 말한다.

03 밑줄 친 '이것'은 무엇인지 쓰시오.

> 과학 기술의 개발을 위해 인간의 신체를 수단화하거나 충분한 정보에 의한 동의 없이 이루어지는 인체 실험 등은 이것을 훼손할 수 있다.

04 과학 기술과 그에 의해 나타날 수 있는 부작용을 바르게 연결하시오.

(1) 정보·통신 기술의 발달 •   • ㉠ 생명의 존엄성 훼손

(2) 무기 기술의 발달 •   • ㉡ 개인 정보 유출, 사생활 침해

(3) 생명 과학 기술의 발달 •   • ㉢ 원자력, 핵무기 등 인류 평화의 위협

실력 점검 문제

01 과학 기술의 목적에 대한 설명으로 가장 적절한 것은?

① 인간에게 편리함과 혜택을 제공하는 것이 전부이다.
② 도덕적으로 올바른지에 관해서는 생각하지 않아도 된다.
③ 삶의 질 향상을 통해 인간의 존엄성을 구현하는 것이다.
④ 긍정적인 목적으로 개발된 과학 기술은 긍정적으로만 활용된다.
⑤ 과학 기술은 자연이나 동식물이 아닌 오직 인간만을 위한 것이다.

02 과학 기술을 통한 삶의 긍정적 변화로 옳지 <u>않은</u> 것은?

① CCTV 설치로 인한 사생활 침해가 증가하였다.
② 재해를 예측하여 대비할 수 있어 위험 예방이 가능해졌다.
③ 의식주 문제를 개선하고 힘든 일도 더욱 편리하게 처리할 수 있게 되었다.
④ 다양한 사람과 언제 어디서나 교류할 수 있게 되며 인간관계가 확장되었다.
⑤ 지식과 정보를 많은 사람과 나누고, 다양한 문화 및 예술 활동을 할 수 있게 되었다.

03 다음 글의 내용으로 가장 적절한 것은?

> 과학 기술의 발전은 각종 가전제품을 개발하였고, 이를 많은 사람이 사용하면서 가사 노동을 하는 시간이 획기적으로 줄었다. 그로 인해 여성들의 사회 참여의 기회가 확대되고, 나아가 남성들도 가사일을 더욱 쉽게 분담하게 되었다.

① 가전제품은 가사에 소홀하게 한다.
② 남성이 여성보다 가사 일을 잘한다.
③ 과학 기술이 발전할수록 양성평등은 멀어진다.
④ 과학 기술의 발달로 인해 가사일의 양이 늘어났다.
⑤ 과학 기술의 발전과 사회 변화는 밀접한 관계가 있다.

실력 점검 문제

04 과학 기술 발달에 따른 부작용으로 적절하지 않은 것은?

① 배아 복제는 정보·통신 기술이 발달하며 등장한 문제이다.
② 정보·통신 기술의 발달로 인권 및 사생활 침해 문제가 일어나고 있다.
③ 인간이 과학 기술에 지나치게 의존하는 사례가 빈번하게 발생하고 있다.
④ 원자력 발전소와 핵무기 같은 대량 살상 무기로 인한 잠재적인 위험성이 높아지고 있다.
⑤ 생명 과학 기술의 발달에 따라 생명의 존엄성을 훼손하는 새로운 윤리 문제가 발생하였다.

중요

05 과학 기술의 한계에 대한 설명으로 옳지 않은 것은?

① 과학 기술이 인류의 모든 문제를 해결할 수 있다고 생각해서는 안 된다.
② 새롭게 고안된 발명품이나 약품이 문제를 일으키는 사례가 보고되기도 한다.
③ 과학 기술은 위험성도 있으므로 그 편리함과 긍정적인 면만 보아서는 안 된다.
④ 과거에는 과학적 진리로 통하였던 이론이 잘못된 이론으로 판명되는 경우가 있다.
⑤ 과학 기술은 모든 문제점을 예측할 수 있으므로 그 문제점을 해결할 방법을 찾아야 한다.

06 ㉠에 들어갈 말로 가장 적절한 것은?

| ㉠ |(이)란 우주의 중심은 지구이고, 모든 천체는 지구의 둘레를 돈다는 학설이다. 근대 천문학이 발달하지 않은 16세기까지 세계적으로 널리 받아들여졌으나, 오늘날에는 비과학적인 학설임이 입증되었다.

① 지동설 ② 지천설 ③ 천동설
④ 천체설 ⑤ 갈릴레이

07 과학 기술의 궁극적 목적을 실현한 사례로 적절하지 않은 것은?

① 물을 빠르게 틀 수 있는 수도꼭지
② 시력이 나빠진 사람들이 쓰는 안경
③ 정보를 빠르게 얻을 수 있는 스마트폰
④ 충분한 정보 없이 이루어지는 인체 실험
⑤ 노약자와 장애인의 통행을 위한 신호등 음향 신호기

08 과학자의 도덕적 책임에 대한 설명으로 적절하지 않은 것은?

① 인류 전체의 이익을 추구하는 연구를 해야 한다.
② 일반인보다 높은 수준의 도덕적 책임감이 요구된다.
③ 예상되는 문제점을 예방하기 위한 노력이 필요하다.
④ 자신의 연구 성과가 인류에게 미칠 영향을 고민해야 한다.
⑤ 과학자는 과학적 사실만 다루므로 가치 판단이나 도덕적 판단으로부터 자유로워야 한다.

중요

09 과학 기술이 궁극적으로 고려해야 할 점으로 가장 적절한 것은?

① 인구의 억제
② 인간의 존엄성
③ 자원의 효율적 이용
④ 새로운 에너지원의 개발
⑤ 외계인의 존재 가능성에 대한 조사

10 교사의 질문에 대해 옳게 대답한 학생만을 있는 대로 고른 것은?

① 갑, 을　② 을, 병　③ 정, 무
④ 갑, 병, 정　⑤ 을, 정, 무

서술형

11 과학 기술의 수단적 목적과 궁극적 목적에 대해 서술하시오.

12 과학 기술을 통한 삶의 긍정적 변화와 과학 기술 발달에 따른 부작용에 대해 각각 서술하시오.

13 과학 기술자에게 높은 수준의 도덕적 책임감이 필요한 이유를 두 가지 서술하시오.

자유 학기제를 대비하는

수행 평가

2 과학과 윤리

1 자율 주행차 상용화 토론하기

memo

❶ '자율 주행차의 상용화'에 대한 나의 주장과 이에 대한 근거 세 가지를 써 보자.

주장	
근거	

❷ '자율 주행차 상용화'에 관한 의견을 정리해 보자.

자율 주행차는 상용화되어야 한다		자율 주행차는 상용화되어서는 안 된다	
주장	근거	주장	근거

❸ 토론을 하며 변화된 나의 생각과 새롭게 알게 된 사실에 대해 써 보자.

변화된 생각	
새롭게 알게 된 점	

2 도덕적 책임에 대한 포스터 만들기

memo

➔ **과학 기술에 대한 '도덕적 책임'의 내용이 담긴 포스터를 만들어 보자.**

- 구성 내용
  - 과학 기술의 위험성 및 부작용에 대해 책임을 지녀야 할 주체는 자유롭게 선택
  - 명확한 대상을 설정하지 않을 수도 있음
- 구성 요소: 표어 및 그림

[표어]

[그림]

서양 근대 철학의 아버지

임마누엘 칸트

(Immanuel Kant, 1724~1804)

칸트는 독일의 항구 도시 쾨니히스베르크에서 가난한 마구 제조업자의 아홉 남매 중 넷째로 태어났습니다.

칸트는 규칙적인 생활을 한 것으로 굉장히 유명합니다. 매일 아침 5시에 일어나 7시부터 9시까지 강의를 하고, 9시부터 12시 45분까지는 연구와 집필에 집중하였습니다. 점심을 먹은 후 산책하고, 다시 돌아와 독서를 하고 10시에 잠자리에 들었습니다. 이러한 그의 정확한 습관 때문에 이웃 사람들은 그의 움직임을 보고 시곗바늘을 맞추었다고 합니다.

칸트는 1770년에 15년간의 강사직을 끝내고 쾨니히스베르크 대학교의 논리학·형이상학 교수로 임명되어 『순수 이성 비판』, 『실천 이성 비판』, 『판단력 비판』, 『이성의 한계 내에서의 종교』, 『학부들의 논쟁』 등 많은 책을 출판합니다. 칸트의 철학은 "그것이 어떻게 가능한가?"를 되묻는 것을 중요하게 생각하였기에 흔히 비판 철학이라고 말합니다.

이러한 점 때문에 그의 철학은 어떤 것에도 의지하지 않고 스스로 생각하는 철학이라고 평가받습니다. 특히 과학의 세계에서 인간의 도덕 법칙을 발견하였다는 평가를 받기도 합니다.

"너 자신의 인격에서나 다른 모든 사람의 인격에서 인간을 항상 목적으로 대하고 결코 수단으로 대하지 않도록 행위하라."

이성을 강조하는 임마누엘 칸트를 만나다.

요즘 뉴스를 보면 과학 기술로 인한 문제들이 참 많은 것 같아.

맞아. 나도 뉴스에서 충분한 정보를 알려 주지 않고 인체 실험을 하였다는 소식을 본 적이 있어.

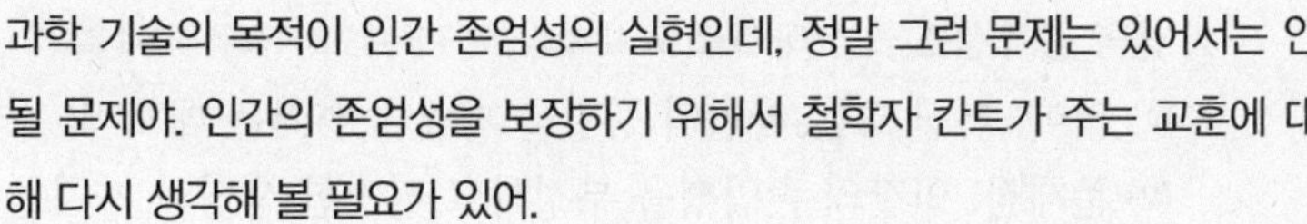

과학 기술의 목적이 인간 존엄성의 실현인데, 정말 그런 문제는 있어서는 안 될 문제야. 인간의 존엄성을 보장하기 위해서 철학자 칸트가 주는 교훈에 대해 다시 생각해 볼 필요가 있어.

칸트? 어디서 많이 들어본 것 같은데…… 조금 더 구체적으로 설명해 줄래?

칸트는 인간을 수단이 아니라 목적으로 대우해야 한다고 하였어. 이것은 예외 없이 반드시 지켜야만 하는 도덕 법칙이라고 주장하였지.

아직 무슨 말인지 정확히 모르겠어. 아까 말하였던 인체 실험을 예로 들어 자세히 설명해 줄 수 있을까?

수단이라는 것은 어떠한 목적을 이루기 위한 도구잖아. 그래서 수단은 반드시 그것을 통해 이루고자 하는 목적을 필요로 해. 인체 실험은 의료 기술의 발달이라는 목적을 위해 인간을 수단으로 사용한 사례라고 할 수 있어. 아마도 칸트는 인체 실험에 대해 반대할 거야. 인간은 목적 그 자체이기 때문에 또 다른 목적을 위해 사용되거나 도구화될 수 없거든. 인간은 그 자체로서 존중받아야 하고, 존엄한 존재이기 때문이야.

이제 이해가 되었어. 네 말대로 과학 기술이라는 것도 인간의 존엄성을 실현하기 위한 수단일 뿐이야. 그런데 요즘 들어 과학 기술이 목적이고 인간을 수단처럼 여기는 사건들이 점점 많아지는 것 같아. 이 때 칸트의 사상을 떠올린다면, 과학에서의 도덕적 책임도 자연스럽게 알 수 있을 것 같아.

03 삶의 소중함

교과서 164～179쪽

1 나의 삶을 소중하게 만드는 것은 무엇일까?

1. 삶이 소중한 이유

(1) 자신과 자신을 둘러싼 모든 가치와 인생의 가능성을 실현하기 위한 조건
(2) 부모님의 사랑으로부터 시작된 것(부모님에게서 물려받은 것)
(3) 두 번 주어지지 않는 유일한 것(한정된 순간)

2. 생명 존중의 중요성

(1) 생명의 가치를 증진하는 방안

① 자신에 대한 존중
② 타인에 대한 존중
③ 상호 존중을 통해 생명의 소중함 깨닫기

(2) 생명 경시 풍조 — 가벼울 경(輕), 볼 시(視)로 어떤 것을 대수롭지 않게 보거나 업신여기는 것을 말함

① 의미: 자신 또는 타인의 생명을 가볍게 여기는 태도 및 경향
② 문제점: 인간의 존엄성을 부정하고 진정한 생명의 가치를 이해하지 못함

(3) 생명 존중 실현을 위한 노력

① 생명을 포기하거나 좌절하지 않기
② 나의 생명뿐만 아니라 다른 사람의 생명도 소중하다는 인식 갖기
③ 다른 사람을 괴롭히거나 위협하지 않기

• 생명에 관한 격언

- 생명은 자연의 가장 아름다운 발명이며, 죽음은 더 많은 생명을 얻기 위한 기교이다. – 괴테
- 생명이 있는 한 희망이 있다. 실망을 친구로 삼을 것인가 아니면 희망을 친구로 삼을 것인가. – 위트
- 인간의 생명은 둘도 없이 귀중한 것인데도, 우리는 언제나 어떤 것이 생명보다 훨씬 더 큰 가치를 갖고 있는 듯이 행동한다. 그러나 그 어떤 것이란 무엇인가. – 생텍쥐페리
- '나'라는 인간을 '체험'하는 것, 그것이 '삶'이다. – 니체

2 죽음을 어떻게 생각해야 할까?

1. 죽음의 의미

죽음 — 누구에게나 일어나는 일로 모든 것들과의 단절을 뜻함

(1) 특징

① 보편성: 모든 사람이 맞이하는 것 (보편성 — 모든 것에 두루 미치거나 통하는 것)
② 불가피성: 누구도 피할 수 없는 것 (불가피성 — 아니 불(不), 가능할 가(可) 피할 피(避)로, 어떤 것을 피할 수 없음을 말함)
③ 일회성: 누구나 단 한 번 겪는 것

(2) 죽음이 두려운 이유: 직접 경험할 수 없으며 모든 것과의 이별이기 때문

재미있는 도덕 읽기 — 당신은 소중한 사람입니다

24시간 전화 상담
자살예방핫라인 ▶ 1577-0199
희망의 전화 ▶129
생명의 전화 ▶1588-9191
청소년 전화 ▶ 1388

'생명의 전화'의 '라이프 라인(Life line) 운동'은 1963년 호주 시드니에서 스스로 목숨을 끊으려는 한 젊은이의 전화를 받은 알렌 워커 목사에 의해 시작되어 현재는 세계 19개국에서 사랑의 봉사 운동을 펼치고 있다. 한국에서는 1973년 '아가페의 집'을 시작으로 1976년 9월 1일 한국 최초의 전화 상담 기관이 활동하기 시작하였다. 하루 24시간, 1년 365일, 전국 17개 도시에서 5,600여 명의 자원봉사자들이 전화 상담을 통해 고독과 갈등, 위기와 자살 등 삶의 어려움을 느끼는 사람들에게 희망과 용기를 주고 있다.

우리는 누구나 존재만으로도 아름답고 가치 있는 사람이다. 하지만, 괴롭고 힘든 일 때문에 우리의 생명을 포기하고 싶을 때가 있다. 이럴 때 우리를 도와주는 다양한 기관이 있다. 이들을 통해 우리는 충동적이고 돌이킬 수 없는 죽음을 예방하고 생명을 지키도록 노력해야 한다.

– 한국 생명의 전화 누리집 수정 인용

(3) **죽음의 진정한 의미**

① 죽음을 두려움과 슬픔의 대상으로만 생각할 필요는 없음

② 죽음은 인생의 가치를 깨닫는 계기가 됨

2. 죽음을 대하는 태도

(1) **자연스러운 과정으로 이해**: 생명체로서의 생명을 다하는 것으로 이해하기

(2) **사고 예방을 위해 노력**: 갑작스러운 사건에 의한 죽음을 예방하기

(3) **생명을 지키기 위해 노력**: 충동적이고 돌이킬 수 없는 죽음을 예방하기

3. 인간의 삶에 관한 이해

(1) **죽음에 관한 성찰**: 삶을 더욱 보람있게 살아갈 수 있음

(2) **삶이 한정되어 있다는 사실**: 삶을 더욱 소중하게 만듦

(3) **죽음에 대한 올바른 이해**: 적극적이고 능동적인 삶으로 인도함

- **죽음을 대비하는 다양한 태도**
  - 임종 체험
    유언장을 작성하고 입관 체험을 하는 등 간접적으로 죽음을 체험하여 생명의 소중함을 깨닫도록 하는 것이다.
  - 호스피스
    임종이 가까운 환자들이 인간답게 죽음을 맞을 수 있도록 도와주는 봉사 활동 또는 그런 사람이다.

3 의미 있는 삶을 위해 해야 할 일은 무엇일까?

1. 의미 있는 삶

(1) **삶의 유한성**: 인간의 삶은 영원하지 않고 일정한 한계가 있음

(2) **의미 있는 삶을 위한 태도**

① 자신의 한계를 극복하고 자신에게 잠재된 능력과 재능을 성실히 발휘하는 것

② 다른 사람들에게 모범이 되는 것

③ 도덕적 이상의 가치를 추구하는 삶의 태도 (도덕적 이상: 도덕성을 최고로 실현하는 상태를 말함)

④ 의미 있는 삶을 위한 가치를 알고 삶의 목표를 꾸준히 실천하도록 노력하는 것

2. 의미 있는 삶을 위한 노력

(1) 현재의 삶에 충실하기

(2) 시련과 한계 극복하기

(3) 주체적인 삶의 자세 기르기

(4) 정신적 가치 추구하기

재미있는 도덕 읽기 죽음이란 무엇인가

죽을 운명이라는 진실에 직면할 때 비로소 우리는 지금과 다른 삶을 살아가게 된다. …… 이 세상이 얼마나 풍요로운 곳인지, 얼마나 많은 선물을 우리에게 선사하고 있는지, 우리가 선택할 수 있는 가치 있는 일들이 얼마나 많은지 감안할 때, 그리고 그런 일들을 제대로 해내기가 얼마나 힘든지 감안할 때, 우리 모두 이와 같은 상황에 처해 있다고 나는 생각한다. 목표를 다시 선택하고 다양한 목표들을 이루기 위해 두 번 세 번 노력할 수 있다는 점에서 삶은 우리에게 새 출발을 위한 기회를 주고 있다. …… 이제 우리는 이런 질문을 던져봐야 한다. "살아가는 동안 나는 무엇을 할 것인가? 지금 살아가고 있는 내 인생을 무엇으로 채워야 할까? 어떤 목표를 선택해야 할까?" 삶에서 어떤 것들이 추구할 만한 가치가 있는지 묻는 것은 결국 다음과 같은 질문을 던지는 일이다. "삶의 의미란 무엇인가? 어떤 목표가 가장 가치 있고 보람 있으며 의미 있는 것인가?" 이는 굉장히 중요한 질문이다. – 셸리 케이건, 『죽음이란 무엇인가』

1 나의 삶을 소중하게 만드는 것은 무엇일까?

마음 열기 풀이

교과서 164쪽

자료 해설
한 학생이 자신의 삶을 소중하게 만드는 것에는 무엇이 있을지 상상하고 있는 장면이다. 이 삽화에서는 삶을 풍부하게 만드는 요소로 사랑, 생명, 친구, 가족 등을 제시하고 있다. 이를 통해 인간은 다른 사람과의 건강한 관계 속에서 가치 있는 삶을 만들어 간다는 것을 알 수 있다.

1. 나의 삶을 소중하게 만드는 것은 무엇일까?

예시 답안 | 나의 꿈을 펼칠 수 있다는 희망과 기대이다.

2. 우리가 태어나서 살아가고 있는 것이 소중한 까닭은 무엇일까?

예시 답안 | 사랑하는 사람들과 함께 하기 때문이다.

스스로 활동하기 풀이 대추 한 알 속에 깃든 우주

교과서 165쪽

이것이 핵심
온전한 한 알의 대추가 되기까지 여러 시련과 인고의 시간이 있었음을 이해하고 지금의 내가 있기까지 도와준 사람들은 누가 있는지 생각한다. 이를 통해 자신의 주변 모든 것에 대한 감사함을 느낀다.

친절한 활동 안내
시를 쓰는 것이 처음에는 어려울 수 있지만, 차근차근 하나씩 생각해 보자. 나에게 도움을 주는 사람, 나를 사랑해 주는 사람, 나를 이끌어 주는 것에는 무엇이 있을지 생각하면서 시를 완성해 보자.

1. 대추가 세상과 통하도록 도움을 준 다양한 존재를 그림 생각 지도로 표현해 보자.

예시 답안 |

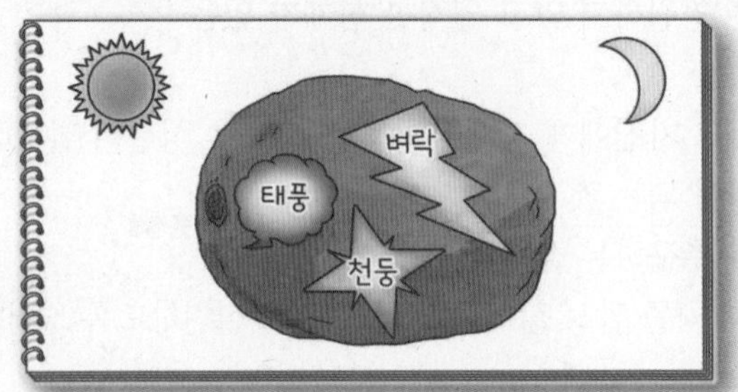

2. 자신을 주인공으로 하여 위의 시를 바꾸어 써 보자.

예시 답안 |

민주의 시간

내가 저절로 15살이 되었을 리는 없다.
15살 나이 안에 부모님의 쓴소리와 사랑
친구와의 갈등과 추억
선생님의 가르침과 교훈.

내가 저절로 민주가 되었을 리는 없다.
민주 안에 삶을 향한 열정 한 조각,
꿈을 위한 노력 한 모금,
스스로의 성찰 두어 입이 들어서서
지금의 나를 만드는 것일 게다.

민주야, 너는 계속 성장하고 있구나.

스스로 활동하기 풀이 '생명 존중 실천 서약' 작성하기

교과서 166쪽

이것이 핵심
작은 생명도 소중히 여기는 사례를 보면서 자신의 생명 감수성과 생명 존중 태도를 성찰한다. 이를 통해 공감 능력 및 도덕적 정서 능력을 함양한다.

친절한 활동 안내
기사 속 학생들의 모습을 보며 내가 일상생활에서 할 수 있는 일은 무엇이 있을지 찾아 보자.

1. 위 학생들의 행동에서 배울 점은 무엇인가?

예시 답안 | 작은 생명도 소중히 여기고 존중하는 모습이 돋보인다. 새끼 제비의 죽음에 함께 슬퍼하고 제비들이 안전하게 지낼 수 있도록 배려하는 모습을 배우고 싶다. 이처럼 모든 생명은 그 자체로 소중하고 가치 있다는 것을 인식하고 존중하는 마음을 지녀야 한다.

2. 일상생활 속에서 실천할 수 있는 구체적인 내용을 담아 '생명 존중 실천 서약'을 작성해 보자.

예시 답안 |

① 나를 낳아주신 부모님께 효도하고 공경하겠습니다.
② 나의 건강을 챙기기 위해 편식하지 않겠습니다.
③ 친구를 괴롭히거나 다른 사람들에게 나쁜 말을 하지 않겠습니다.

함께 활동하기 풀이 소중한 나의 삶

교과서 167쪽

➔ 다음 안내에 따라 활동한 후 물음에 답해 보자.

예시 답안 |

인터뷰 대상	아빠
예상 질문	1. 제가 태어났을 때 무엇을 하고 계셨나요? 2. 제가 가장 자랑스러웠을 때는 언제인가요? 3. 저에게 물려주고 싶은 물건은 무엇인가요?
관련 자료	설명: 아빠는 네가 무사히 태어나길 바라면서 밤새 엄마 곁을 지켰었단다. 얼마나 설레고 벅찬 감동이었는지. 네가 태어나자마자 기뻐서 펑펑 울었어. 설명: 귀여운 아기로만 생각하였던 네가 초등학교에 입학하였을 때, 얼마나 자랑스럽던지. 제법 성숙하게 얌전히 줄을 서 있는 모습이 참 뿌듯하였단다. 설명: 아빠는 너에게 아빠의 손때가 묻은 오래된 서류 가방을 물려주고 싶어. 너를 위해 이 가방을 들고 열심히 회사 다니고 하루하루 너의 생각을 하며 일을 하였거든.
활동 소감문	아빠와의 인터뷰를 통해 아빠께서 나를 얼마나 사랑하는지, 내가 얼마나 소중한 존재인지 느끼게 되었다. 요즘 매일 가족들한테 짜증도 내고, 나는 잘하는 게 하나도 없다고 불평불만만 늘어놓았는데 많이 죄송하다. 앞으로 가족들에게 더 잘 하고 나 자신도 더욱 사랑해야겠다.

이것이 핵심

나의 삶을 소중하게 만들어 준 사람을 선정하여 인터뷰하고, 인터뷰 내용을 보고서 형식으로 정리하여 경험 나누기를 한다. 또한, 자신의 여러 순간을 되짚어봄으로써 주변 사람들의 따뜻한 조력과 삶의 가치를 느껴 본다.

친절한 활동 안내

인터뷰가 원활히 진행되기 위해서는 되도록 내 삶에서 비중이 큰 사람을 인터뷰 대상으로 정하는 것이 더욱 좋을거야. 상대방의 마음을 깊이 느끼며 정성껏 소감문을 작성해 보자.

배움 정리하기 풀이

- ✔ 예 두 번 다시는 없을 유일한 것이자 모든 가능성의 실현 조건이기 때문이다.
- ✔ 예 나의 가능성을 최대한 실현하기 위해 노력해야겠다.

재미있는 도덕 읽기 아들을 향한 아버지의 따뜻한 헌신을 그린 영화, 「인생은 아름다워」

영화 「인생은 아름다워」 포스터

유대계 이탈리아인인 시골 총각 귀도는 운명처럼 만난 이탈리아 여인 도라에게 첫눈에 반한다. 귀도는 도라와 단란한 가정을 꾸리고 아들 조슈아를 얻는다. 조슈아의 다섯 번째 생일날, 귀도와 조슈아는 유대인 수용소로 끌려가게 된다. 소식을 들은 아내 도라는 독일군 장교에게 가족과 같이 가겠다고 요청하고, 그녀 역시 기차에 따라 오른다. 귀도는 조슈아를 위해 가족 모두가 '게임에 선발된 것'이라고 거짓말한다. 규칙을 잘 지켜 1,000점을 먼저 얻는 1등에게는 진짜 탱크를 선물한다는 말에 조슈아는 기뻐한다. 귀도는 온갖 고생을 하면서도 아들을 위해 모든 것이 너무 재미있어 죽겠다는 표정을 지으며 연기한다. 며칠 후, 귀도는 총살을 당하러 가면서도 자기를 지켜보는 아들에게 윙크를 보낸다. 귀도가 세상을 떠나고, 곧 수용소는 해방되어 조슈아는 엄마를 만난다. 이후 시간이 흘러 어른이 된 조슈아가 아버지의 희생으로 자신이 살아남았다는 것을 깨달으며 영화는 끝난다.

2 죽음을 어떻게 생각해야 할까?

마음 열기 풀이

교과서 168쪽

자료 해설
삽화 속 스크루지는 자기 자신밖에 모르는 욕심 가득한 사람이다. 어느 날 스크루지는 꿈속에서 유령을 만나, 미래 자신의 죽음을 경험하게 된다. 아무도 슬퍼하지 않고 찾아오는 이 없는 쓸쓸한 묘지를 보고 스크루지는 깊은 충격에 빠진다. 꿈에서 깬 스크루지는 여태까지의 삶을 반성하고 남은 일생을 사람을 돕고 자비를 베푸는 삶을 살아 존경받고 행복한 삶을 산다.

1. 꿈속에서 유령을 만난 후 스크루지 영감의 태도가 달라진 까닭은 무엇일까?

예시 답안 | 외로운 죽음을 맞이한 자신의 미래를 보고 난 후 현재의 삶에서 소중한 것이 무엇인지 진지하게 생각해 보았기 때문이다.

2. 후회 없이 죽음을 맞이하기 위해서 어떤 노력을 해야 할까?

예시 답안 | 살아있는 동안 누군가를 미워하고 싫어하기보다는 관대한 마음으로 사람을 사랑하고 베푼다.

스스로 활동하기 풀이 삐약이의 죽음

교과서 169쪽

이것이 핵심
다른 존재의 죽음에 대한 자신의 감정을 확인하고 생명의 소중함을 이해한다.

친절한 활동 안내
당장은 죽음이 크게 와 닿지 않을 수 있지만, 죽음에 대해 진지하게 생각해 보는 것 자체가 매우 중요한 일이야. 죽음에 대한 간접적인 경험을 되새겨 봄으로써 죽음의 의미를 생각해 보자.

1. 위의 여학생이 느꼈을 감정을 세 단어로 나타내 보자.

예시 답안 | 슬픔, 후회스러움, 그리움

2. 다른 존재의 죽음에 관한 자신의 경험을 그림일기 형식으로 표현해 보자.

예시 답안 |

제목: 할머니의 죽음

할머니께서 위독하시다는 소식을 듣고 우리 가족은 다 같이 병원으로 갔다. 병원에 도착하니 친척들이 모두 모여 있었고 다들 어두운 표정이었다. 할머니께서 돌아가신 직후였다. 할머니와 즐겁게 지냈던 날들이 생각났다. 다신 할머니를 볼 수 없다는 생각에 너무나도 슬펐다. 평소에 자주 연락드리지 못한 점이 후회되었다. 할머니가 너무 그립고 보고 싶다.

도덕으로 세상 보기 해설 아빠의 엔딩 노트(Ending Note)

교과서 170쪽

이것이 핵심
가족들이 보여 주는 따뜻한 애정과 더불어, 마지막 순간까지 함께하기 위한 모습을 확인한다.

친절한 활동 안내
우리는 누구나 맞이하는 죽음에 대해서 이해하고 충분히 준비할 필요가 있어. 엔딩 노트를 작성하며 어떤 점을 느낄 수 있었는지 서로 이야기해 보자.

➡ 윗글의 주인공처럼 평소 내가 표현하지 못했던 사랑을 주변 사람들에게 전해 보자.

예시 답안 | 나의 친한 친구 승호야. 내가 힘들거나 우울할 때 항상 나를 위로해 주어서 정말 고마워. 너무 당연해서 너의 고마움을 몰랐는데, 엔딩 노트를 작성하려고 보니 네가 가장 먼저 떠오르더라. 그동안 쑥스러워서 말하지 못하였지만, 내가 아플 때나 기쁠 때나 내 옆에서 큰 힘이 되어준 네가 참 좋아. 승호야, 우리 앞으로도 싸우지 말고 친하게 지내자.

스스로 활동하기 풀이 인간다운 죽음

교과서 171쪽

1. '웰다잉법'에 대한 자신의 생각과 그 이유를 써 보자.

예시 답안 |

인간다운 죽음을 위한 법이다	인간의 생명을 경시하는 법이다
모든 사람은 고통에서 벗어날 권리와 자기 결정권이 있다. 회복할 가능성이 없는 환자를 계속 치료하는 것은 환자와 가족에게 더 큰 고통과 부담이다. 인간답게 살 수 있는 권리가 있다면, 인간답게 죽을 수 있는 권리 또한 있어야 한다.	모든 생명은 그 자체로 존엄하고 소중하므로 임의로 삶을 단축해서는 안 된다. 웰다잉법을 허용한다면 생명을 쉽게 여기는 분위기가 생길 것이며, 한 번의 잘못된 선택으로 돌이킬 수 없는 죽음에 이를 수도 있다.

2. 인간다운 죽음이 무엇인가에 관해 자유롭게 이야기해 보자.

예시 답안 | 인간다운 죽음이란 죽음을 두렵고 슬픔의 대상으로만 생각하는 것이 아니라, 죽음에 대한 바람직한 이해를 바탕으로 현재의 삶에 최선을 다하는 것이다.

이것이 핵심

웰다잉법의 취지와 의미를 이해하고 자신의 생각을 정립해 봄으로써 도덕적 판단력을 함양한다.

친절한 활동 안내

웰다잉법에 대한 도덕적 논란의 이유를 생각해 보고, 이에 대한 자신의 입장과 이유를 구체적으로 적어 보자. 하나의 입장을 선택하기 어렵다면 각각의 장단점을 먼저 생각해 보자.

함께 활동하기 풀이 동서양의 사상 속에 나타난 삶과 죽음

교과서 172쪽

1. 공자와 에피쿠로스의 죽음관 중에서 마음에 드는 것을 고르고, 그 까닭을 써 보자.

예시 답안 | 에피쿠로스의 죽음관이 마음에 든다. 우리는 살아있는 동안 죽음을 경험하지 않기 때문에 죽음을 두려워할 필요가 없는 것 같다. 죽음에 대한 두려움 때문에 현재의 삶을 허비하지 않아야겠다.

2. 동서양의 사상에 나타난 죽음을 바라보는 태도를 조사하여 보고서를 작성해 보자.

예시 답안 |

주제: 장자의 사상에서 바라보는 죽음	
조사 내용	장자에게 삶과 죽음은 봄·여름·가을·겨울이 오는 것처럼 당연한 자연의 변화에 불과하며, 삶과 죽음은 다른 것이 아니라 하나이므로 죽음을 슬퍼할 필요가 없다.
조사 기간	20○○년 ○○월 ○○일~○○일
배운 점	인간이 태어나고 죽는 것은 지극히 자연스러운 하나의 과정이기 때문에 어느 하나에 집착하거나 두려워하지 않아야겠다고 생각하였다. 죽으면 자연의 일부가 되고 자연으로부터 다시 생명이 생겨나는 연속적인 과정을 이해하고, 자연에 속해있는 모든 것들과 함께 더불어 행복하게 살아야겠다는 점을 배웠다.
참고 자료	청소년을 위한 동양 사상 책, 장자 서적, 인터넷

이것이 핵심

공자와 에피쿠로스의 죽음관을 이해하고 이를 바탕으로 자신의 죽음관을 정립한다.

친절한 활동 안내

보고서를 작성할 때, 인터넷의 내용을 그대로 옮기기보다는 자신이 이해한 내용을 바탕으로 정리해 보자. 죽음에 대한 다양한 견해가 있음을 인식하고 그들의 죽음관과 인생관이 어떻게 연결될지 생각해 보자.

배움 정리하기 풀이

✔ 예 소중한 삶을 보람 있게 살기 위한 계기로 삼아야겠다.

✔ 자연, 생명

재미있는 도덕 읽기 죽음에 대한 여러 가지 견해

• 죽음이 인간에게 좋은 것인지, 나쁜 것인지 아무것도 알지 못하면서 그것이 가장 나쁜 것이라도 되는 양 두려워하는 것은 비난받아 마땅한 무지이다. – 소크라테스

• 죽음은 그 자체로 두려운 일이 아니다. 죽음은 두려운 것이라는 생각, 바로 그것 때문에 죽음이 무서운 것이다. 죽음이 두려운 것이라는 비합리적인 믿음을 버려야 한다. – 에픽테토스

• 모든 것은 영원하지 않기 때문에 어느 한 곳에 집착하지 말아야 한다. 삶과 죽음은 시작과 끝이 아니라 반복해서 돌고 도는 윤회의 과정에 있는 것으로 서로 연결되어 있다. – 불교(석가모니)

3 의미 있는 삶을 위해 해야 할 일은 무엇일까?

마음 열기 풀이

교과서 174쪽

자료 해설
영국의 추리 작가 아서 코난 도일의 묘비명이다. 이 묘비명은 도일이 한평생 추구하였던 가치와 삶의 자세를 보여 준다. 언제나 진실하고 곧고자 하였던 도일의 노력을 엿볼 수 있다.

1. 위의 묘비명을 보고 느낀 점을 말해 보자.

예시 답안 | 겉보기엔 강철처럼 딱딱하고 칼날처럼 날카롭게 보이지만 속마음은 늘 진실하였고 곧았던 삶이 느껴진다.

2. 오늘의 소중함을 표현할 수 있는 나만의 격언을 만들어 보자.

예시 답안 | 인생 전체에 있어서 다시 오지 않을 유일한 시간은 바로 오늘이다.

스스로 활동하기 풀이 의미 있는 삶을 살기 위하여

교과서 175쪽

이것이 핵심
자유가 없을 것 같은 강제 수용소에서도 자신의 태도를 선택할 수 있는 자유가 있음을 이해한다. 어려움을 극복할 수 있도록 이끌어 주는 힘을 생각하며, 그것의 소중함을 깨닫고 긍정적인 미래를 전망한다.

친절한 활동 안내
나의 힘으로 어찌할 수 없는 한계에 부딪힌 적 있니? 누구나 살아가면서 한계에 맞닥뜨리곤 해. 이때 쉽게 좌절하거나 포기하는 것이 아니라 힘차게 다시 일어나서 극복한다면 한 단계 성장한 나를 발견할 수 있어.

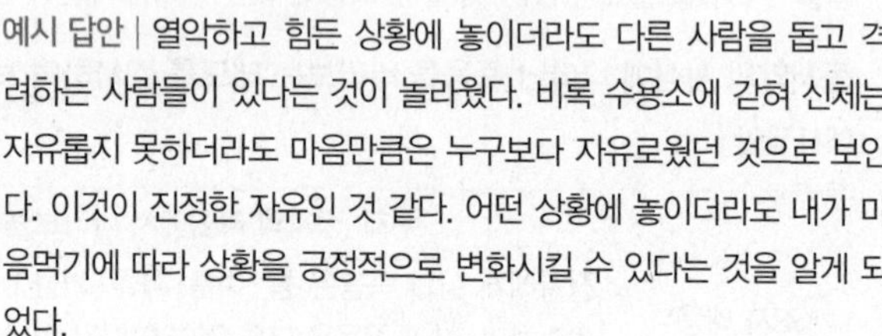

1. 윗글을 읽고 어떤 생각이 들었는가?

예시 답안 | 열악하고 힘든 상황에 놓이더라도 다른 사람을 돕고 격려하는 사람들이 있다는 것이 놀라웠다. 비록 수용소에 갇혀 신체는 자유롭지 못하더라도 마음만큼은 누구보다 자유로웠던 것으로 보인다. 이것이 진정한 자유인 것 같다. 어떤 상황에 놓이더라도 내가 마음먹기에 따라 상황을 긍정적으로 변화시킬 수 있다는 것을 알게 되었다.

2. 자신의 한계를 극복할 수 있도록 자신을 이끌어 주는 목표는 무엇인가?

예시 답안 | 예전에 팔을 다쳐서 불편하였던 적이 있었다. 이때, 팔이 곧 나을 거라는 긍정적인 생각으로 금방 회복할 수 있었다. 이처럼 나의 한계를 극복할 수 있도록 이끌어 주는 것은 '할 수 있다.'라는 긍정적인 기대와 희망이다.

스스로 활동하기 풀이 오늘만 할 수 있는 일

교과서 176쪽

이것이 핵심
나바호 인디언의 가르침을 통해 오늘 '하루'의 가치를 깨닫고, 하루를 헛되이 보내지 않도록 노력한다.

친절한 활동 안내
지나간 시간은 되돌릴 수 없기에 지금 내가 하는 일은 매 순간 의미 있는 일임을 항상 기억하자. 이를 통해 무엇보다 나의 삶이 소중함을 생각해 보자.

1. 나바호 인디언들이 자녀들에게 가르쳐 주고자 한 것은 무엇일까?

예시 답안 | 해가 뜨고 지는 '하루'의 가치이다. / 내가 보는 지금의 해는 오늘 하루만 살고 사라지는 해라는 것을 강조함으로써 오늘 하루의 소중함을 일깨우고자 한 것이다.

2. 내 인생이 오늘 하루뿐이라고 생각할 때, 오늘이 아니면 할 수 없는 일에는 어떤 것이 있을까?

예시 답안 | 부모님이나 친구들에게 마음 표현하기 / 선생님이나 주변 사람에게 감사 인사하기

함께 활동하기 풀이 취미로 삶의 의미 확장하기

교과서 177쪽

농구를 할 때 우리는 단지 농구만 하는 것이 아니다. 농구 동아리의 대표가 되기도 하고, 다른 친구들을 가르치기도 하며, 농구에 관한 이야기를 나누기도 한다. 그리고 관심사가 같은 여러 사람을 만나고 새로운 친구를 사귀기도 한다. 때로는 농구를 하다가 다친 친구에게 도움을 주기도 하고 승리를 위해 협동심을 배우기도 한다.

이처럼 어떤 활동에 대한 사소한 관심과 흥미에서 시작한 취미 활동이 특정한 일에서 탁월한 능력과 창의성을 발휘하고, 다른 사람과 공동체에 이바지하는 기회가 될 수 있다.

– 수전 울프, 『삶이란 무엇인가』

1. 윗글을 읽고, 농구에 관한 관심에서 시작하여 확장할 수 있는 활동과 능력에는 어떤 것이 있는지 써 보자.

예시 답안 |

활동의 확장	확장된 가치
농구 동아리에 참여하며 단체 생활을 경험한다.	공동체 의식
농구를 소재로 이야기를 나눈다.	의사소통 능력
농구를 좋아하는 새로운 친구를 만난다.	대인 관계 능력

2. 위의 예시처럼 나의 취미 활동으로 확장할 수 있는 활동과 가치를 써 보자.

예시 답안 |

나의 취미: 그림 그리기

활동의 확장	확장된 가치
그림을 그려서 주변 사람에게 선물한다.	베푸는 즐거움, 나누는 행복
그림 그리는 방법을 친구에게 가르쳐 준다.	봉사 정신, 설명하는 능력
그림 그리기 대회에 참가한다.	자신감, 도전 정신

이것이 핵심

자신의 취미를 생각해 보고, 취미 활동이 재능과 능력이 될 수 있음을 이해한다. 취미 활동을 확장시킴으로써 얻을 수 있는 가치를 확인하고 이를 실생활에서 활용할 수 있는 실천력을 함양한다.

친절한 활동 안내

선뜻 취미가 생각나지 않거나 없다면, 자신이 평소 즐겨 하는 활동을 구체화해서 적어도 좋을 거야. 하나의 취미가 다양한 활동으로 확장될 수 있어.

배움 정리하기 풀이

✔ 유한성, 도덕적 이상

✔ 예 현재의 삶에 충실하여 매 순간 최선을 다해야 한다.

재미있는 도덕 읽기 취미의 필요성

우리의 뇌에는 '일하기 회로'와 '놀기 회로'가 존재한다. 일하기 회로만 계속 움직이다 보면, 두 가지 회로가 서로 움직이기 위해 경쟁 관계를 보이기 시작한다. 일에 빠져 살던 사람이 갑자기 취미를 가지려고 노력해 봐도 처음에는 잘 되지 않는 것이 바로 이러한 이유 때문이다. 하지만, 일하기 회로가 돌아가는 것처럼 놀기 회로를 구동시키면 우리의 뇌가 점차 안정화된다. 이때의 '놀기'는 무기력하게 일을 하지 않는 상태가 아니라 순수하게 어떤 것을 즐기고 몰입하는 것을 말한다. 이것이 바로 '취미'라고 할 수 있다.

취미는 현대 사회에서 더욱 중요해졌다. 취미로 활성화되는 놀기 회로는 창조적 사고와 공감 능력을 담당하기 때문이다. 다양성을 추구하는 요즈음은 단순 작업만을 요구하지 않는다. 하나의 일을 할 때 여러 사람과 소통해야 하고 창의력을 발휘해야 하며, 다각도로 생각해야 한다. 일하기 회로를 구동시키는 것처럼 놀기 회로를 구동해야 일의 효율성을 높이는 시대라고 볼 수 있다.

– 윤대현, 『마음 성공』

중단원 마무리

토론·토의 | 체험 활동 | 글쓰기 | 역할놀이 | 교과서 178쪽

내 삶을 의미 있게 나누기

이것이 핵심

의미 있는 삶과 나누고 베푸는 삶 사이의 관계를 이해한다. 나눔을 위한 실천 계획을 작성하고 일상생활에서 실천함으로써 도덕적 정서 능력, 공동체 의식, 실천 능력을 함양한다.

친절한 활동 안내

대가를 바라지 않는 순수한 의미로서의 나눔을 생각하면서 실천 일지를 작성해 보자. 나의 것을 다른 사람에게 베풀고 나눈다는 것은 매우 멋지고 의미 있는 일이야. 인간은 사회적 존재이기 때문에 혼자서는 살아갈 수 없어. 그렇기에 우리는 누군가로부터 도움을 받기도 하고, 내가 다른 사람을 돕기도 하면서 함께 살아가고 있어.

1. 다음 글을 읽고 물음에 답해 보자.

예시 답안 |

이야기 속 소년은 자신의 생명을 잃을 것을 알면서도 왜 수혈을 하겠다고 했을까?	다른 사람을 살리고자 하는 강한 의지가 있었기 때문이다.
내가 가진 것 중 다른 사람을 위해 나누고 있는 것이 있는가?	나의 영어 실력을 바탕으로 동생들의 영어 공부를 돕기도 하고, 외국인 친구들을 위해 교과서를 번역해 주기도 한다. 이처럼 영어를 좋아하는 나의 재능을 주변 사람들과 나눔으로써 만족감을 느낀다.
의미 있는 삶을 위하여 지금 내가 할 수 있는 일은 무엇일까?	나의 재능과 적성을 잘 발휘하여 사회에 도움이 되는 사람으로 성장하는 것이 의미 있는 삶이다. 그러기 위해서는 다양한 경험을 통해 나의 가능성을 발견하고 노력하는 자세를 지녀야 한다.

2. 위 이야기 속 소년처럼 '나눔'을 위한 계획을 세워 실천 일지를 작성해 보자.

예시 답안 |

무엇을 나눌까?	일회용 페트병을 활용한 연필꽂이
어떻게 진행할까?	나눔도 실천하고 환경도 보호하기 위해 직접 일회용 페트병으로 예쁜 연필꽂이를 만들어 친구들에게 나누어 줄 것이다. 먼저 버려진 일회용 페트병을 모은 후 예쁜 연필꽂이로 만든다. 그리고 완성된 연필꽂이를 친구들에게 나누어 줄 계획이다.
무엇을 느꼈을까?	연필꽂이 선물을 받고 기뻐하는 친구들의 모습을 보니 나도 즐거웠다. 쓰레기가 되었을 페트병을 나의 정성을 담아 예쁘게 꾸미고 연필꽂이로 재탄생시켜, 환경도 보호하고 나눔도 실천하니 뿌듯하였다.

재미있는 도덕 읽기 — 상대에게 도움을 줄 때 일어나는 작은 변화, "헬퍼스 하이"

'주는 것'은 행복과 떼려야 뗄 수 없는 사이이다. 행복한 사람은 남을 위해 주는 것을 즐긴다. 그리고 주는 것은 우리를 더욱 행복하게 만든다.

마라톤을 하는 사람들은 처음에는 심한 고통을 느끼지만, 어느 시점을 지나면 쾌감을 느낀다고 한다. 이 현상을 '러너스 하이(Runner's High)'라고 한다. 뇌에서 기분 좋은 물질이 분비되어 기분이 좋아지는 것이다. 그런데 최근 연구에 따르면 사람들은 누군가를 도울 때도 이런 좋은 경험을 하게 된다고 한다. 이를 '헬퍼스 하이(Helper's High)'라고 한다. 이처럼 누군가를 돕는 행위는 본능적으로 우리를 기분 좋게 만들어 준다. 누군가에게 무엇인가를 베풀면, 우리는 '나는 쓸모 있는 사람이다.'라는 느낌이 들게 된다.

심리학자들은 사람들을 실험실에 초청한 후, 20달러가 든 봉투를 건네었다. 절반의 사람들에게는 "이 돈을 전부 자기 자신을 위해 쓰시오."라고 요청을 하였고, 나머지 사람들에게는 "이 돈을 전부 다른 사람들을 위해 쓰시오."라고 요청하였다. 그리고 돈을 다 사용한 후 오후 5시까지 실험실로 돌아오게 하였다.

과연 누구의 행복이 더 컸을까? 정답은 남을 위해서 돈을 쓴 사람들이었다. 연구자들은 사람들이 남을 위해 무엇인가를 하고 난 후에 기분이 좋아지는 이유를 이렇게 설명하였다. "남을 위해 무엇인가를 하면, 자신을 쓸모 있고 좋은 사람이라고 느끼게 되어 기분이 좋아지게 됩니다. 자신을 위해 무엇인가 사는 것이 일시적인 행복을 만들어 주기는 합니다. 그러나 남을 위해 무엇인가를 해 주었을 때 느끼는 행복이 훨씬 더 오래 갑니다."

– 서울대학교 행복연구센터, 『행복』

개념 확인 문제

01 다음 내용이 옳으면 ○표, 틀리면 X표 하시오.

(1) 모든 생명이 가치 있는 것은 아니다. (   )
(2) 우리는 죽음을 직접 경험할 수 없기 때문에 두려워해야 한다. (   )
(3) 생명을 가볍게 여기는 태도는 인간의 존엄성을 부정하고 진정한 생명의 가치를 이해하지 못한 것이다. (   )
(4) 의미 있는 삶을 살기 위해서는 물질적 가치만을 추구하는 것이 바람직하다. (   )

02 인간의 삶은 영원하지 않고 일정한 한계가 있다는 말을 지칭하는 용어는 무엇인지 쓰시오.

---

03 죽음의 대표적인 특징 중 하나로 죽음은 누구도 피할 수 없다는 것을 뜻하는 용어는 무엇인지 쓰시오.

---

04 다음 표에서 숨겨진 단어를 찾고, 아래 문제의 괄호에 써넣으시오.

시	련	고	삶	학
헌	봉	동	의	습
신	사	인	소	자
죽	음	간	중	교
사	랑	성	함	육

(1) 자신과 자신을 둘러싼 모든 가치를 깨닫고, 진정한 삶의 의미를 이해하기 위해서는 삶의 (   )을/를 깨달아야 한다.
(2) 생명이 있는 존재로서 언젠가 모두 맞이하게 될 것은 바로 (   )이다.

실력 점검 문제

01 나의 삶이 소중한 까닭으로 옳지 <u>않은</u> 것은?

① 시간은 한정되어 있기 때문이다.
② 부모님의 사랑으로부터 시작되었기 때문이다.
③ 두 번 주어지지 않고 유일한 것이기 때문이다.
④ 모든 가치와 가능성의 실현 조건이기 때문이다.
⑤ 주변 사람들과의 관계가 없어도 행복할 수 있기 때문이다.

중요

02 생명을 대하는 태도로 옳지 <u>않은</u> 것은?

① 인간의 생명을 다른 생명보다 우선시해야 한다.
② 다른 사람을 괴롭히거나 위협하지 말아야 한다.
③ 괴롭고 힘든 일이 있더라도 생명을 포기하지 않는다.
④ 나와 함께 살아가는 모든 사람을 서로 존중해야 한다.
⑤ 인간은 모두 존엄하고 귀한 존재라는 것을 잊지 않아야 한다.

03 다음 글에 나타난 생명에 대한 태도로 가장 적절한 것은?

> 소에게 줄 건초를 만들기 위하여 수많은 풀을 뜯은 농부라도 집으로 돌아오는 길에 아무 생각 없이 길가에 핀 꽃을 꺾지 않도록 해야 한다. 왜냐하면, 꽃을 꺾음으로써 그는 어쩔 수 없는 상황이 아님에도 생명에게 옳지 않은 짓을 한 것이기 때문이다.

① 식물보다는 동물의 생명이 더 소중하다.
② 생명은 사라지기 마련이므로 소중히 여길 필요가 없다.
③ 인간으로서 결코 어떠한 생명에도 해를 끼쳐서는 안 된다.
④ 자신에게 얼마나 유용한지를 기준으로 삼고 생명을 대우해야 한다.
⑤ 불가피하게 생명을 해치게 된다면 인간은 그에 대한 책임 의식을 느껴야 한다.

실력 점검 문제

04 죽음의 특징으로 적절한 것을 〈보기〉에서 있는 대로 고른 것은?

보기
ㄱ. 보편성
ㄴ. 일회성
ㄷ. 불가피성
ㄹ. 경험 가능성

① ㄱ, ㄴ ② ㄱ, ㄷ ③ ㄴ, ㄷ
④ ㄴ, ㄹ ⑤ ㄱ, ㄴ, ㄷ

05 죽음에 대한 이해로 적절하지 않은 것은?

① 생명을 가진 모든 존재가 겪는 자연스러운 일이다.
② 피할 수 없으므로 삶의 모든 과정에서 큰 의미를 찾을 필요는 없다.
③ 주변 사람들에게 커다란 슬픔임과 동시에 각자의 삶을 되돌아보게 한다.
④ 막연하게 두려워하기보다는 삶을 소중하게 살기 위한 계기로 삼아야 한다.
⑤ 두려움과 슬픔의 대상으로만 생각하지 말고 겸허히 받아들일 수 있어야 한다.

06 ㉠에 공통으로 들어갈 말로 가장 적절한 것은?

(㉠)은/는 살아있는 것의 가치를 드높이고, 귀중한 존재로 여기는 것이다. 우리는 모두 존엄하고 귀한 존재이다. 또한 우리는 (㉠)을/를 통해 각자의 삶을 더욱 소중하게 가꾸어 나갈 수 있다.

① 상호 배려 ② 생명 경시 ③ 생명 존중
④ 입장 교환 ⑤ 삶의 유한성

중요
07 의미 있는 삶을 살기 위한 노력으로 옳지 않은 것은?

① 자신의 삶에 관하여 주체적인 자세를 기른다.
② 현재 자신에게 주어진 삶을 바람직하게 살아가기 위해 노력한다.
③ 삶에서 마주치는 시련과 한계를 극복하고자 끊임없이 노력한다.
④ 학문·도덕·예술·종교와 같은 정신적 가치를 추구하여 삶의 지평을 넓힌다.
⑤ 죽음이 오기 전까지 자신의 육체적 쾌락만을 최대한으로 추구하며 만족을 누린다.

중요
08 다음 글에서 알 수 있는 죽음에 대한 이해로 가장 적절한 것은?

죽음은 우리에게 아무것도 아니다. 왜냐하면, 우리가 존재하는 한 죽음은 우리와 함께 있지 않으며 죽음이 오면 이미 우리는 존재하지 않기 때문이다. 그렇다면 죽음은 산 사람이나 죽은 사람 모두와 아무런 상관이 없다. 왜냐하면, 산 사람에게는 아직 죽음이 오지 않았고 죽은 사람은 이미 존재하지 않기 때문이다.

① 삶과 죽음은 연결되어 서로 순환한다.
② 죽음은 인간에게 있어서 최고의 고통이다.
③ 인간은 죽음을 극복하기 위해 끊임없이 노력해야 한다.
④ 죽음에 대한 두려움은 바람직한 삶을 살기 위한 원동력이다.
⑤ 죽음이란 경험할 수 없는 것이므로 죽음을 두려워할 필요가 없다.

09 밑줄 친 법의 목적에 대한 설명으로 옳은 것은?

> '웰다잉(Well-dying)법'이라고 불리는 이 법은 회생 가능성이 없는 환자가 자기의 결정이나 가족의 동의로 연명 치료를 받지 않도록 하는 법률로서, 2016년 1월 8일 국회를 통과하였다.

① 환자를 끝까지 치료하기 위한 법이다.
② 스스로 죽음을 준비할 수 있도록 만들어진 법이다.
③ 인위적으로 생명을 포기하는 것을 피하기 위한 법이다.
④ 생명은 그 자체로 소중하다는 것을 강조하기 위한 법이다.
⑤ 부주의나 그릇된 선택으로 인한 죽음을 예방하기 위해 만들어진 법이다.

10 공자가 강조하는 삶과 죽음에 대한 태도로 가장 적절한 것은?

> 어느 날 공자의 제자 계로가 공자에게 귀신을 섬기는 것에 관해 물었다. 그러자 공자께서 "사람을 섬기지 못하면서 어찌 귀신을 섬기겠느냐?"라고 말씀하셨다.
> 또한, 계로가 물었다. "그렇다면 스승님, 죽음은 무엇입니까?" 계로의 이야기를 들은 공자께서는 이렇게 말씀하셨다. "삶을 알지도 못하면서 어떻게 죽음을 알겠느냐?"

① 삶과 죽음은 같은 것이다.
② 귀신을 섬긴다면 죽음을 알 수 있다.
③ 사람을 섬김으로써 귀신을 섬길 수 있다.
④ 삶과 죽음 모두에 관심을 기울일 필요가 없다.
⑤ 죽음을 두려워하기보다는 현실의 삶에 충실해야 한다.

서술형

11 생명 경시 풍조의 의미와 문제점을 서술하시오.

12 죽음을 대하는 태도를 구체적으로 두 가지 이상 서술하시오.

3 삶의 소중함

1 죽음에 대한 토론

memo

➔ 다음의 글을 읽고 질문에 답해 보자.

10년간 지방의 대학에서 교수 생활을 하던 중에 종신 교수직도 거절하고 돌연 이사를 가려는 존 올드맨은 그의 행동에 의심을 품고 집요하게 추궁하는 동료들이 마련한 환송회에서 갑자기 폭탄선언을 한다. 그건 다름 아닌 자신이 14,000년 전부터 살아온 사람이라는 것이다. '만약에……'로 시작한 고백에서 그는 매번 10년마다 자신이 늙지 않는다는 것을 알아채기 전에 다른 신분으로 바꿔 이주해 왔고 이곳에서도 10년을 채웠기 때문에 떠날 수밖에 없으며, 자신이 그동안 이동하면서 역사 속 많은 인물과 사건에 관여하였다고 주장한다. 처음에는 그저 농담으로 생각하던 사람들이 게임 형식으로 질문을 던지고, 존이 논리 정연하게 척척 대답하자 각 분야의 전문가인 동료 교수들은 그의 주장에 점차 신빙성이 있음을 알게 된다.

– 영화 「맨 프롬 어스」

❶ 만약 내가 올드맨처럼 죽지 않고 살았다면 어떠할지 자신의 생각을 써 보자.

장점	
단점	

❷ 하나의 입장을 정하여, 짝꿍과 토론해 보자.

나의 의견	
짝꿍의 의견	

❸ 토론 후 자신의 생각을 정리해 보자.

나는 죽지 않고 영원히 사는 것은 ______________________(이)라고 생각한다.

왜냐하면 ______________________________

____

____

그러므로 ______________________________

____

2 지금 이 순간, 의미 있는 삶

memo

❶ 다음 노래 가사를 보고, 지금 이 순간이 소중한 이유와 의미 있는 삶을 위한 나의 노력을 함께 작성해 보자.

> 지금 이 순간 지금 여기
> 간절히 바라고 원했던 이 순간
> 나만의 꿈이 나만의 소원
> 이뤄질지 몰라 여기 바로 오늘
>
> 지금 이 순간 지금 여기
> 말로는 뭐라 할 수 없는 이 순간
> 참아온 나날 힘겹던 날
>
> 다 사라져 간다 연기처럼 멀리
> 지금 이 순간 마법처럼
> 날 묶어왔던 사슬을 벗어 던진다
>
> – 뮤지컬 「지킬앤하이드」

❷ 오늘이 나의 인생 중 마지막 남은 하루라면 어떤 하루를 보낼지 그림일기로 표현해 보자.

내용	그림

인물로 배우는

도덕

실존주의 철학자

마르틴 하이데거

(Martin Heidegger, 1889 ~ 1976)

이번에 소개할 학자는 마르틴 하이데거입니다.
하이데거는 20세기 독일의 실존주의 철학을 대표하는 학자로
평생 '존재'에 대해 연구하였습니다.

실존주의는 인간 존재의 참된 의미를 탐구하는 학문입니다.
하이데거에게 참된 실존이란 주어진 대로 사는 것이 아니라,
자신의 가능성을 찾고 이를 적극적으로 실현해 가면서
그 결과에 책임지는 삶을 의미합니다.
마치 오늘의 삶이 인생의 마지막인 것처럼
내가 나의 삶의 주인으로서 최선을 다해 사는 것입니다.

삶의 진정한 의미는
인간이 죽음을 향해 달려가는 존재라는 사실을 인식할 때,
죽음에서 벗어날 수 없다는 사실을 받아들임으로써
깨달을 수 있는 것이지요.

죽음을 두려워하거나 애써 외면하는 것이 아니라
직면함으로써 불안함을 극복해 내는 것,
그것으로부터 진정한 실존이 시작됩니다.

"인간은 시간의 흐름 속에서
언젠가는 죽음에 이르게 된다는 것을 자각하고
자신의 죽음을 직시할 때
비로소 본래적인 실존을 찾을 수 있다."

존재를 말하는 마르틴 하이데거를 만나다.

하이데거 선생님, 선생님께서는 일생을 '존재'에 대해 연구하셨잖아요. 존재와 죽음은 어떤 관련이 있나요?

존재와 죽음은 밀접한 관련을 맺고 있습니다. 인간의 존재를 이해하기 위해서는 죽음의 의미를 되짚어 보아야 합니다. 인간이 죽음을 향해 나아가는 존재라는 것을 받아들여야 합니다. 죽음으로부터 존재의 소중함을 깨달을 수 있는 것입니다.

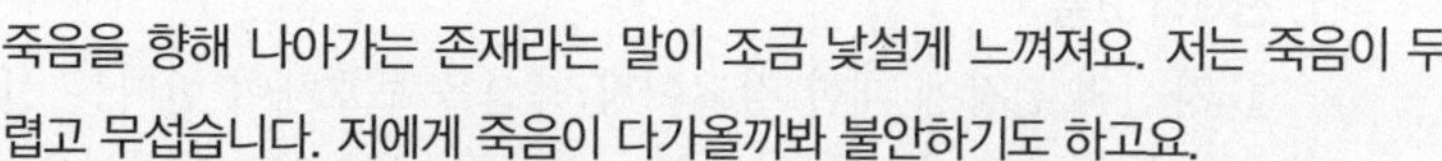

죽음을 향해 나아가는 존재라는 말이 조금 낯설게 느껴져요. 저는 죽음이 두렵고 무섭습니다. 저에게 죽음이 다가올까봐 불안하기도 하고요.

충분히 그럴 수 있습니다. 하지만, 이러한 불안함을 극복해야 합니다. 만약, 여러분이 일주일밖에 살지 못한다면 그 일주일은 어떨까요? 여태껏 지내 왔던 일주일과는 달리 더욱 소중하고 가치 있는 날들로 느껴질 것입니다. 이처럼 죽음에 대한 불안 속에서 존재의 의미를 되묻고, 삶의 새로운 의미를 만들 수 있다는 것이죠. 이것이 바로 진정한 실존입니다.

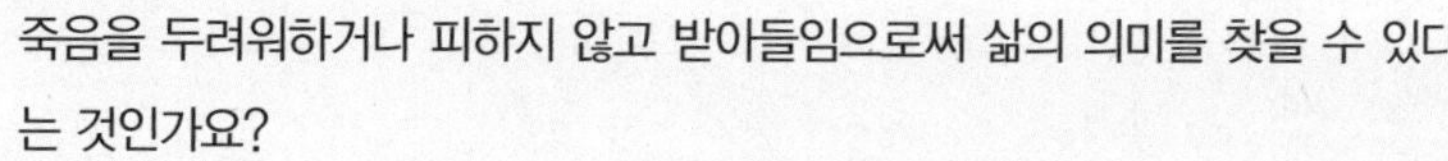

죽음을 두려워하거나 피하지 않고 받아들임으로써 삶의 의미를 찾을 수 있다는 것인가요?

그렇습니다. 우리 인간은 아무런 목적도, 의미도 없이 갑자기 세상에 내던져진 존재입니다. 아무런 목적이 없다는 말이 자칫 허무하게 다가올 수도 있겠지만, 여기에 더 큰 의미가 담겨 있습니다. 처음부터 목적 없이 태어났기 때문에 우리 스스로 삶의 목적과 의미를 만들 수 있는 것이지요. 우리는 직접 삶의 목적을 선택하고 자신의 삶을 자발적으로 개척하며 그것에 책임을 지는 매우 소중한 존재랍니다.

선생님의 말씀이 무엇인지 조금 알 것 같아요. 말씀해 주신 대로 더는 죽음을 두려워하지 않고 받아들여서 진정한 삶의 의미가 무엇인지 생각해 보아야겠어요. 감사합니다.

04 마음의 평화

교과서 180～191쪽

1 고통을 어떻게 대해야 할까?

1. 고통의 의미와 원인

(1) **고통의 의미**: 신체적인 통증과 정신적인 고민

(2) **고통의 원인**

신체적 고통	정신적 고통
건강상의 이유, 신체에 가해지는 물리적인 충격 등으로 발생	가슴 아픈 경험, 슬픈 일, 불만족, 결핍감, 다른 사람과의 갈등, 고민 등으로 발생

(3) **고통의 특징**

① 우리는 고통을 행복의 장애물로 여기기도 함

② 고통은 자신의 선택으로 생기기도 하지만 이와 상관없이 발생하기도 함

③ 고통을 삶을 긍정적으로 바꾸는 요소로 이해할 필요가 있음

└ 고통은 자신의 삶에 대한 진지한 성찰을 가능하게 하며, 삶의 의미를 더욱 빛나게 만드는 계기가 됨

2. 고통의 역할

(1) **신체적 고통**

① 자신의 건강에 대한 경고이자 자신을 보호해야 한다는 신호

② 고통스러운 과정을 견디면서 신체를 단련하고 인내심을 기름

(2) **정신적 고통**

① 고통을 경험하는 과정에서 삶의 가치를 발견할 수 있음

② 소중한 사람들을 잃는 가슴 아픈 경험 → 주변 사람에 대한 소중함과 유한한 삶의 가치를 깨닫게 됨

③ 일상생활에서 성취하지 못한 것으로 인한 불만족 → 욕심이나 집착의 문제를 반성하게 하며 새로운 도전을 하는 데 도움이 됨

④ 다른 사람들과의 갈등 → 상황을 해결해 나가는 과정에서 타인에 대한 태도를 성숙하게 함

• 고통의 원인에 대한 다양한 견해
- 불교: 집착과 욕심
- 도가: 인위적인 지식과 욕구, 유위(有爲)
- 그리스도교: 신과의 단절과 죄
- 에피쿠로스: 무절제한 비자연적 욕구
- 쇼펜하우어: 무한한 욕망으로서의 맹목적인 의지
- 야스퍼스: 인간이 극복할 수 없는 극한의 한계 상황

• 맹자의 고통

하늘이 장차 그 사람에게 큰일을 맡기려 할 때는 반드시 먼저 그 마음과 뜻을 괴롭히고 뼈마디가 꺾어지는 고난을 겪게 하며 그 몸을 굶주리게 하고 그 생활은 빈궁에 빠뜨려서 하는 일마다 어지럽게 하나니 그것은 타고난 작고 못난 성품을 인내로써 담금질하여 하늘의 사명을 능히 감당할 만하도록 그 역량을 키워 주기 위함이다.

– 맹자, 『맹자』

재미있는 도덕 읽기 불교에서 바라본 고통, 팔고(八苦)

괴로움에는 여러 가지 원인이 있다. 신체적인 통증에서 오기도 하고 정신적인 고민에서부터 오기도 한다. 불교는 '인생 그 자체가 고통'이라고 표현할 만큼 고통을 삶의 중요한 요소 중 하나로 보았다. 고통을 삶의 중요한 요소 중 하나로 생각하였다. 불교에서는 사람이 겪게 되는 고통을 여덟 가지로 생각하였다[팔고(八苦)]. 먼저 생고(生苦)는 이 세상에 태어나는 고통이며, 노고(老苦)는 늙어가는 고통, 병고(病苦)는 병으로 겪는 고통, 사고(死苦)는 죽어야 하는 고통을 말한다. 이 네 가지 고통을 합하여 흔히 생로병사(生老病死)라고 표현한다.
팔고에는 생로병사와 더불어 사랑하는 사람과 이별하는 고통인 애별리고(愛別離苦), 미워하는 사람과 만나거나 살아야 하는 고통인 원증회고(怨憎會苦), 가지고 싶은 것을 갖지 못할 때의 고통인 구부득고(求不得苦), 인간을 구성하는 요소인 오온에 집착하여 겪는 고통인 오음성고(五陰盛苦)가 있다.

3. 마음의 평화를 얻기 위한 방법

(1) **고통을 대하는 바람직한 자세**

① 자신의 고통을 받아들이기

② 고통의 상태를 평온하게 관리하기

③ 행복과 도덕적인 삶을 살기 위해 마음의 평화를 이루고자 노력하기

(2) **마음의 평화를 위한 동서양의 실천 방법**

① 불교: 교리 공부나 참선을 통해 마음을 다스려 깨달음을 얻고자 함

② 유교: 경과 신독을 통해 일상생활에서 마음을 다스리고자 함

③ 도가: 세상을 편견 없이 열린 마음으로 대하기 위해 마음을 비우는 심재 강조

④ 그리스도교: 예배와 성경 읽기, 기도를 통해 평안을 얻고자 함

- 신독: 남이 알지 못하더라도 도리에 어긋나는 욕심이 자라나지 않도록 조심하는 것
- 경: 한 가지 일에 정신을 집중하는 수양법
- 심재: 정신을 맑고 깨끗하게 가다듬는 것

2 나는 무엇을 희망할 수 있을까?

1. 삶의 희망

(1) **희망의 의미**: 앞으로 다가올 인생에서 뜻하는 일이 잘 이루어질 것이라는 긍정적인 생각과 낙관적인 태도

(2) **희망의 필요성**

① 어려움을 극복할 용기를 얻고 목표에 집중함으로써 문제를 해결할 수 있음

② 자신을 깊이 신뢰하고 더 큰 어려움에 도전할 수 있는 용기를 얻음

2. 마음의 평화와 도덕적 희망

- 도덕적 희망: 도덕적으로 바람직한 것을 추구하면서 지니는 희망

(1) 자신의 감정과 욕구를 잘 다스려서 마음의 평정심 지니기

(2) 다른 사람에게 상처가 되는 말과 행동하지 않기

(3) 다른 사람을 용서하고 이해하고자 노력하기

(4) 나에게 주어진 조건과 환경을 긍정적으로 이해하기

(5) 도덕적 이상을 추구하는 가운데 삶에서 필요한 것을 희망하는 태도 지니기

• 희망과 확신

희망은 막연한 기대나 상상과는 다르다. 희망은 목표를 이루려는 방법을 알아내고, 그것을 실천할 수 있다는 확신으로 이루어져 있기 때문이다.

• 희망과 관련된 격언

• 행복의 원칙은 첫째, 어떤 일을 할 것. 둘째, 어떤 사람을 사랑할 것. 셋째, 어떤 일에 희망을 가질 것이다.

– 임마누엘 칸트

• 희망이란 본래 있다고도 할 수 없고 없다고도 할 수 없다. 그것은 마치 땅 위의 길과 같은 것이다. 본래 땅 위에는 길이 없었다. 한 사람이 먼저 가고 걸어가는 사람이 많아지면 그것이 곧 길이 되는 것이다.

– 루쉰, 『고향』

재미있는 도덕 읽기 청소기에 갇힌 파리 한 마리

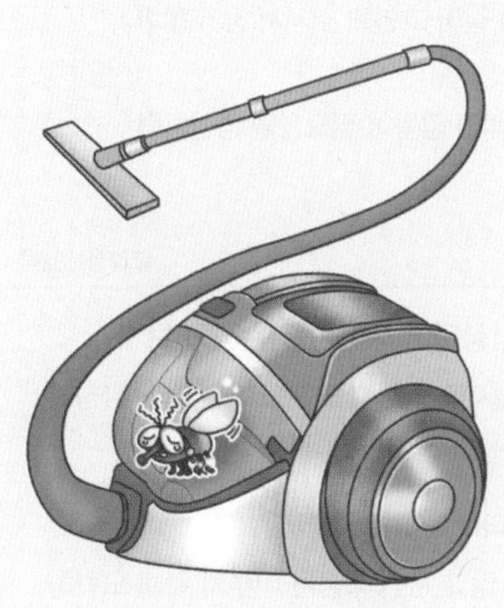

『청소기에 갇힌 파리 한 마리』는 파리를 통해 우리가 살면서 겪는 슬픔, 불행 등 여러 가지의 감정에 어떻게 반응하는지를 5단계로 설명한다. 평화로운 어느 날, 집 안을 날던 파리가 갑자기 눌린 청소기 버튼 때문에 청소기 안으로 빨려 들어간다. 맨 처음 파리는 청소기 안을 굉장히 멋진 곳이라고 생각한다. 혹시 꿈이 아닐지, 깜짝 파티는 아닐지 현실을 회피하고 부정한다(1단계, 부정). 하지만, 이내 파리는 현실을 깨닫고 청소기를 설득하기 시작한다. 착하게 산다고도 하고, 친구랑 약속이 있다고도 해 보고, 애원을 한다(2단계, 타협). 하지만 상황은 나아지지 않고 이내 파리는 화를 내기 시작한다. 청소기 속에 있던 면봉으로 청소기를 공격하기도 하고, 분노에 가득 찬다(3단계, 분노). 아무런 변화가 나타나지 않자 파리는 이내 희망을 놓는다. 절망에 빠져서 눈물을 흘리고 상황에 항복한다(4단계, 절망). 한참을 운 파리는 주변을 돌아보고 살아 있음에 감사하며 차분히 생각을 정리한다(5단계, 수용). 그 순간 깜깜하였던 청소기 안에 빛이 보이고, 파리는 청소기 밖으로 나온다.

1 고통을 어떻게 대해야 할까?

마음 열기 풀이

교과서 180쪽

자료 해설
세 가지의 삽화 모두 고통스러운 일을 당하였을 때의 모습을 나타내고 있다. 우리는 고통을 다양한 방식으로 해결하려고 한다. 첫 번째 삽화처럼 주변 사람들에게 조언을 구하기도 하고, 두 번째 삽화처럼 다른 일에 몰두함으로써 고통을 잊으려 하기도 하고, 세 번째 삽화처럼 고통의 원인을 자신으로 돌려서 자책하기도 한다.

1. 나는 고통스러운 일을 당했을 때 어떻게 행동하는지 생각해 보자.

예시 답안 | 나는 천천히 산책하면서 고통의 원인을 분석하고 그에 대한 해결방법을 찾으려고 노력한다.

2. 위의 세 학생이 보이는 태도의 차이는 무엇일까?

예시 답안 | 어떤 관점에서 어떤 방식으로 고통을 바라보는지에 따라 태도가 달라지는 것 같다.

스스로 활동하기 풀이 고통을 다루는 방법 배우기

교과서 181쪽

이것이 핵심
고통의 원인을 분석하고 이를 해결할 방법을 탐구함으로써 자신의 행동을 긍정적인 방향으로 이끌어 간다.

친절한 활동 안내
고통은 나의 선택과 행동의 결과로 생겨나기도 하지만, 내가 통제할 수 없는 상황에 의해 저절로 생겨나기도 해. 이때 고통스러운 상황 자체를 바꾸기는 어렵겠지만, 나의 마음과 태도는 자유롭게 결정할 수 있어. 고통을 극복하기 위해 긍정적인 마음과 평정심을 유지하는 태도가 매우 중요하다는 점을 기억하자.

다음의 대화를 이어 가며 자신이 처한 고통의 원인을 이해하는 연습을 해 보자.

예시 답안 |

- 선생님: 고민이 있어 찾아왔다고? 어떤 고민이니?
- 나: 키가 작아서 걱정이에요. 친구들이 장난으로 땅꼬마라고 놀리기도 하고, 저도 키가 작아서 항상 위축돼요. 왜 저는 키가 이렇게 작을까요.

- 선생님: 사람은 자기 뜻대로 일이 되지 않을 때 화를 내. 하지만, 건강 문제나 날씨처럼 세상에는 우리 마음대로 할 수 없는 일이 대부분이지. 지금 너의 고민이 혹시 그런 일은 아닐까?
- 나: 아, 그렇군요. 키가 작은 문제는 제 마음대로 할 수 없는 부분이겠네요. 그래도 속상한데 어쩌죠?

- 선생님: 그렇다면 네가 할 수 있는 일에는 어떤 것이 있을까?
- 나: 생각해 보니, 제가 종종 편식하고 잠도 늦게 자곤 하였어요. 키가 더 클 수 있도록 편식하지 않고 규칙적인 생활을 해야겠어요. 그리고 키 때문에 저를 놀리는 친구들에게 진지하게 제 생각을 말해야겠어요. 키가 작다고 위축되지 않고 늘 자신감을 가지려고 노력할게요. 이렇게 같이 고민해 주셔서 감사합니다.

- 선생님: 자신의 의지대로 자유롭게 살아가려면 올바른 생각과 긍정적인 믿음이 필요함을 명심하렴.

스스로 활동하기 풀이 예술로 이겨 낸 고통

교과서 182쪽

이것이 핵심
내가 만약 칼로였다면 어땠을지 상상해 보며, 고통을 예술로 승화시킨 칼로의 노력을 생각한다.

친절한 활동 안내
칼로의 이야기를 보며, 나는 어떻게 고통을 극복하는지 생각해 보자.

1. 위의 인물이 고통을 극복하고 인격적으로 성숙하는 과정을 상상하여 이야기를 완성해 보자.

예시 답안 | 그림을 그리는 것이었다. 처음에 그린 그림은 엉망이었지만 끝까지 포기하지 않았다. 마침내 칼로의 그림 실력은 눈에 띄게 늘었고 화가로서의 꿈을 이루며 자신의 신체적 한계를 극복하였다.

2. 위의 인물은 어떤 점에서 고통을 통해 인격의 성숙을 이루었다고 할 수 있을까?

예시 답안 | 칼로는 남들보다 불리하고 힘든 상황에서도 포기하지 않고 자신의 꿈을 이루기 위해 노력하였다. 이러한 힘든 고통의 시간 속에서 인격적 성숙을 이룬 것이다.

스스로 활동하기 풀이 마음의 평화를 이루는 사랑의 힘

교과서 183쪽

다음 글을 참고하여 활동 예시에 따라 '자기 격려'를 연습하고 느낀 점을 이야기해 보자.

예시 답안 |

1단계	**자신의 고통 받아들이기** 나는 고통스러운 상황에 놓여 있다. 괴롭고 힘들다.
2단계	**자신의 고통을 인간의 공통점으로 이해하기** 인간이라면 누구나 고통을 겪으며 이것은 살면서 누구나 경험하는 자연스러운 감정이다. 이 고통은 나의 성장의 계기가 될 것이다. 많은 사람이 고통을 극복해 왔다.
3단계	**친절하고 따뜻한 사랑의 말로 자신을 위로하기** 나는 이 괴로움을 극복할 수 있다. 고통을 극복하면 한 단계 성장한 나를 발견할 것이다. 나는 매우 소중한 존재이기 때문에 행복해야 한다. 행복하기 위해서는 고통에 적절히 대처하고 극복해야 한다. 마음의 안정을 취해 보자. 나는 나를 믿는다.

이것이 핵심

자기 격려의 필요성을 인식하고 일상 생활에서 활용한다. 괴롭고 힘든 상황에서 스스로 격려하고 위로하는 힘을 키운다.

친절한 활동 안내

고통을 있는 그대로 받아들이고 따뜻한 말로 자신을 위로하면서 마음의 안정을 취해 보자. 자기 격려를 통해 고통을 극복할 힘이 생길 거야. 스스로를 사랑하는 마음, 할 수 있다는 긍정적인 믿음으로부터 희망이 생기는 거야.

함께 활동하기 풀이 고통의 경험을 나누며 평정심 연습하기

교과서 184쪽

1. 모둠원과 함께 활동 방법을 차례대로 해 보자.

예시 답안 |

① 오른쪽의 목록을 참고하여 고통과 관련된 주제를 정한다.
학업 문제: 성적이 좋지 않을 때의 고통을 어떻게 극복할까?

② 모둠원이 한 사람씩 돌아가면서 주제에 대한 자신의 생각을 1분 정도 이야기한다.
나의 학습 태도를 점검하고, 부족한 부분을 보충하면서 새로운 학습 전략을 짠다. 이러한 과정을 통해 고통을 잊고 극복한다. / 부모님 또는 선생님과 상담을 한 후 차분히 명상하면서 생각을 정리한다. / 친구들과 축구하고 뛰어놀면서 성적 스트레스를 풀어 나간다.

③ 듣는 사람은 '공감 표현하기, 질문하기, 자기 생각 말하기' 등의 반응을 하지 않으며, 말하는 사람에게 집중한다.
모둠원이 이야기할 때 모두 조용히 경청한다.

④ 말하거나 듣는 동안 일어나는 자신의 감정 변화를 관찰한다.
나의 이야기를 조용히 경청해 주니 의견을 구체적으로 표현할 수 있었다. / 친구의 이야기에 집중할 수 있었다.

2. 다음 질문에 대하여 자유롭게 이야기를 나눈 후, 활동을 통해 느낀 점을 글로 작성해 보자.

예시 답안 | 친구가 이야기하는 도중에 이야기를 꺼낼 수 없어서 답답하였고, 아무런 반응도 할 수 없다는 점이 어려웠다. 그러나 시간이 지날수록 답답한 마음보다는 편안한 마음으로 친구들의 이야기에 집중할 수 있었다. 내가 이야기할 때에도 친구들이 잘 경청해 주어서 한결 가벼운 마음으로 나의 생각을 전달할 수 있었다. 친구들은 각각의 다양한 방법으로 고통에 대처하고 있었다. 다들 비슷한 문제로 비슷한 고통을 겪고, 이를 극복하기 위해 나름의 방법으로 노력하고 있다는 점이 놀라웠다. 특히 고통을 극복하는 방법 중 가장 인상 깊었던 것은 조용한 노래를 들으면서 산책도 하고 집에서 차분히 명상하는 것이다. 나 또한 고통에 너무 스트레스 받지 않고 차분히 대처해야겠다.

이것이 핵심

친구들의 이야기를 경청하면서 자신의 생각과 비교한다. 이를 통해 자신의 삶의 의미를 구성하여 실존적 자각 능력을 증진하고 도덕적 의사소통 능력을 함양한다.

친절한 활동 안내

친구들과 경험 나누기를 하며 고통을 마주한다면, 고통에 적절히 대처하는 자세를 지닐 수 있어. 친구들의 이야기를 경청한 후 자신의 태도와 비교해 보자. 글로 작성할 때에는 활동 후 느낀 점을 중심으로 작성하되, 자신의 태도가 어떻게 변화하였는지에 초점을 맞춰 보자.

배움 정리하기 풀이

- ✔ 신체적, 정신적
- ✔ 성찰
- ✔ 예 불교의 명상, 불경 읽기 등이 있다.

2 나는 무엇을 희망할 수 있을까?

마음 열기 풀이 교과서 186쪽

자료 해설
다음의 글은 오 헨리의 「마지막 잎새」의 내용이다. 폐렴을 앓고 있는 존시는 삶을 향한 의지도 어떠한 노력도 없이 그저 자신의 처지를 비관하며 죽을 날만을 기다리고 있다. 담쟁이의 잎이 다 떨어지면 자신의 생도 끝날 것이라는 절망적인 생각에서 존시의 무기력한 모습을 볼 수 있다. 그러나 비바람이 몰아쳐도 마지막 잎은 떨어지지 않았고 비로소 존시는 생의 가치를 깨닫게 된다. 어려운 상황 속에서도 희망의 끈을 놓지 않고 꿋꿋하게 노력한다면 어떤 고난과 역경도 극복할 수 있음을 보여 주고 있다.

1. 존시는 어떻게 죽지 않고 살아갈 용기를 되찾을 수 있었을까?

예시 답안 | 존시는 힘없이 떨어져 가는 잎이 자신의 처지와 같다고 생각하였다. 그러나 세찬 비바람에도 떨어지지 않는 마지막 잎을 보면서 강인한 생명력을 느낀다. 이를 통해 자신도 시련을 꿋꿋하게 이겨 내야겠다고 생각하게 된 것이다.

2. 위와 같이 살아날 가능성이 없다고 느끼는 상황에서 자신에게 살아갈 용기를 주는 것은 무엇일까?

예시 답안 | 역경을 딛고 어려움을 극복한 사람들의 이야기를 들으면 나도 그들처럼 이겨낼 수 있을 것 같아 용기가 생긴다. / 부모님의 얼굴을 떠올려 본다. 나를 위해 애쓰신 부모님의 주름진 손과 따뜻한 목소리를 생각하면 저절로 용기가 생긴다. 부모님의 환한 미소와 기쁨을 전해 드리기 위해 한 발자국 내디딜 힘이 생기는 것이다. / 삶의 긍정적인 희망이 나에게 용기를 준다.

도덕으로 세상 보기 해설 영화 「울지마 톤즈」 교과서 187쪽

이것이 핵심
이태석 신부의 삶을 읽고 느낀 점을 이야기하며 이태석 신부가 한평생 추구했던 가치가 무엇인지 생각한다. 이를 통해, 자신의 삶을 돌아보고 삶의 바람직한 방향을 설정한다.

친절한 활동 안내
이태석 신부가 척박한 땅 톤즈에 병원과 학교를 세운 이유를 생각해 보자. 또한 대장암 판정을 받은 이태석 신부는 어떻게 희망을 잃지 않았을까? 나였으면 어땠을지 함께 상상해 보자.

이태석 신부의 삶을 읽고, 느낀 점을 말해 보자.

예시 답안 | 열악한 상황에서도 다른 사람을 위해 한평생 헌신하고, 대장암 판정을 받은 후에도 희망을 잃지 않았던 점이 대단하고 존경스럽다. 이태석 신부가 끝까지 희망을 잃지 않았기에 척박한 땅이었던 톤즈에 희망이 싹트게 된 것이다. 나도 나를 위해서도 다른 사람을 위해서도 희망을 놓지 않고 도덕적 이상을 추구하는 삶을 살 것이다.

재미있는 도덕 읽기 긍정적 자기 암시의 힘

2016 리우 올림픽 펜싱 에페 종목에서 박상영 선수가 막판 5점을 연속 득점하는 역전 드라마를 펼쳤다. 그가 우승하면서 우리에게 보여 준 것은 긍정적인 자기 암시이다. 13 대 9로 뒤진 상황에서 박상영이 '할 수 있다.'라고 되뇌며 경기에 임하는 자세는 큰 감동을 주었다. 이러한 긍정적 자기 암시를 '피그말리온 효과'라고 하는데, 이는 그리스 신화에 나오는 조각가 피그말리온이 아름다운 여인상을 조각하고 그 여인상을 진심으로 사랑하게 된 것에서 비롯된 심리학 용어이다. 여신 아프로디테는 그의 사랑에 감동하여 여인상에게 생명을 주었는데, 이처럼 타인의 기대나 관심으로 인하여 능률이 오르거나 좋은 결과를 낳는 현상에 대해 피그말리온 효과 즉, 자기 충족적 예언이라고 한다. 박상영 선수 역시 자신에게 긍정적인 이미지를 부여함으로 금메달에 대한 부담감을 떨칠 수 있었고 경기에만 집중하여 기적 같은 결과가 나온 것이다. 이러한 효과는 자기 자신에만 한정된 것이 아니다. 다른 사람들이 자신에게 기대하는 것이 있을 때 그 기대에 부응하려고 노력하며 점차 발전하는 모습을 보이게 된다.

– ○○신문, 2016. 9. 9.

스스로 활동하기 풀이 아름다운 세상을 위하여

교과서 188쪽

➔ 나는 어떠한 생각으로 세상을 바꿀지 생각해 보고, 실천 계획을 세워 보자.

예시 답안 |

- 생각: 감사 표현하기
- 실천 계획: 부모님과 친구들, 나의 주변 사람들에게 하루에 3번 이상 감사 인사를 할 것이다. 지금까지 주변 사람들의 호의를 당연하게 여기기도 하였고 고맙다는 말에 인색하였다. 이제부터 '고맙습니다. 감사합니다. 친구야 고마워. 네가 큰 도움이 됐어.' 등의 감사 표현을 자주 할 것이다. 나의 고마움을 진솔하게 표현한다면 상대방도 기쁠 것이고 서로의 존재 가치를 인식할 수 있을 것이다.

이것이 핵심

세상을 변화시킬 수 있는 나의 행동을 생각해 봄으로써, 작은 행동의 파급력을 인식한다.

친절한 활동 안내

세상을 바꾸기 위한 노력의 공통점은 다른 사람을 배려하고 존중하는 것, 그리고 스스로 긍정적인 희망을 안고 사는 것에 바탕을 두고 있음을 기억하자.

함께 활동하기 풀이 '희망' 이어 가기 연설

교과서 189쪽

➔ 다음 자료를 참고하여 희망을 담은 연설문을 작성하여 발표해 보자.

"저는 그때와 똑같은 말랄라입니다. 제 야망도 변하지 않았습니다. 제 희망도 마찬가지고요. 제 꿈도 똑같습니다. 우린 어둠을 접할 때 빛의 중요성을 깨닫습니다. 우리는 잠자코 있어야 할 때 목소리의 중요성을 깨닫습니다. 우리는 말의 힘과 파급력을 믿습니다. 오늘은 자신의 권리를 위해 목소리를 높인 모든 여성, 모든 소년, 모든 소녀를 위한 날입니다. 책과 펜을 듭시다. 그것이야말로 가장 강력한 무기입니다.

한 명의 아이, 한 명의 선생님, 한 권의 책, 한 개의 펜이 세상을 바꿀 수 있습니다." – 말랄라 유사프자이의 국제 연합(UN) 연설 중 발췌

○ 말랄라 유사프자이는 파키스탄의 여성 교육 운동가이다. 15살 때 무장 정치 단체로부터 공격을 받았지만 다행히 살아남았다. 2013년에는 국제 연합 본부에서 연설을 했으며, 2014년에 노벨 평화상을 수상하였다.

예시 답안 |

학교에서 욕을 사용하지 맙시다. 우리는 습관적으로 친구에게 심한 말을 하기도 하고 욕을 하기도 하였습니다. 욕설이 언어폭력인 것을 알면서도 장난이고 말하며 즐겁게 내뱉었습니다.

하지만, 제가 욕을 하면 할수록, 친구들에게 욕을 들을수록 점차 공격적으로 변하는 저를 발견하게 되었습니다. 이제는 이러한 장난, 욕설, 폭력은 없어져야 합니다. 처음부터 완벽하게 고치기는 어렵겠지만 학교에서만큼은 비속어나 욕설을 사용하지 않았으면 좋겠습니다.

우리 모두 아름다운 말로 서로를 격려하고 응원해 주는 친구들이 되기를 희망합니다.

이것이 핵심

희망을 담은 연설문을 직접 작성하고 발표하면서 세상에 대한 바람직한 가치관을 정립한다.

친절한 활동 안내

살면서 부당하거나 옳지 못하다고 느꼈던 사건, 절망스러웠던 일이 있었니? 그러한 일을 바로잡기 위해서 우리는 어떤 노력을 해야 할까? 개인적 차원이나 사회적 차원 또는 범지구적 차원에서 생각해 보자.

배움 정리하기 풀이

✔ 희망
✔ 도덕적 이상

재미있는 도덕 읽기 양심과 용기

에바 포겔만이라는 학자가 나치 시대에 위험을 무릅쓰고 타인을 도왔던 사람들을 심층 조사하여 『양심과 용기』라는 책을 냈다. 그런데 뜻밖에도 그 사람들은 영웅적이지 않았고, 자기 스스로 대단히 희생적인 행동을 한다는 의식도 없었다는 결과가 나왔다. "그 상황에서 그렇게 밖에 할 수 없었다."라고 하였고 "누구든 그 자리에 있었다면 똑같이 행동했을 것"이라고도 하였다. …… 상식적으로 인간적 품위에 맞게 행동하고 그런 상황에서 타인을 돕는 것 외에 다른 방도가 없다고 생각하였다. 또한 당연히 그래야 하므로 그렇게 처신하고, 자기가 속한 공동체와 가족 내에서 배우고 실천하였던 일상적인 도덕성을 타인에게도 계속하는 특징을 보였다. 여기서 우리는 몇 가지 교훈을 얻을 수 있다. 우선, 이 험한 세상에서 꼭 필요한 일이 의외로 상식적인 수준의 행동으로써 얻어질 수 있다는 것을 알 수 있다. 둘째, 방관과 무관심은 중립이 아니라 적극적인 해악이다. 반대로, 작은 관심과 배려가 세상을 크게 바꿀 수 있다. – ○○신문, 2009. 2. 12.

취미로 평정심 기르기

이것이 핵심

조선 선비들의 취미 활동을 살펴봄으로써 옛 성인들의 지혜를 엿볼 수 있다. 취미를 통해 평정심을 얻는 방법을 생각해 보고 친구들과 공유한다.

친절한 활동 안내

취미 활동으로 마음을 다스리고 평정심을 얻을 수 있어. 취미가 없다면 평소 자신이 좋아하는 활동, 또는 마음이 복잡할 때 하였던 행동들을 되짚어 보며 작성해 보도록 하자. 친구들의 발표를 듣고 마음에 드는 것을 선택해 자신의 것으로 만들어도 좋아.

➔ 마음을 다스리기 위한 나만의 취미를 사진과 함께 친구들에게 발표해 보자.

예시 답안 |

제목: 집안일 하기	
	나는 마음이 심란할 때 집안일을 한다. 방 정리를 하면서 생각도 함께 정리하고, 점차 깨끗해지는 집을 보면서 뿌듯함도 느낄 수 있기 때문이다. 집안일을 하면 부모님의 칭찬도 들을 수 있어서 좋다.

제목: 친구들과 축구하기	
	마음을 다스리기 위한 나만의 취미는 친구들과 함께 축구를 하는 것이다. 축구를 하는 동안 복잡한 마음을 떨쳐낼 수 있고, 힘차게 뛰고 땀을 흘리면 스트레스도 풀리기 때문이다.

재미있는 도덕 읽기 | 에피쿠로스의 평정심 '아타락시아'

⊙ 에피쿠로스 학파의 창시자인 에피쿠로스의 석상

에피쿠로스학파의 선의 기준은 쾌락이다. 자신의 쾌락이 중요한 것이고, 이것은 결코 포기해서는 안 되는 것이다. 그렇다고 해서 무분별한 쾌락과 방종을 권하였던 것은 아니다. 에피쿠로스학파가 주장하는 쾌락이란 육체의 고통과 정신적인 공포에서 벗어난 정신의 자유이다. 정욕의 충족이나 안락한 생활, 사치스러운 삶은 진정한 쾌락과는 다른 것이다. 왜냐하면, 이러한 쾌락을 추구하는 것은 결국 더 큰 고통과 불안을 가져다주기 때문이다. 만약 맛있는 피자를 먹는 즐거움이 커서 지나치게 많이 먹게 되면 틀림없이 배탈이 나게 마련이다. 무엇인가 좋다고 해서 무분별하게 그것을 바란다면 결국 그것은 쾌락이 아닌 고통이 되어 돌아올 것이다. 진정한 쾌락이란 세속적인 욕망에서 벗어난 마음의 평정 상태이며, 지나친 열정에서 벗어난 흔들림 없는 고요한 상태이다. 이러한 상태를 에피쿠로스는 '아타락시아(ataraxia)'라고 말한다. 즉 에피쿠로스학파는 진정한 쾌락을 위해서 분별력 있게 추구하는 능력을 중요하게 여겼다. 그리고 이들은 세속적인 욕망과 탐욕은 인간에게 결국 고통이 되어 돌아올 것이기에 피해야 하며, 진정한 쾌락을 추구하는 길은 사회에 등을 돌리고 고요한 평정의 상태를 유지하는 것뿐이라고 말한다. 그래서 자연의 법칙에 순응하며 세속과 담을 쌓는 은둔자의 삶이야말로 가장 이상적인 상태라고 주장한다. 또 쾌락 없이 고통의 지배를 받는다면 죽음을 선택하는 것이 더 낫다고 말할 정도로 쾌락을 인간이 추구해야 할 최고의 목표로 설정하고 있다.

– 서용순, 『청소년을 위한 서양 철학사』

정답과 해설 221쪽

개념 확인 문제

01 다음 내용이 옳으면 ○표, 틀리면 X표 하시오.

(1) 고통은 어떤 경우에도 피해야만 한다. ( )
(2) 정신적인 고통을 경험하는 과정에서 삶의 가치를 발견할 수 있다. ( )
(3) 희망은 막연한 기대나 상상을 의미한다. ( )
(4) 평정심을 유지하기 위해서는 자신이 처한 어려움을 탓하는 태도를 버려야 한다. ( )

02 빈칸에 알맞은 말을 쓰시오.

(1) ( )은/는 고통을 이기고 행복과 도덕적인 삶을 위해 평화롭게 다스려야 할 우리 안의 대상이다.
(2) 유교의 ( )은/는 남이 알지 못하더라도 도리에 어긋나는 욕심이 자라나지 않도록 조심하는 자세이다.
(3) ( )은/는 어려운 상황에서 자신을 더욱 깊이 신뢰하고 더 큰 어려움에 도전할 수 있도록 만들어 준다.

03 밑줄 친 내용을 바르게 고쳐 쓰시오.

(1) 그리스도교에서는 <u>심재</u>을/를 통해 평안을 얻고자 노력하였다.
(2) 우리는 <u>개인적 욕망</u>을/를 추구하는 가운데 삶에서 필요한 것을 희망하는 태도를 지녀야 한다.

실력 점검 문제

중요
01 고통에 대한 설명으로 옳지 <u>않은</u> 것은?

① 고통은 행복을 실현하는 장애물에 불과하다.
② 고통은 신체적 통증과 정신적인 고민을 의미한다.
③ 삶을 긍정적으로 바꾸는 요소로서 고통을 이해해야 한다.
④ 고통을 삶의 일부로 받아들이는 것이야말로 성숙한 삶의 자세이다.
⑤ 고통 없는 삶을 바랄 수는 있지만, 고통을 영원히 피해 갈 수는 없다.

중요
02 (가)와 (나)에 들어갈 내용으로 옳은 것은?

> 고통의 발생 원인은 두 가지로 구분할 수 있다. 먼저, [(가)] 고통은 건강상의 이유나 외부에서 신체에 가하는 물리적인 충격 등으로 발생한다. 한편, [(나)] 고통은 일상에서 겪는 어떤 일에 관해서 슬퍼하거나, 원하는 것에 만족하지 못하거나, 다른 사람과 심리적인 갈등 또는 고민 속에서 발생한다.

	(가)	(나)
①	신체적	가상적
②	신체적	정신적
③	심리적	정신적
④	정신적	신체적
⑤	정신적	가상적

실력 점검 문제

03 다음 중 고통의 성격이 다른 것은?

① 의진: 친구와 말다툼해서 관계가 서먹해졌어.
② 지은: 독감에 걸려서 움직일 수도 없이 아파.
③ 준식: 시험 결과가 원하는 만큼 나오지 않아서 속상해.
④ 상혁: 오랫동안 키워왔던 강아지가 죽어서 너무나 슬퍼.
⑤ 은지: 나는 기자가 되고 싶은데, 부모님은 무조건 변호사가 되기를 바라셔서 너무 힘들어.

중요

04 고통의 역할로 적절한 것만을 〈보기〉에서 있는 대로 고른 것은?

보기

ㄱ. 즐거움은 언제나 좋은 것이며, 고통은 항상 나쁜 것이다.
ㄴ. 고통은 자신의 삶에 대한 진지한 성찰을 가능하게 한다.
ㄷ. 정신적인 고통을 경험하는 과정에서 삶의 가치를 발견할 수 있다.
ㄹ. 신체적 고통은 자신의 건강에 대한 경고이자 자신을 보호해야 한다는 신호이다.

① ㄱ, ㄴ ② ㄴ, ㄹ ③ ㄱ, ㄴ, ㄷ
④ ㄱ, ㄷ, ㄹ ⑤ ㄴ, ㄷ, ㄹ

05 마음의 평화를 얻기 위한 방법으로 적절하지 않은 것은?

① 마음을 다스리기 위해 노력한다.
② 먼저 자신의 고통을 받아들인다.
③ 고통의 상태를 평온하게 관리하려고 노력한다.
④ 고통을 불러일으키는 모든 대상과의 관계를 단절한다.
⑤ 자신이 겪는 고통이 일반적으로 발생할 수 있는 것임을 이해한다.

06 도가에서 제시할 수양 방법으로 가장 적절한 것은?

① 깨달음을 얻기 위해 경전의 교리를 공부하세요.
② 한 가지 일에 정신을 집중하는 경의 자세를 유지하세요.
③ 도덕적인 행동을 반복하여 주변 사람과 평화로운 관계를 만들어 가세요.
④ 정신을 맑고 깨끗하게 가다듬는 방법인 심재를 통해 마음을 가지런히 하세요.
⑤ 남이 알지 못하더라도 도리에 어긋나지 않도록 조심하는 신독의 자세를 기르세요.

07 ㉠에 들어갈 내용으로 가장 적절한 것은?

불교에서는 경전에 나오는 교리를 공부하거나 참선을 통해 마음을 다스려 깨달음에 이르기 위한 다양한 방법을 강조하였다. 그리스도교에서는 (㉠)을/를 통해 평안을 얻고자 노력하였다.

① 예배와 성경 읽기 및 기도
② 인생은 곧 고통이라는 진리
③ 조상들을 정성스레 모시는 제사
④ 살아있는 것들을 소중히 여기는 자비
⑤ 경험과 관찰을 통해 얻는 과학적 지식

08 ㉠에 들어갈 내용으로 가장 적절한 것은?

(㉠)은/는 앞으로 다가올 인생에서 뜻하는 일이 잘 이루어질 것이라는 긍정적인 생각과 낙관적인 태도를 의미한다.

① 배려 ② 사랑 ③ 욕구
④ 존중 ⑤ 희망

09 다음 상황에서 친구에게 희망을 줄 수 있는 조언으로 가장 적절한 것은?

> "시험공부를 열심히 하였는데도 성적이 오르지 않아서 짜증이 나. 공부하는 것도 재미없고 학교도 왜 가야 하는지 모르겠어."

① 결과가 좋지 않으면 일찍 포기하는 게 차라리 마음이 편할 거야.
② 너보다 더 힘든 사람들이 얼마든지 많으니까 더는 짜증 내지 않았으면 좋겠어.
③ 나는 그렇게 열심히 공부하지 않았는데도 성적이 올랐는데, 너는 왜 그런지 모르겠네.
④ 노력이 부족하였으니 성적이 오르지 않았겠지. 더 열심히 하였으면 성적이 올랐을 거야.
⑤ 작은 목표를 정하고 그것을 이뤄가면서 자신감을 가진다면, 어려움을 극복할 용기가 생길 거야.

중요

10 마음의 평화를 얻기 위한 자세로 적절하지 않은 것은?

① 자신의 감정과 욕구를 잘 다스려야 한다.
② 다른 사람을 이해하고 용서하고자 노력한다.
③ 나에게 주어진 조건과 환경을 긍정적으로 이해한다.
④ 다른 사람에게 상처가 되는 말과 행동을 하지 말아야 한다.
⑤ 타인을 고통스럽게 함으로써 자신의 고통을 줄이도록 노력한다.

서술형

11 희망과 막연한 기대의 차이점을 서술하시오.

12 희망의 필요성을 두 가지 이상 서술하시오.

13 마음의 평화를 얻기 위한 구체적인 방안을 세 가지 이상 서술하시오.

4 마음의 평화

1 희망 편지 쓰기

memo

① 다음을 읽고 아버지 또는 아들의 입장에서 희망 편지를 써 보자.

책의 주인공은 담낭암 말기의 환자다. 병에 걸렸다는 것을 알고 같이 살던 아들 성주네 내외도 분가시켰다. 그러나 그는 붕어빵을 사서 돌아온 집에 아들이 없다는 사실을 깨닫고는 한숨을 내쉰다. 자식들 마음 고생시키기 싫어하는 전형적인 '아버지'이다. 한편, 그의 아들 성주에게는 아버지가 병에 걸렸다는 소식은 날벼락과 같다. 아버지와 처음 병원에 간 날, 의사로부터 가망이 없다는 말밖에 들은 그는 망연자실한다. 너무 빨리 다가온 이별에 당황하는 그는, 부모와의 이별은 상상조차 할 수 없는 우리 모두의 모습과 닮아 있다.
아버지는 아들에게 마지막 선물을 주기 위해 친구에게 무언가를 부탁한다. 아버지의 마지막 선물은 아들에게 전해질 수 있을까.

– 김한중, 『당신이 사랑했던 것들이 너무나도 많다』

② 뒤에 이어질 이야기를 상상하여 완성해 보자.

③ 주변에서 겪는 어려움이나 고통을 알아보고 내가 도울 방법을 써 보자.

주변 사람	현재 겪고 있는 어려움이나 고통	내가 줄 수 있는 도움

2 나의 소중한 가치 찾기

memo

➜ 다음 활동을 통해 마음의 평화에 대해 생각해 보자.

감동	감사	건강	겸손	경청	공감	긍정	기쁨
끈기	꿈	노력	도전	집중	믿음	배려	봉사
사랑	성실	성찰	여유	열정	예의	용기	용서
우정	유머	자신감	자유	절제	정직	즐거움	창의성
책임	친절	평화	한결같음	행복	협동	호기심	호의

1. 위의 단어 카드에서 내가 소중히 여기는 가치를 세 가지 골라 보자.

2. 내가 소중히 여기는 가치를 활용하여, 마음의 평화를 위한 구체적인 노력을 완성해 보자.

3. 내가 소중히 여기는 가치 중 마음의 평화를 가져올 수 있는 단어를 타이포셔너리로 표현해 보자.

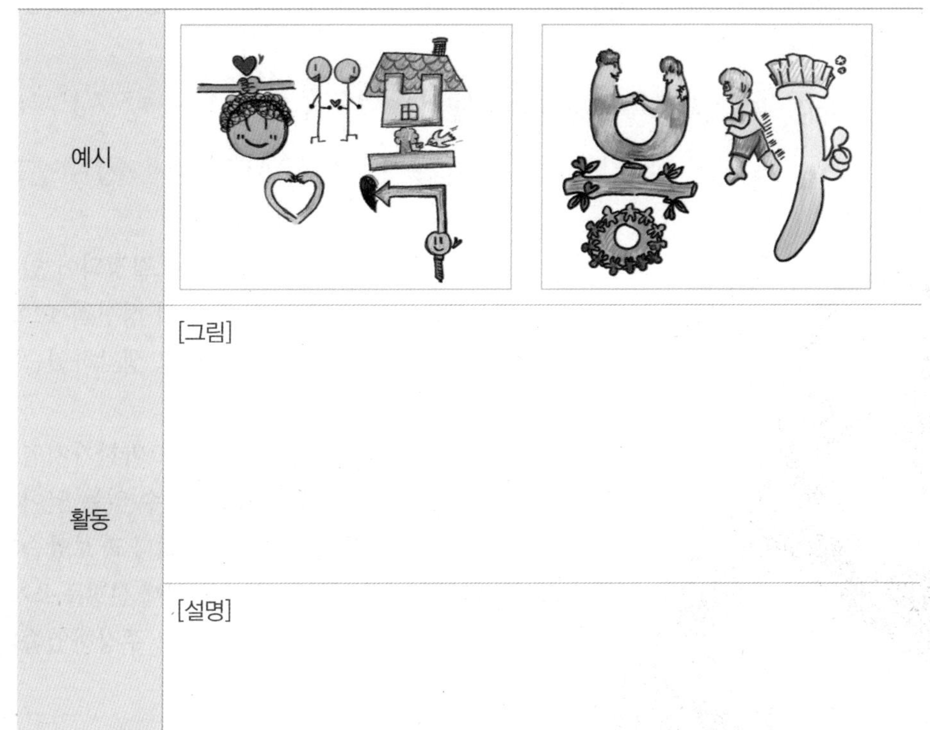

예시	
활동	[그림]
	[설명]

진정한 자유를 추구한 노예 출신의 철학자

에픽테토스

(Epictetos, 55~135)

이번에 소개할 인물은 어떻게 마음의 평화를 이룰 것인지를 고민하였던 스토아학파의 대표적인 학자 에픽테토스입니다.

그는 모든 일이 운명적으로 결정되어 있다고 보았습니다. 어떤 사람이 나의 컵을 깨뜨렸다면, 그 컵은 깨져야 할 운명에 따라 깨진 것뿐입니다. 그렇기에 그것을 깨뜨린 사람을 싫어하거나 컵이 깨졌다고 슬퍼할 필요가 없다는 것이지요. 이처럼 에픽테토스는 모든 일은 이미 결정되어 있다는 운명론적 세계관을 통해 요동치는 감정과 욕망에서 벗어나 자유로울 수 있었습니다.

"행복해지려면 자기 뜻대로 할 수 있는 일에만 집중하라. 불행은 우리가 바꿀 수 없는 것에 집착할 때 생겨난다."

이처럼 에픽테토스는 세상의 일은 결정되어 있지만, 나의 태도, 생각, 믿음, 마음 등의 정신적 요소들은 스스로 결정할 수 있다고 생각하였습니다.

우리가 겪는 인간관계에서도 마찬가지입니다. 에픽테토스는 자신의 마음을 바꾸는 것은 할 수 있는 일이지만, 다른 사람의 마음을 바꿀 수는 없다고 보았습니다. 이처럼 그는 남의 생각이나 어찌할 수 없는 것에 신경을 쓰기보다 나를 변화시켜야 한다고 주장하였습니다.

'나'를 강조하는 에픽테토스를 만나다.

에픽테토스 선생님, 반갑습니다. 저는 자주 화가 나고 우울하기도 하고 마음이 평화롭지 못해요. 마음의 평화를 방해하는 요소는 무엇일까요?

그것은 마음 안에서 요동치는 감정과 충동, 지나친 욕심 때문입니다.

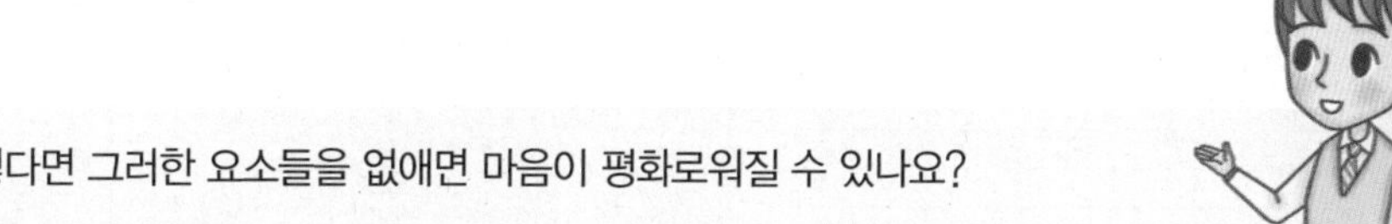

그렇다면 그러한 요소들을 없애면 마음이 평화로워질 수 있나요?

부정적인 감정과 욕망을 없앤 후 마음의 평정심을 얻은 상태를 '아파테이아'라고 부릅니다. 어떠한 상황에서도 흔들리지 않는 강한 마음의 상태를 일컫는 말이지요. 부정적인 감정과 욕망은 우리의 마음을 흔들고 평화를 방해합니다.

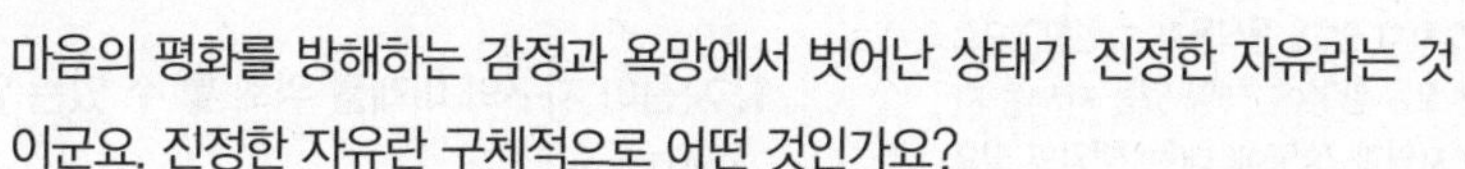

마음의 평화를 방해하는 감정과 욕망에서 벗어난 상태가 진정한 자유라는 것이군요. 진정한 자유란 구체적으로 어떤 것인가요?

진정한 자유는 정신적 자유입니다. 저는 노예일 때도 사회적 지위와 신체적 상황은 자유롭지 않았지만, 마음만큼은 누구보다 자유로웠어요. 제가 이렇게 자유로울 수 있었던 이유는 자연의 질서를 이해하고, 나의 마음과 정신을 잘 다스려 평정심을 이뤘기 때문입니다.

어떻게 마음과 정신을 다스리셨나요?

먼저 자신의 감정과 기분을 잘 살펴서 부정적인 생각을 없애야 합니다. 또한, 욕심을 버리기 위해 절제하고 검소한 생활 습관을 길러야 합니다.

대단원 마무리

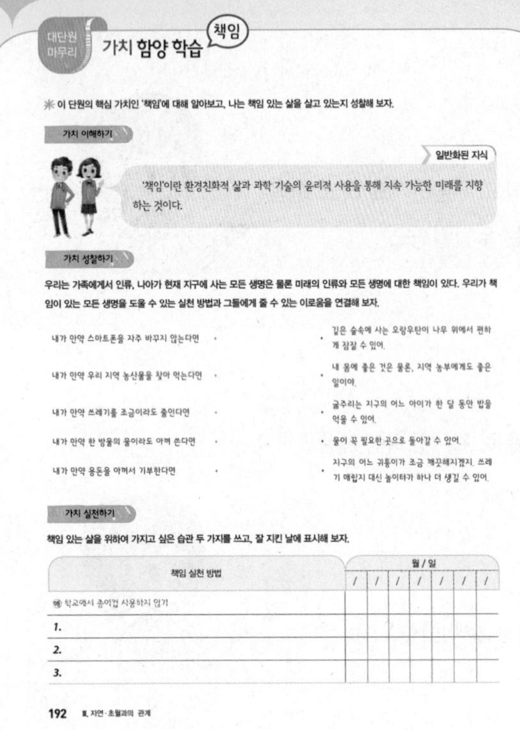

대단원 마무리

가치 함양 학습 책임

✳ 이 단원의 핵심 가치인 '책임'에 대해 알아보고, 나는 책임 있는 삶을 살고 있는지 성찰해 보자.

가치 이해하기

일반화된 지식

'책임'이란 환경친화적 삶과 과학 기술의 윤리적 사용을 통해 지속 가능한 미래를 지향하는 것이다.

가치 성찰하기

우리는 가족에게서 인류, 나아가 현재 지구에 사는 모든 생명은 물론 미래의 인류와 모든 생명에 대한 책임이 있다. 우리가 책임이 있는 모든 생명을 도울 수 있는 실천 방법과 그들에게 줄 수 있는 이로움을 연결해 보자.

내가 만약 스마트폰을 자주 바꾸지 않는다면 •
내가 만약 우리 지역 농산물을 찾아 먹는다면 •
내가 만약 쓰레기를 조금이라도 줄인다면 •
내가 만약 한 방울의 물이라도 아껴 쓴다면 •
내가 만약 용돈을 아껴서 기부한다면 •

• 깊은 숲속에 사는 오랑우탄이 나무 위에서 편하게 잠잘 수 있어.
• 내 몸에 좋은 것은 물론, 지역 농부에게도 좋은 일이야.
• 굶주리는 지구의 어느 아이가 한 달 동안 밥을 먹을 수 있어.
• 물이 꼭 필요한 곳으로 돌아갈 수 있어.
• 지구의 어느 귀퉁이가 조금 깨끗해지겠지. 쓰레기 매립지 대신 놀이터가 하나 더 생길 수 있어.

가치 실천하기

책임 있는 삶을 위하여 가지고 싶은 습관 두 가지를 쓰고, 잘 지킨 날에 표시해 보자.

책임 실천 방법	월 / 일						
	/	/	/	/	/	/	/
예) 학교에서 종이컵 사용하지 않기							
1.							
2.							
3.							

192 Ⅲ. 자연·초월과의 관계

범교과 학습

지속 가능한 발전 교육

10년 후 지구 공동체를 위한 '희망 기억 상자' 제작하기

✳ 다음 글을 읽고 물음에 답해 보자.

전자 폐기물이 환경을 오염한다는 기사를 접한 알렉스와 친구들은 이를 해결하고자 힘을 합쳤다. 알렉스와 친구들의 할 일은 우선 재활용이었다. 그들은 시청으로부터 지역 쓰레기장에 컨테이너를 설치하는 허가를 받았고, 폐기물들을 수집하기 위해 믿을 만한 재활용 기업을 찾았다. 컨테이너 덕분에 낡은 컴퓨터들은 쓰레기장 바닥에 널브러지지 않게 되었다.

다음은 재사용이었다. 알렉스와 친구들은 정기적으로 알렉스의 집에 모여 기업에서 보내온 낡은 컴퓨터들을 재조립했다. 다시 태어난 컴퓨터들은 제2의 삶을 얻는다. 스리랑카, 멕시코, 필리핀 그리고 케냐의 학교 전산실에 설치를 해 주고 카메룬에 있는 사이버 카페에 기증했다. 알렉스와 친구들이 행한 일들 덕분에 로드 아일랜드 주에는 전자 폐기물 관련법이 2006년에 새로 만들어졌다. — 안 안젤리오비치, 『세상을 바꾸는 아이들』

① 자신이 지구의 미래를 위해 할 수 있는 일을 생각해 보자.

• 내가 바꾸고 싶은 세상의 문제는 무엇인가? ……
• 세상을 바꾸기 위해 활용할 나의 재능은? ……
• 세상을 바꿀 수 있는 나만의 계획은? ……
• 누구에게 도움을 청할까? ……

② 다음 활동 방법에 따라 '희망 기억 상자'를 제작해 보자.

◆ 활동 방법

1. 희망이 담긴 말로 '희망 카드'를 작성한다.
2. 작성한 희망 카드를 한 번 읽은 후 '기억 상자' 안에 넣는다.
3. '기억 상자'를 약속한 장소에 묻는다.

희망 카드

안녕하세요? 저는 ______ 입니다.
10년 후에 이 지구에서 ______
______ 일이 일어나기를 희망합니다.
이를 위해 저는 ______
______ 을/를 실천하고자 합니다.
20○○년 ○○월 ○○일

범교과 학습 193

가치 함양 학습 교과서 192쪽

이것이 핵심 이 단원에서는 자연과 생명에 대한 외경심을 바탕으로 인간과 사회에 대해 도덕적으로 성찰하는 것을 목표로 하고 있다. 도덕적 고려의 대상을 인간으로만 한정하지 않고, 동식물과 자연환경으로까지 확대하여 자신을 둘러싼 모든 환경에 책임 있는 자세를 지니도록 한다. 초월적 관점에서 자연과 생명에 대한 책임의 필요성을 인식하고 생명 감수성을 고양하여 생명 친화적 삶을 영위할 수 있도록 한다. 이를 통해 앞으로 다가올 미래에 대비할 수 있는 올바른 자세를 지니도록 한다.

• 우리는 가족에게서 인류, 나아가 현재 지구에 사는 모든 생명은 물론 미래의 인류와 모든 생명에 대한 책임이 있다. 우리가 책임이 있는 모든 생명을 도울 수 있는 실천 방법과 그들에게 줄 수 있는 이로움을 연결해 보자.

예시 답안 |

• 내가 만약 스마트폰을 자주 바꾸지 않는다면, 깊은 숲속에 사는 오랑우탄이 나무 위에서 편하게 잠잘 수 있어.
• 내가 만약 우리 지역 농산물을 찾아 먹는다면, 내 몸에 좋은 것은 물론, 지역 농부에게도 좋은 일이야.
• 내가 만약 쓰레기를 조금이라도 줄인다면, 지구의 어느 귀퉁이가 조금 깨끗해지겠지. 쓰레기 매립지 대신 놀이터가 하나 더 생길 수 있어.
• 내가 만약 한 방울의 물이라도 아껴 쓴다면, 물이 꼭 필요한 곳으로 돌아갈 수 있어.
• 내가 만약 용돈을 아껴서 기부한다면, 굶주리는 지구의 어느 아이가 한 달 동안 밥을 먹을 수 있어.

범교과 학습 교과서 193쪽

이것이 핵심 지구 공동체를 위해 자신이 할 수 있는 일을 생각해 봄으로써 생명 감수성을 함양하고 이에 대한 도덕적 책임감을 지니도록 한다.

1. 자신이 지구의 미래를 위해 할 수 있는 일을 생각해 보자.

예시 답안 |

• **내가 바꾸고 싶은 세상의 문제는 무엇인가:** 제가 바꾸고 싶은 세상의 문제는 청소년 자살입니다. 적어도 자신 스스로 목숨을 끊는 일이 없도록 세상을 변화시키고 싶습니다.
• **세상을 바꾸기 위해 활용할 나의 재능은:** 저는 사람들과 소통하는 것을 좋아하고 저의 생각을 글로 표현하는 것을 좋아합니다. 저의 재능을 활용해서 자살을 생각하는 친구들에게 도움을 주고 싶습니다.
• **세상을 바꿀 수 있는 나만의 계획은:** 정기적으로 자살 방지 캠페인을 열어 생명의 소중함을 알릴 것이고, 청소년들의 현실적인 고민과 문제를 해결할 수 있는 상담 메일을 운영할 것입니다.
• **누구에게 도움을 청할까:** 생명에 대한 개인들의 인식 개선과 자살방지를 위한 사회적 노력이 필요합니다. 정부와 민간 기관, 그리고 청소년들이 협력하여 '행복한 청소년법'을 마련하였으면 좋겠습니다.

2. 다음 활동 방법에 따라 '희망 기억 상자'를 제작해 보자.

예시 답안 | 안녕하세요? 저는 윤민주입니다. 10년 후에 이 지구에서 사람들이 스스로 목숨을 끊지 않기를 희망합니다. 이를 위해 저는 자살방지 캠페인을 열어 생명의 소중함을 알리고, '행복한 청소년법'이 제정될 수 있도록 노력할 것입니다. 주변 친구들에게 늘 관심을 가지고 각 개인이 자신의 존재 가치를 인식할 수 있도록 할 것입니다.

대단원 마무리 문제

정답과 해설 223쪽

[01-02] 다음 글을 읽고 물음에 답하시오.

갑: 인간은 도와줄 수 있는 모든 생명을 도와주어야 하고 살아 있는 것은 어떤 것이건 해치지 않을 때만 진정으로 바람직하다. 인간은 이 생명, 저 생명을 모두 귀중한 존재라고 인식하고 생명을 그 자체로서 소중하게 여겨야 한다.
을: 자연은 인간을 위한 도구에 불과하다. 즉 인간은 자연을 정복할 권리와 능력을 지녔다.

01 갑의 입장에 대한 설명으로 옳은 것은?

① 인간의 생명이 가장 가치 있다.
② 인간의 필요에 의해 자연을 파괴할 수 있다.
③ 동식물 등 생명의 가치를 동등하게 존중한다.
④ 인간보다 동식물의 생명이 더 소중하다고 본다.
⑤ 동물과 식물의 가치를 구분하고 동물 보호에 초점을 맞추고 있다.

02 갑이 을에게 해줄 수 있는 조언으로 옳지 않은 것은?

① 자연을 도구적 관점으로 보지 말아야 한다.
② 도덕적 고려의 범위를 확장하지 말아야 한다.
③ 을의 입장을 유지한다면 무분별한 소비 습관이 증가할 것이다.
④ 자연을 인간을 위한 수단으로 여긴다면 자연환경 파괴가 심해질 것이다.
⑤ 자연을 정복의 대상이나 인간만을 위한 도구로 여기는 인간 중심주의에서 벗어나야 한다.

03 다음 기사를 통해 유추할 수 있는 사실로 옳지 않은 것은?

△△전자의 핸드폰의 폐기와 관련한 국제 환경 단체의 지적이 나왔다. 이 단체는 핸드폰을 단순 폐기할 경우 낭비 문제가 심각할 것이라고 주장하였다. 이에 그린피스는 △△전자 측에게 재사용 방안을 포함한 지속 가능한 대책을 마련할 것을 요청하였다.

– ○○신문, 2016. 11. 1.

① 산업화와 도시화로 환경오염이 심각해지고 있다.
② 그린피스의 지적은 인간의 삶을 불편하게 만들기 때문에 자제해야 한다.
③ 버려진 물건을 재활용하는 등 일상생활 속에서 환경친화적인 삶을 실천해야 한다.
④ 미래 세대에 대한 책임을 성실히 수행하기 위해서는 오염 물질을 줄여나가야 한다.
⑤ △△전자의 핸드폰 단순 폐기는 자원을 낭비하고 쓰레기 문제로 환경 오염을 심화시킨다.

04 다음 글에서 강조하는 과학 기술에 대한 태도로 가장 적절한 것은?

우리는 미래 과학 기술의 영향을 쉽게 판단할 수 없고, 자신의 행복이나 고통과는 상관없는 일이라고 무관심할 수 있다. 요나스(Jonas, H.)는 '공포의 발견술'을 통해 과학 기술의 발달로 초래할 인류의 종말을 예상해 보고 대비할 것을 주장하였다.

– 이진우, 『한국 인문학의 서양 콤플렉스』

① 과학 기술의 부정적인 면보다는 긍정적인 면에 더욱 주목해야 한다.
② 과학 기술은 자연을 파괴하고 생명을 위협하는 원인이므로 사라져야 한다.
③ 과학 기술은 과학 기술자들이 이끌어 갈 문제이므로 관심을 기울일 필요가 없다.
④ 과학 기술로 비롯된 문제는 새롭게 개발될 과학 기술로 얼마든지 극복할 수 있다.
⑤ 과학 기술이 가져올 혜택에만 주목하기보다는 문제점을 상상해 보고 대책을 마련하는 것이 중요하다.

05 과학 기술자가 지녀야 할 책임으로 옳은 것만을 <보기>에서 있는 대로 고른 것은?

보기

ㄱ. 저작권 존중과 표절 방지 등의 책임 의식을 가져야 한다.
ㄴ. 자신의 연구 성과가 미칠 영향에 대해 고민하며 올바른 가치 판단을 내려야 한다.
ㄷ. 인간의 존엄성과 인간의 삶에 대한 도덕적 고려라는 테두리 안에서 연구를 진행해야 한다.
ㄹ. 과학자는 객관적 원리와 법칙을 발견하는 일만을 수행하므로 과학 기술을 잘못 활용해서 벌어진 문제에 대한 책임은 없다.

① ㄱ, ㄴ ② ㄷ, ㄹ ③ ㄱ, ㄴ, ㄷ
④ ㄱ, ㄷ, ㄹ ⑤ ㄴ, ㄷ, ㄹ

06 ㉠에 들어갈 내용으로 가장 적절한 것은?

[㉠]는 의미 있는 삶을 위해 추구해야 하는 가치로써 학문, 도덕, 예술 종교와 같은 이 가치를 추구하여 삶의 지평을 넓히게 하는 것이다.

① 경제적 가치 ② 도구적 가치 ③ 물질적 가치
④ 신체적 가치 ⑤ 정신적 가치

07 다음의 사실로부터 얻을 수 있는 교훈으로 가장 적절한 것은?

죽음은 피할 수 없다.

① 죽음을 애써 외면해야 한다.
② 죽음이 온다는 사실을 두려워해야 한다.
③ 죽음을 자연스러운 과정으로 받아들여야 한다.
④ 어차피 죽기 때문에 나의 잠재성을 발휘할 필요가 없다.
⑤ 다른 사람과 나누고 베푸는 의미 있는 삶보다 죽음을 늦추는 삶이 더욱 중요하다.

08 ㉠이 의미하는 바로 가장 적절한 것은?

나바호 인디언들은 자녀들에게 매일 아침 해가 떠오를 때 오늘 처음 떠오르는 것이라고 가르친다. 해는 매일 아침 새로 탄생하여 하루 동안 살고, 저녁에 져서 다시는 돌아오지 않는 것이다. 자녀들이 알아들을 나이가 되면, 부모는 새벽에 그들을 데리고 나가, ㉠ "해는 하루만 살 뿐이다. 너희들은 이 하루를 유용하게 살아서 해가 귀중한 시간을 낭비하지 않도록 해야 한다."라고 말한다.

① 해가 짧기에 시간 낭비를 하면 안 된다.
② 해가 하루만 사는 것처럼 우리 인간도 곧 죽는다.
③ 인생은 한 번뿐이기 때문에 하고 싶은 것은 다 해야 한다.
④ 현재의 삶은 매우 소중하기 때문에 충실하게 살아야 한다.
⑤ 자신에게만 이익이 되는 유용한 방향으로 삶을 살아야 한다.

09 ㉠에 들어갈 말로 적절하지 않은 것은?

갑: 고통은 행복의 장애물이라서 나쁜 것이야.
을: 고통이 꼭 나쁜 것만은 아니야. 왜냐하면,
[㉠]

① 고통을 즐기다 보면 나중에는 고통을 느끼지 않게 되기도 해.
② 우리는 신체적 고통을 견디면서 신체를 단련하고 인내심을 기르기도 해.
③ 고통스러운 상황을 해결해 나가는 과정에서 타인에 대한 성숙한 태도를 보이게 돼.
④ 우리는 고통을 겪으면서 삶에 대해 성찰을 하기도 하고 삶을 의미를 더욱 빛나게 만들어 주기도 해.
⑤ 성취하지 못해서 받는 정신적 고통을 통해 욕심이나 집착의 문제를 반성하고 새로운 도전을 하기도 해.

10 **마음의 평화를 얻기 위한 구체적인 방안으로 옳은 것은?**

① 자신의 욕구를 잘 파악하여 모두 충족시켜 나가야 한다.
② 나에게 주어진 조건과 환경의 부정적인 측면에 초점을 맞추어야 한다.
③ 도덕적 이상을 추구하는 가운데 필요한 것을 희망하는 태도를 지녀야 한다.
④ 다른 사람에게 상처가 되는 말과 행동을 함으로써 나의 고통을 풀어야 한다.
⑤ 나와 의견이 다른 사람을 이해하기보다는 논쟁을 통해 무조건 나의 의견을 이해시켜야 한다.

서술형

11 **다음 사진을 보고, 과학 기술의 양면성에 대해 서술하시오.**

12 **마음의 평화를 위한 동서양의 실천 방법을 세 가지 이상 서술하시오.**

13 **다음 그래프와 같은 결과가 나오게 된 원인을 설명하고, 이에 따른 생명 존중을 실천하는 방법을 서술하시오.**

OECD 회원국 자살률 순위 (인구 10만 명당 자살 지수)

순위	국가	자살 지수
1	한국	33.5명
2	헝가리	
3	일본	
4	슬로베니아	
5	핀란드	17.3명
7	프랑스	
14	미국	
22	독일	
26	영국	
34위	그리스(최하위)	3.2명

OECD 평균 12.8명

(보건복지부, 2012년)

MEMO

정답과 해설

정답과 해설

I 타인과의 관계

01. 정보·통신 윤리

개념 확인 문제 017쪽

01 (1) X (2) X (3) O (4) X 02 (1) 사이버 (2) 절제 03 해악 금지의 원칙 04 (1) ㉢ (2) ㉠ (3) ㉡ (4) ㉣

01 (1) 현실 공간과 마찬가지로 사이버 공간에서도 인간의 존엄성을 훼손하는 일이 있어서는 안 된다.
(2) 정보화 시대에서는 사이버 공간이 현실 공간과 분리할 수 없을 정도로 중요한 부분이 되었다. 그러나 두 공간 중 어느 것이 더 중요하다고 단정 할 수 없다.
(3) 정보화 시대에서는 정보·통신 매체의 발달로 인해 정보가 불특정 다수에게 대량으로 생산되고, 시간적·공간적 제약이 없어 정보가 쉽게 유통된다. 또한 정보는 물론 여러 형태의 재화가 빠른 속도록 소비된다.
(4) 정보·통신 매체의 무분별한 사용은 자신은 물론 타인과 사회에도 해악을 끼친다.

02 (1) 사이버 공간의 등장으로 공간의 제약을 없애 다른 지역이나 국가에 있는 사람과도 소통할 수 있게 되었으며, 물건을 사고 팔 수도 있게 되었다.

03 해악 금지의 원칙이란 타인에게 피해를 주지 않으며, 피해를 방지하기 위한 노력을 강조하는 원칙이다.

실력 점검 문제 017~019쪽

01 ⑤ 02 ⑤ 03 ⑤ 04 ③ 05 ① 06 ⑤ 07 ④ 08 ④ 09 ④ 10 ① 11 ④ 12 해설 참조 13 해설 참조 14 해설 참조

01 정보화 시대에서 사이버 공간은 현실 공간과 분리할 수 없을 정도로 중요한 부분이 되었다.

왜 틀렸을까?
① 정보화 시대에서는 멀리 떨어진 사람과도 소통이 가능하다.
② 정보화 시대에서는 정보의 대량 생산, 유통, 소비 등이 빠르게 이루어진다.
③ 정보화 시대에는 상품 거래가 쉽고 빠르게 이루어진다.

02 사이버 공간의 등장으로 공간의 제약이 사라져 멀리 떨어진 사람과 대화하고, 국내는 물론 다른 국가의 물품을 구매할 수 있게 되었다.

03 정보·통신 매체와 기술의 발달은 새로운 도덕 문제를 가져왔다. 예를 들어 사이버 공간에서의 인간 존엄성 훼손 문제, 기술의 발달로 인한 타인의 사생활 침해 문제, 이로 인해 사회 질서가 어지럽게 되는 문제, 사이버 공간에서 쉽게 타인의 지식 재산권을 침해할 수 있는 문제 등이 있다. 스마트폰 중독은 정서적인 안정을 가져오지 않는다. 또한 정서적 안정은 도덕 문제라 볼 수 없다.

04 스마트폰은 우리 생활에 많은 편리함과 즐거움을 주는 유용한 도구이나, 무절제하게 사용하면 우리에게 해가 될 수 있다.

왜 틀렸을까?
① 스마트폰과 같은 정보화 기기는 긍정적으로 활용하면 생활에 많은 편리함을 준다.
② 스마트폰의 등장 자체가 사람들에게 부정적인 영향을 주었다기보다는, 스마트폰과 같은 정보화 기기의 무절제한 사용이 문제가 된다고 볼 수 있다.

05 익명성은 자기 자신의 정체를 드러내지 않는 특성을 의미한다. 사이버 공간에서는 익명으로 활동할 수 있어서 현실 공간에서 보다 자신의 의견을 더 자유롭게 제시할 수 있다. 그러나 익명성을 악용하여 범죄를 저지르거나, 타인의 인격을 훼손하는 등 무책임하고 비도덕적인 행동을 하는 사례가 발생하기도 한다.

왜 틀렸을까?
ㄷ. 상대방과 얼굴을 맞대지 않고 의사소통을 할 수 있는 특성은 사이버 공간의 특성 중 비대면성에 해당한다.
ㄹ. 사이버 공간에서 익명성으로 활동한다고 자신의 행동에 대한 책임이 없는 것은 아니다.

06 정보화 시대에서 우리가 지켜야 할 도덕적 원칙에는 정의의 원칙, 존중의 원칙, 책임의 원칙, 해악 금지의 원칙이 있다.

07 정의의 원칙에 따르면 모든 개인은 동등한 기본적 자유의 권리를 갖고 있으며 타인의 기본적 자유와 권리를 침해하지 않아야 한다. 또한 자신이 제공하는 정보의 진실성, 비편향성, 공정한 표현을 추구해야 한다.

왜 틀렸을까?
① 책임의 원칙에 관한 서술이다.
② 존중의 원칙을 설명한 것이다.
③ 책임의 원칙에 관한 서술이다.
⑤ 해악 금지의 원칙에 관한 설명이다.

08 제시문은 정보·통신 매체의 무분별한 사용으로 인한 피해 사례이다.

09 정보·통신 매체를 사용할 때는 필요한 용도에 맞게 적절한 시간 동안 사용하는 절제의 자세가 필요하다.

10 스마트폰에서 필요한 정보를 얻기 위해 필요한 애플리케이션을 내려받거나 인터넷을 사용하는 것은 정보·통신 매체를 올바르게 사용하는 것이다. 정보·통신 매체를 올바르게 사용하는 다른 방법으로는 사용이 허락된 시간과 장소에서만 사용하기, 타인에 대한 배려와 성찰의 자세를 갖기 등이 있다.

왜 틀렸을까?
을: 정보·통신 매체는 사용이 허용되는 시간과 장소를 분명히 인식하고 구별하여 사용해야 한다. 수업 시간 중에 스마트폰을 자유롭게 사용하는 것은 예의가 아닐 수 있다.
병: 정보·통신 매체를 사용하여 소통할 때는 상대방에 대한 예의를 갖추어야 한다.

11 정보·통신 매체 사용에 몰두하여 자신에게 소중한 사람들과의 관계에 소원해지는 것은 바람직하지 않다. 자신에게 소중한 사람들을 존중하고 그들과 진정한 소통을 위해 노력하는 자세를 지녀야 한다.

12 **[모범 답안]**
정보화 시대에 나타나는 도덕 문제에는 사이버 공간에서의 악의적인 비방, 욕설, 인신공격, 악성 댓글 등과 같은 인간의 존엄성을 훼손하는 문제, 타인의 사생활을 침해하는 문제, 정보·통신 기술을 불법적으로 사용하는 문제, 타인의 지식 재산권을 침해하는 문제, 인터넷이나 스마트폰 중독으로 많은 시간을 빼앗기고 정서적인 안정을 잃는 문제 등이 있다.

득점	채점 기준
상	정보화 시대에 나타나는 도덕 문제를 두 가지 이상 서술한 경우
중	정보화 시대에 나타나는 도덕 문제를 한 가지만 서술한 경우
하	정보화 시대에 나타나는 도덕 문제를 서술하지 못한 경우

13 **[모범 답안]**
㉠은 익명성이다. 사이버 공간에서는 익명성을 악용하여 악성 댓글을 다는 등의 무책임한 행동이나 비도덕적인 행동을 할 수 있다.

득점	채점 기준
상	㉠이 익명성임을 밝히고 이에 의한 문제점도 서술한 경우
중	㉠이 익명성임을 밝혔으나 이로 인한 문제점은 서술하지 못한 경우
하	㉠이 익명성임을 설명하지 못한 경우

14 **[모범 답안]**
정보·통신 매체를 필요한 경우에만 절제하여 사용하도록 노력해야 한다. 습관적으로 스마트폰에 의존하는 것은 스마트폰 중독 문제를 가져올 수 있다.

득점	채점 기준
상	필요한 경우에만 사용하는 절제의 자세가 요구됨을 서술한 경우
중	절제라는 용어 없이 사용을 줄여야 한다는 의미를 서술한 경우
하	사용을 줄여야 함을 서술하지 못한 경우

수행평가 모범 답안

020~021쪽

1. '올바른 스마트폰 사용 문화' 공익 광고 만들기

제목	스몸비족의 탄생!
주제	스마트폰 중독 예방
광고 콘셉트	스마트폰에서 한시도 눈을 떼지 않는 청소년을 좀비처럼 묘사하여 스마트폰 중독을 예방함
모둠별 역할	• 감독: ○○○ • 편집: ◎◎◎ • 촬영: □□□ • (작가): ◆◆◆ • 출연: ◇◇◇ • (분장): △△△
줄거리	하굣길, 모든 학생들이 손에 스마트폰을 든 채 고개를 숙이며 걸어가고 있다. '당신도 스몸비족이 되시겠습니까?'라는 광고 문구와 함께 스마트폰을 하며 걷는 학생들의 모습이 갑자기 좀비처럼 변하며 카메라를 응시한다.
주요 광고 문구	당신도 스몸비족이 되시겠습니까?
광고를 통해 얻고자 하는 효과	생각없이 스마트폰을 들여다보는 습관에 대해 성찰하도록 한다.

2. 스마트폰 휴(休)요일 실천하기

❶
• 나는 스마트폰을 지나치게 많이 사용한다.
그 이유는 스마트폰을 사용하면 시간 가는 줄 모르고 즐겁기 때문이다.
• 게임을 하거나 친구들과 대화를 한다.
• 집안일을 돕거나 스마트폰 생각이 날 때마다 책을 읽는다.

❷
• **내가 정한 스마트폰 휴(休)요일:** 토요일
• **나의 각오:** 일주일에 하루는 스마트폰의 족쇄에서 벗어나 보자!

❹
• **잘 지킨 비결:** 처음에는 마음의 각오를 단단히 하여 스마트폰 게임이 생각나더라도 잘 참을 수 있었다.
• **잘 지키지 못한 원인:** 시간이 갈수록 마음이 해이해져, 스마트폰으로 함께 게임 하자는 친구들의 제안을 거절하지 못했다.

02. 평화적 갈등 해결

개념 확인 문제 033쪽

01 (1) ○ (2) X (3) X (4) X　02 (1) ㉡ (2) ㉠ (3) ㉢　03 갈등
04 (1) ㉡ (2) ㉢ (3) ㉣ (4) ㉠

01 (1) 갈등의 유형은 한 가지일 수도 있고, 여러 가지 갈등이 복합적으로 나타날 수도 있다.
(2) 힘이나 폭력으로 갈등을 억누른다면 겉으로는 문제를 해결한 것처럼 보여도 실제 갈등의 근본적인 원인은 여전히 존재하므로 갈등이 해결되지 않는다.
(3) 갈등 해결을 위해 소통할 때에는 일방적으로 자신의 의견만을 주장하기보다는 상대방의 의견을 경청하는 자세가 필요하다.
(4) 진정한 소통을 위해서는 언어적 의사소통 수단뿐만 아니라 비언어적 의사소통 수단도 중요하다. 그러나 두 수단 중 한 수단이 더 중요하다고 말하기는 어렵다.

02 (1) 회피는 갈등 상황에서 갈등이 있다는 것 자체를 드러내지 않고 회피하는 방법을 말한다.
(2) 공격은 갈등 상황에서 상대방을 공격하거나 자신의 주장을 일방적으로 관철하고자 하는 태도를 보이는 방법으로, 이때 물리적인 공격이나 폭력적인 방법을 사용하기도 한다.
(3) 의견 조정은 갈등의 원인을 파악하고 서로 의견을 조정함으로써 갈등을 해결하려는 방법으로, 갈등 자체를 부정적으로 바라보기보다는 갈등을 인정하고 협력과 소통을 통해 해결하고자 한다.

03 갈등은 칡과 등나무가 결합한 말이다. 칡은 왼쪽으로, 등나무는 오른쪽으로 감으면서 성장하는 특성이 있다. 이 두 나무는 늘 다른 물체를 감아야만 뻗어나갈 수 있다.

04 (1) 상대방과 의견이 달라 어려움을 겪는 것은 개인 간 갈등에 해당한다.
(4) 개인 내부의 욕구나 목표로 인해 어려움을 겪는 것은 내적 갈등에 해당된다.

실력 점검 문제 033~035쪽

01 ①　02 ②　03 ③　04 ④　05 ①　06 ⑤　07 ④　08 ④
09 ①　10 ③　11 ④　12 ②　13 해설 참조　14 해설 참조　15 해설 참조

01 갈등의 유형은 한 가지일 수도 있고, 여러 유형이 복합적으로 나타날 수도 있다. 또한 갈등은 해결하기 어려운 상태를 의미하지만, 그것을 올바르게 해결하는 과정에서 사회 발전의 계기가 되기도 한다.

02 제시문은 '나'와 '부모님'의 의견이 달라 어려움을 겪는 문제이므로 개인 간 갈등으로 볼 수 있다.

03 서로의 상황을 배려하는 마음가짐은 갈등 상황을 해결하는 데 도움이 된다.

04 제시문은 소에 대해 서로 다른 가치관이나 관점을 가진 민족 간에 갈등이 발생할 수 있다는 내용이므로, 갈등의 원인은 집단 간 가치관과 관점의 차이로 볼 수 있다.

05 A는 친구에게 화가 났으나 자신의 감정을 표현하지 않았다. 즉, 갈등이 있다는 것 자체를 드러내지 않고 회피하였다. 이러한 대처 방법은 회피에 해당한다.

06 의견 조정은 갈등 상황의 바람직한 대처 방법의 하나로, 갈등의 원인을 파악하고 갈등 상황에 부닥친 사람들과 의견을 조정함으로써 갈등을 해결하려는 방법이다. 이러한 방법은 갈등 자체를 부정적으로 바라보기보다는 갈등이 있다는 것을 인정하고, 협력과 소통을 통해 갈등을 해결하고자 한다.

왜 틀렸을까?
① 일시적으로 갈등 상황에서 벗어날 수 있다는 설명은 회피에 해당한다.
③ 물리적인 공격이나 폭력적인 방법을 사용하는 것은 공격에 해당한다.
④ 갈등 상황에서 자신의 주장을 일방적으로 관철하는 태도를 보이는 것은 공격에 해당한다.

07 갈등을 일시적으로 억누르는 것이 아니라 그 근본 원인을 제거하는 것이 진정한 갈등 해결 방법이다.

왜 틀렸을까?
② 갈등은 문제 상황을 새로운 관점에서 보는 기회를 제공하거나 사회 발전의 계기가 되는 긍정적인 역할을 하기도 한다. 그러나 갈등을 무조건 긍정적으로만 여기는 태도는 옳지 않다.
③ 힘이나 폭력으로 갈등을 억누르는 방법은 갈등의 근본적인 원인을 제거하지 못한다.

08 말과 글은 언어적 의사소통 수단이다. 비언어적 의사소통 수단에는 듣는 자세, 목소리, 표정, 시선, 미소, 손짓, 고개를 끄덕이는 것 등이 있다.

09 서로의 이야기에 귀를 기울이고 대화하는 것은 경청의 자세를 강조한 것이다.

10 내적 갈등은 개인 내부의 욕구나 목표와 관련된 갈등을 말한다.

왜 틀렸을까?

② 상대방과 의견이 달라 겪는 어려움은 개인 간 갈등에 해당한다.
④ 동아리라는 같은 집단 내에서 발생한 어려움이므로 집단 내 갈등에 해당한다.
⑤ 우리 반과 옆 반이라는 다른 집단 사이에서 발생한 갈등이므로 집단 간 갈등에 해당한다.

11 평화적 갈등 해결을 위한 세 단계에는 '갈등 상황 바라보기', '멈추고 성찰하기', '갈등 해결하기'가 있다. 첫 번째 단계에서는 갈등 상황을 편견이나 선입견 없이 객관적으로 바라보고 갈등의 원인을 찾는다. 두 번째 단계에서는 갈등 상황에 있는 자신을 객관적으로 성찰하고 갈등을 해결할 평화적 방법을 모색한다. 마지막 단계에서는 갈등을 해결할 여러 방안 중 가장 적절한 방법을 선택하여 갈등을 평화적으로 해결한다.

12 갈등을 해결하기 위해서는 개인적인 노력도 필요하지만 사회 제도의 개선이 요구될 때도 있다. 예를 들어 사회적 자원이 불균형하게 분배되어 발생하는 갈등은 사회적 제도가 뒷받침되어야 해결할 수 있다.

13 [모범 답안]

- 제한된 자원이나 기회 때문에 갈등이 발생한다.
- 개인이나 집단 간 가치관과 관점의 차이 때문에 갈등이 발생한다.
- 소통이 원활하지 않아 의견이 제대로 전달되지 않거나 왜곡되면 오해가 생기면 갈등이 발생한다.

득점	채점 기준
상	〈보기〉의 단어 중 하나를 활용하여 적절한 내용을 한 문장으로 서술한 경우
중	〈보기〉의 단어 중 하나를 활용하였으나 내용이 부족하거나 한 문장이 아닌 경우
하	〈보기〉의 단어를 활용하지 못하였거나 잘못된 내용을 서술한 경우

14 [모범 답안]

갈등 상황을 회피하면 일시적으로 갈등 상황에서 벗어날 수는 있지만, 갈등의 근본 원인을 해결하지 못하며 같은 갈등 상황이 반복될 수 있다.

득점	채점 기준
상	갈등의 근본 원인을 해결하지 못하며, 이로 인해 갈등 상황이 반복된다는 내용 모두 서술한 경우
중	갈등의 근본 원인을 해결하지 못하며, 이로 인해 갈등 상황이 반복된다는 내용 중 하나만 서술한 경우
하	갈등의 근본 원인을 해결하지 못하며, 이로 인해 갈등 상황이 반복된다는 내용 모두 서술하지 못한 경우

15 [모범 답안]

갈등 상황을 편견 없이 객관적으로 바라보고 갈등의 원인을 찾는다.

득점	채점 기준
상	갈등 상황을 객관적으로 보고, 갈등의 원인을 찾는다는 내용 모두 서술한 경우
중	갈등 상황을 객관적으로 보고, 갈등의 원인을 찾는다는 내용 중 하나만 서술을 한 경우
하	갈등 상황을 객관적으로 보고, 갈등의 원인을 찾는다는 내용 모두 서술하지 못한 경우

수행평가 모범 답안

036~037쪽

1. 신문에 나타난 갈등 사례 연구

기사 제목	환경과 개발, 무엇이 우선인가?		
기사 출처	○○신문	일자	201○. ○. ○
기사 내용 요약	그린벨트로 개발이 제한되어있던 ㅇㅇ지역에 서민층의 주거 안정을 위해 그린벨트를 해제하고 공공 임대 아파트를 개발하겠다는 정부의 발표가 있었다. 이에 환경단체와 땅 주인의 의견이 엇갈리고 있다.		
갈등의 원인	개발 제한 구역의 생태계를 보전해야 한다는 환경단체의 의견과 개발을 통한 수익금 창출을 원하는 땅 주인들의 의견이 충돌한다.		
갈등에서 충돌하는 가치	환경 보존 vs 개발로 인한 경제적 이익		
갈등이 가져오는 불이익	• 개인적 불이익: 의견 충돌로 인한 스트레스 등이 있다. • 사회적 불이익: 사회적인 통합을 저해하는 요인이 될 수 있다.		
바람직한 해결책	• 환경을 훼손하지 않는 최대한의 범위에서 개발한다. • 생태계를 보전하는 생태형 주거지를 짓는다. • 그린벨트 중 일부만을 주거지로 만들도록 합의한다.		

2. 상황극으로 갈등 해결하기

❶ 할머니와 가족들이 대화를 통해 서로의 의견 차이를 좁혀 나간다.

❷

제목	할머니, 우린 모두 행복해요.
등장인물	할머니, 아빠, 엄마, 나
대략의 줄거리	할머니께서 우리 집에 오셨을 때, 육아 휴직으로 아이를 돌보는 아빠, 직장에 다니는 엄마의 이야기를 담은 텔레비전 프로그램을 우연인 척 틀어두고 요즘 시대가 바뀌었음을 함께 이야기한다.
대본	아빠: TV 좀 볼까? (준비된 프로그램을 우연인 척 튼다.) 엄마: 어머, 저 집은 아빠가 직장을 쉬고 아기를 돌보네요? 엄마가 직장에 나가고요. 할머니: 쯧쯧. 남자가 일하고, 여자는 집안일을 해야지. 저게 무슨 부끄러운 일인 거냐? 나: 할머니. 요즘엔 남자, 여자 구분 없이 똑같이 집안일을 한대요. 학교에서도 힘든 일은 남자 친구들이 하라고 하면 오히려 남자 친구들이 화를 내요. 우리 집도 일을 서로 공평하게 나눠서 하니까 힘든 줄 모르겠어요. 얼마 전에 학교에서 집안일을 똑같이 하는 우리 집에 대해 발표했는데, 모두 우리 집이 멋지다고 했어요. 할머니: 그래? 세상이 변한 게냐? 하긴, 나도 젊었을 적엔 도와주는 이 하나 없어 집안일 하느라 고생했었지.

03. 평화적 갈등 해결

개념 확인 문제 049쪽

01 (1) O (2) O (3) X (4) X 02 (1) 구조적 (2) 부작위 (3) 금품 갈취 03 따돌림 04 폭력의 악순환

01 (1) 폭력은 개인과 사회의 갈등을 심화시킨다.
(2) 폭력에 대항하기 위해 폭력을 행사하면 폭력은 점차 눈덩이 불어나듯 확대되고 결국 폭력의 악순환을 가져온다.
(3) 폭력은 신체적 손상 이외에도 정신적 피해 등을 일으킨다.
(4) 어떠한 폭력도 도덕적으로 정당화될 수 없다.

03 따돌림은 상대방을 의도적으로 반복해서 피하거나 다른 학생과 어울리지 못하게 막는 것이다.

04 폭력의 악순환이란 폭력이 다른 폭력을 낳는 것을 일컫는다. 폭력을 당한 사람이 복수심으로 다른 폭력을 행사하면 폭력은 더 커지고 퍼져 사회의 무질서와 혼란이 발생할 가능성이 커진다.

실력 점검 문제 049~051쪽

01 ② 02 ④ 03 ② 04 ③ 05 ② 06 ④ 07 ④ 08 ② 09 ① 10 ② 11 ④ 12 해설 참조 13 해설 참조 14 해설 참조

01 폭력 상황에 부닥친 사람을 방관하는 것은 부작위에 의한 폭력이다.

왜 틀렸을까?
③ 폭력의 가해자는 법적 처벌과 사회적 비난을 받고, 폭력을 목격한 사람도 정서적 불안을 호소하는 등의 고통을 입는다.

02 상대방의 신체에 상처를 내거나 기능을 훼손하는 행위는 신체 폭력에 해당한다.

03 구조적 폭력은 잘못된 사회 구조나 관행 등으로 발생하는 정치적 억압, 사회적 차별, 문화적 소외 등으로, 제시된 사례는 구조적 폭력에 해당한다.

왜 틀렸을까?
⑤ 부작위에 의한 폭력은 폭력 상황을 알고도 이를 외면하거나 이를 방관하는 것을 말한다.

04 폭력의 사회·문화적 원인으로는 대중 매체를 통해 폭력을 자주 접하여 폭력에 무감각해지는 것, 지나친 경쟁 위주의 사회 환경 등이 있다.

왜 틀렸을까?
①, ②, ④, ⑤ 폭력이 발생하는 개인적 원인에 해당한다.

05 분노는 폭력적인 행동이나 말로 이어질 가능성이 크다.

왜 틀렸을까?
① 분노는 사람이라면 누구나 가질 수 있는 자연스러운 감정이다.
③ 분노는 갈등 상황을 객관적으로 파악하지 못하게 한다.
④ 분노를 조절하는 것은 폭력의 예방에 많은 영향을 준다.
⑤ 심호흡이나 차분한 생각 등 여러 가지 노력을 통해 분노를 조절하려고 노력해야 한다.

06 폭력은 피해자는 신체적 고통 외에 두려움과 우울 등의 정신적 피해를 보게 되고, 폭력의 가해자 역시 법적 처벌과 도덕적 비난을 받게 되어 고통을 느낀다. 또한 폭력을 목격하거나 폭력에 노출된 사람도 정서적 불안을 호소하는 등의 고통을 입는다. 또한 폭력을 당한 사람이 복수심으로 다른 폭력을 행사하면 폭력은 더 커지고 확산해 사회의 무질서와 혼란 발생 가능성이 커지는데 이를 폭력의 악순환이라고 한다.

07 폭력은 무엇보다 그것이 비도덕적인 행위라는 점에서 가장 큰 문제가 있다.

왜 틀렸을까?
ㄹ. 폭력은 인간의 자유의사와 의지를 침해하는 행위이다.

08 인격을 무시하거나 모욕적인 말을 사용하여 피해를 주는

것은 언어폭력에, 일부러 상대방의 물건을 망가뜨리는 행위는 금품 갈취에, 사이버상에서 따돌림이나 모욕적인 말을 하는 행위는 사이버 폭력에 해당한다.

09 폭력이 발생했을 때 방치하면 시간이 지날수록 확대되어 피해자와 가해자 모두에게 치명적인 결과를 가져온다. 따라서 폭력이 발생했을 때는 주변 사람에게 알려 도움을 받을 수 있도록 한다.

10 집단 따돌림은 학교 폭력에 해당하고, 이러한 폭력이 발생했을 때는 부모님이나 선생님 등 주변 사람에게 도움을 요청한다.

왜 틀렸을까?

ㄴ. 학교 폭력의 피해자는 후유증을 겪는다.

ㄹ. 학교 폭력을 목격했을 땐 '나도 피해자가 될 수 있다.'라는 생각으로 폭력 상황을 방관하지 않는다.

11 분노가 치밀어 오를 때는 심호흡을 하며 마음을 안정시키거나 분노를 유발한 상황을 객관적으로 파악해야 한다.

12 **[모범 답안]**

폭력이 비도덕적인 이유는 인간의 자유의사와 의지를 침해하며 희생을 강요하고, 평화롭게 살아갈 권리를 빼앗고, 사람들에게 두려움을 주고 인간의 존엄성을 훼손하기 때문이다.

득점	채점 기준
상	폭력이 비도덕적인 이유를 두 가지 이상 적절하게 서술한 경우
중	폭력이 비도덕적인 이유를 한 가지만 서술한 경우
하	폭력이 비도덕적인 이유를 서술하지 못한 경우

13 **[모범 답안]**

폭력의 개인적인 원인으로는 자기중심적 생각이나 충동적이고 공격적인 사고방식을 갖고 있는 것이 있고, 폭력의 사회·문화적인 원인으로는 대중 매체를 통해 폭력을 자주 접하는 것이나 지나친 경쟁 위주의 사회 환경 등이 있다.

득점	채점 기준
상	폭력의 개인적인 원인과 사회·문화적인 원인 모두 적절하게 서술한 경우
중	폭력의 개인적인 원인과 사회·문화적인 원인 중 한 가지만 서술한 경우
하	폭력의 개인적인 원인과 사회·문화적인 원인 모두 서술하지 못한 경우

14 **[모범 답안]**

폭력을 예방하기 위한 개인적 차원의 노력에는 분노 조절, 공감과 예측 능력 함양, 폭력 예방 관련 다양한 프로그램에 참여하는 것 등이 있다.

득점	채점 기준
상	개인적 차원에서 폭력을 예방하기 위한 노력을 두 가지 이상 적절하게 서술한 경우
중	개인적 차원에서 폭력을 예방하기 위한 노력을 한 가지만 서술한 경우
하	개인적 차원에서 폭력을 예방하기 위한 노력을 서술하지 못한 경우

수행평가 모범 답안

052~053쪽

1. 학교 폭력 예방을 위한 UCC 만들기

장면	등장 인물의 행동과 대사	효과
#1	승우와 진영, 함께 걸으며 이야기를 하고 있다. 갑자기 승우가 진영이의 머리를 살짝 때린다. **진영:** (걷다 멈춰 서 화를 내며) 아! 왜 머리를 때리고 난리야? **승우:** 뭐야? 갑자기 분위기 싸해지게 왜 정색을 해?	하굣길에 흐르던 발랄한 음악이 멈춤

2. 역지사지를 통해 갈등 상황을 폭력에서 평화로 바꾸기

❶
- **갈등 상황:** 냉동실에 있던 아이스크림을 먹는데 동생이 자기 아이스크림을 왜 말도 없이 먹냐고 화를 냈다.
- **갈등을 악화시킨 나의 폭력적인 행동이나 말:** 치사해서 안 먹는다며 먹던 아이스크림을 쓰레기통에 버리고, 앞으로 동생에게 내 물건을 절대 빌려주지 않겠다고 화를 냈다.

❷ 아이스크림을 먹기 위해 수업이 끝나자마자 달려왔는데 언니가 내 아이스크림을 먹고 있었다. 나는 순간 짜증이 나서 왜 허락도 없이 내 아이스크림을 먹었냐고 물었는데 언니가 화를 내자 당황스러웠다.

❸ 첫째, 아무리 가족이라도 남의 물건을 빌릴 때는 먼저 허락을 구하겠다.

둘째, 화가 날 때는 어떤 말을 하기 전에 한 번 심호흡을 한 후에 말하겠다.

셋째, 남이 화를 낼 때 나도 똑같이 화로 대응하지 않고 화가 난 이유부터 차근차근 설명하겠다.

대단원 마무리 문제

057~059쪽

01 ④ 02 ④ 03 ① 04 ④ 05 ① 06 ④ 07 ⑤ 08 ③ 09 ③ 10 ③ 11 ④ 12 ④ 13 해설 참조 14 해설 참조 15 해설 참조

01 사이버 공간은 자신의 정체를 드러내지 않고 활동을 할 수 있는 익명성이라는 특성을 지닌다. 이러한 특성으로 사이버 공간에서 자유롭게 의견을 제시하고 의사소통을 할 수 있지만, 이를 악용하여 악성 댓글을 다는 등의 무책임한 행동을 하기도 한다.

02 정보화 시대에 우리가 지켜야 할 도덕적 원칙에는 존중의 원칙, 책임의 원칙, 정의의 원칙, 해악 금지의 원칙이 있다. (가), (나)는 각각 정의의 원칙과 해악 금지의 원칙에 해당하는 설명이다. 존중의 원칙은 사이버 공간에서 자신이 존중받기를 원하는 것처럼 타인을 존중해야 한다는 것이고, 책임의 원칙은 자신의 행동으로 인한 결과를 생각하며 행동하고 그 결과에 책임을 질 수 있는 자세를 지녀야 한다는 것이다.

03 갈등은 서로 다른 요구나 성향으로 인해 해결하기 어려운 마음의 상태나 상황이다. 갈등이 심화하면 개인 간 불활를 낳거나 사회가 혼란해질 수 있지만, 잘 해결될 경우 사회 발전의 계기로 작동하기도 한다.

04 정보·통신 매체를 필요한 용도에 맞게 적절한 시간 동안 사용하는 자세는 절제이다.

05 정보·통신 매체는 필요한 경우에 허용된 장소에서만 사용해야 한다.

왜 틀렸을까?
ㄷ. 정보·통신 매체를 이용할 땐 정보·통신 매체에만 온전히 몰두하기보단 자신에게 소중한 사람들과 진정한 소통을 하는 것이 더 중요하다.
ㄹ. 정보·통신 매체를 사용하여 소통할 땐 답장이 늦어져도 상대방의 처지에서 배려하는 자세가 필요하다.

06 단어는 말이나 글의 내용에 해당하는 것으로, 비언어적 소통 수단이라 볼 수 없다.

07 (가)는 동아리방이라는 제한된 자원을 가지고 갈등을 겪게 된 사례이고, (나)는 서로 다른 문화권에서 말과 행동에 대해 서로 다른 관점과 가치관을 지니고 있어서 갈등을 겪는 사례이다.

08 갈등 상황에 올바르게 대처하기 위해서는 갈등의 원인이 무엇인지 진지하게 탐구하고, 갈등이 있다는 것을 인정하며 소통과 협력을 통해 해결하려 노력해야 한다.

왜 틀렸을까?
ㄱ. 갈등을 무조건 긍정적으로만 바라보는 것은 좋지 않다.
ㄴ. 갈등 상대를 이기기 위한 마음을 가지는 것보다 갈등 상대와 타협하려는 자세를 지니는 것이 좋다.
ㄷ. 갈등을 숨기는 것은 근본적인 갈등 해결에 좋지 않다.

09 폭력으로 인해 법적 처벌과 사회적·도덕적 비난을 받게 되어 고통을 겪는 경우는 폭력의 가해자이다.

10 일부러 상대방의 물건을 망가뜨리는 행위를 포함하여 돈을 요구하거나 물건을 빌리고 돌려주지 않는 행위, 돈을 걷어 오라고 하는 행위 등은 금품 갈취에 해당하는 폭력이다.

왜 틀렸을까?
① 신체적 폭력은 신체에 상처를 내거나 기능을 훼손하는 행위이다.
② 강요는 강제로 심부름을 시키는 행위이다.
④ 성폭력은 신체 접촉이나 성적 언어를 통해 성적인 굴욕감을 느끼게 하는 행위이다.
⑤ 부작위에 의한 폭력은 폭력 상황을 알고도 이것을 외면하거나 방관하는 행위이다.

11 체육복 갈아입는 장면을 촬영한 것은 당사자에게 수치심을 불러일으킨다는 점에서 성폭력에 해당하며, 이를 단체 채팅방에 올려 모욕감을 준 일은 사이버 폭력에 해당한다.

12 분노를 조절하지 못하는 것은 폭력이 발생하는 개인적인 원인이다.

13 **[모범 답안]**
정보화 시대의 순기능으로는 다양한 인간관계를 맺는 것이 가능하다는 것, 공간의 제약이 없어 멀리 떨어진 사람과 소통하고 정보를 주고받으며 심지어 상품을 사고팔 수 있다는 것 등이 있다. 반면, 정보화 시대의 역기능으로는 사이버 공간에서 악의적 비방이나 인신공격 등 인간의 존엄성을 훼손하는 일, 정보·통신 기술의 불법적 사용, 지식재산권 침해, 스마트폰 중독 등이 있다.

득점	채점 기준
상	정보화 시대의 순기능과 역기능을 모두 적절하게 서술한 경우
중	정보화 시대의 순기능과 역기능 중 한 가지만 적절하게 서술한 경우
하	정보화 시대의 순기능과 역기능을 모두 서술하지 못한 경우

14 **[모범 답안]**
갈등을 평화적으로 해결해야 하는 이유는 첫째, 갈등을 폭력적으로 해결하려고 하거나 갈등을 억누른다면 겉으로는 안 보일지라도 실제 갈등의 근본적 원인이 계속 존재하기 때문이다. 둘째, 갈등을 평화적으로 해결하지 않으면 이러한 갈등이 더 깊어지고 더 폭력적인 상황으로 악화할 수 있기 때문이다.

득점	채점 기준
상	갈등을 평화적으로 해결해야 하는 이유를 두 가지 이상 적절하게 서술한 경우
중	갈등을 평화적으로 해결해야 하는 이유를 한 가지만 서술한 경우
하	갈등을 평화적으로 해결해야 하는 이유를 서술하지 못한 경우

15 **[모범 답안]**

텔레비전, 영화, 인터넷 등 대중 매체를 통해 보는 폭력적인 장면은 폭력의 원인이 될 수 있다. 폭력적인 장면을 자주 접하게 되면 폭력에 둔감해지고, 폭력을 문제 해결의 정당한 수단으로 잘못 인식하기 쉽기 때문이다.
제시문에서도 폭력적인 장면을 보여준 첫 번째 그룹에 속한 아이들 중 과반수가 넘는 아이들이 공격적인 행동을 모방했음을 통해 이러한 사실을 살펴볼 수 있다.
특히 이러한 영향은 성인들보다 아직 자아가 완벽하게 형성되지 않은 청소년에게 더 치명적인 영향을 줄 수 있다. 또한 이러한 대중 매체에서 폭력을 자주 노출하고 멋있는 것으로 미화시킨다면 폭력을 쉽게 용인하는 사회적 인식과 분위기가 형성되어 아이들에게 폭력을 가볍게 생각하는 태도를 부추길 수 있다.

득점	채점 기준
상	대중 매체가 폭력의 원인이 될 수 있다는 주장과 그 근거를 논리적으로 논술한 경우
중	대중 매체가 폭력의 원인이 될 수 있다는 주장을 했지만 그 근거를 논리적으로 논술하지 못한 경우
하	대중 매체가 폭력의 원인이 될 수 있는 주장과 그 근거를 논술하지 못한 경우

Ⅱ 사회 · 공동체와의 관계

01. 도덕적 시민

개념 확인 문제 (071쪽)

01 (1) 주권 (2) 소속감 **02** 애국심 **03** 시민 불복종 **04** (1) X (2) X (3) O

01 (1) 국가 성립의 객관적 요소는 국민, 영토, 주권이다.
(2) 국가 성립의 주관적 요소는 국민이 가지는 자부심과 소속감이다.

02 애국심이란 자신이 속한 국가를 사랑하고 헌신하려는 마음이다.

03 제시된 글의 '이것'은 시민 불복종이다. 시민 불복종은 국가가 정의롭지 못한 법을 제정하거나 잘못된 정책을 시행할 때 이를 폐지하거나 개선하고자 공개적이고 평화적인 방법으로 법을 위반하는 행위이다.

04 (1) 법이나 규칙을 지키는 행위는 준법이다.
(2) 모든 시민이 반드시 따라야 하는 강제적 규범은 법이다.
(3) 공동선이란 개인을 위한 것이 아닌 국가나 사회, 또는 온 인류를 위한 선이다.

실력 점검 문제 (071~073쪽)

01 ③ **02** ② **03** ④ **04** ⑤ **05** ① **06** ⑤ **07** ④ **08** ⑤ **09** ③ **10** ② **11** ④ **12** 해설 참조 **13** 해설 참조 **14** 해설 참조 **15** 해설 참조

01 국가가 지향하는 가치와 정책은 개인의 도덕적 삶에도 영향을 미친다.

02 (가)는 복지에 대한 개념이고, (나)는 평등에 대한 개념이다.

03 ㉠에 공통으로 들어갈 보편적 가치는 정의이다. 정의로운 국가는 인간의 존엄성을 존중하고, 국민이 인간답게 살아갈 수 있도록 보편적 가치를 실현한다.

04 개인을 우선시하면 개인의 자유와 권리가 강조되고 개인의 선이나 사익을 더 중요시하게 된다. 그러나 지나친 사익 추구는 자칫 다른 사람의 권리를 침해할 수 있다. 반면, 공동체를 우선시하면 시민의 책임과 의무가 강조되고 공동선이나 공익을 더 중요시하게 된다. 그러나 지나친 공익 추구는 개인의 자유와 권리를 위축시킬 수 있다.

05 ㄱ, ㄴ은 소극적 국가관, ㄷ, ㄹ은 적극적 국가관에 대한 설명이다.

06 바람직한 애국심이란 인류의 보편적인 가치에 따라 옳고 그름을 가릴 줄 아는 분별력 있는 애국심이다.

07 ㉠은 규범, ㉡은 법, ㉢은 준법이다. 법은 보편적 가치를 보장하려는 목적을 지닌다. 따라서 준법은 그 자체로 보편적 가치인 정의를 실현하는 가장 기본적인 방법이다.

08 우리가 법을 지켜야 하는 이유는 누구나 법을 지킴으로써 사회 구성원 간의 상호 이익과 공동체적 정의를 실현하기로 약속하였기 때문이다.

왜 틀렸을까?

ㄱ. 법은 개인의 이익 실현이 아닌 사회 구성원 간의 상호 이익과 공동체적 정의를 실현하고자 한다.

09 개인적인 선과 공동선, 사익과 공익은 양립할 수 있으며, 양자의 조화를 이루기 위한 노력이 필요하다.

10 시민 불복종은 그 이유가 개인이나 특정 집단의 이익이 아니라 공동선에 부합하는 등 정당한 목적을 지녀야 한다.

11 '로자 파크스 사건'은 차별받는 흑인의 보편적 가치를 보장하기 위한 운동이었다(목적의 정당성). 억울함을 폭력으로 호소하지 않았으며(비폭력성), 버스 안 타기 운동 외에 흑인들이 자신들의 처지에 대해 항의할 수 있는 수단이 없었다(최후의 수단)는 점 등에서 시민 불복종의 정당한 조건을 갖추었다고 볼 수 있다.

12 **[모범 답안]**

공동체 안에서 성숙한 시민은 공동체 의식을 바탕으로 개인적 선과 공동선 양자의 조화를 이루기 위해 노력해야 한다. 즉, 공동체에 대한 자신의 책임과 의무를 다하면서 권리도 올바르게 행사할 수 있어야 한다.

득점	채점 기준
상	개인적 선과 공동선의 조화를 제시하고 공동체에 대한 책임과 의무를 서술한 경우
중	개인적 선과 공동선의 조화를 제시하지 못하였으나 공동체에 대한 책임과 의무를 서술한 경우
하	개인적 선과 공동선의 조화와 공동체에 대한 책임과 의무를 모두 서술하지 못한 경우

13 **[모범 답안]**

시민 불복종의 네 가지 조건은 목적의 정당성, 최후의 수단, 비폭력성, 처벌의 감수이다.

득점	채점 기준
상	시민 불복종의 조건을 모두 서술한 경우
중	시민 불복종의 조건을 두 가지 이상 서술한 경우
하	시민 불복종의 조건을 하나도 서술하지 못한 경우

14 **[모범 답안]**

자칫 애국심이 과하거나 왜곡되면 자민족·자문화의 우수성에 대한 맹목성과 타문화에 대한 배타적인 태도를 지니게 된다. 이는 독일의 나치스 사례처럼 다른 나라의 존엄성을 훼손하고 세계 평화를 위협하는 문제를 낳을 수 있다.

득점	채점 기준
상	잘못된 애국심의 문제점을 명확히 서술한 경우
중	잘못된 애국심의 문제점을 막연하게 서술한 경우
하	잘못된 애국심의 문제점을 하나도 서술하지 못한 경우

15 **[모범 답안]**

바람직한 애국심이란 인류의 보편적인 가치에 따라 옳고 그름을 가릴 줄 아는 분별력 있는 애국심이다. 이러한 의미에서 자기 나라를 사랑하는 애국심과 자신을 인류의 구성원으로 인식하는 세계 시민 의식은 대립하지 않고 조화를 이룰 수 있다.

득점	채점 기준
상	분별력 있는 애국심의 의미를 포함하여 이유를 명확하게 서술한 경우
중	분별력 있는 애국심의 의미를 포함하지 못하였지만 이유를 명확하게 서술한 경우
하	분별력 있는 애국심과 이유를 하나도 서술하지 못한 경우

수행평가 모범 답안

074~075쪽

1. 바람직한 시민 의식 함양하기

❶ 내가 만약 △△아파트 주민이라면 상생을 위해 노력할 것이다. 최저 임금이 올랐다고 경비원을 감축하는 것은 그들의 생계유지 수단을 빼앗는 것이다. 바람직한 공동체란 서로 협력하고 배려하며 이웃의 고통을 함께 해결하기 위해 노력하는 것이므로 경비원의 고통을 주민들이 함께 나누고 협력하여 문제를 해결하는 데 동참할 것이다.

❷ 공동체 의식이다. 공동체 의식이란 공동체의 일원이라는 의식이나 감정을 의미한다. 우리 사회는 다양한 개인으로 이루어지기 때문에 개개인의 존엄성을 존중하고 인정해야 한다. 만약 개인의 이익만 추구하고 공동의 이익을 무시한다면 그 집단을 유지하기 어려울 것이다. 따라서 개인들도 공동체 의식을 바탕으로 집단의 이익과 조직의 권위를 존중하고, 공동체의 조화로운 발전을 염두에 두고 생각하고 행동해야 한다.

❸ 지난겨울, 눈이 많이 온 날 아빠와 함께 집 앞 보도에 쌓인 눈을 쓸었다. 갑자기 눈이 많이 내린 탓에 지나가던 이웃 주민들이 넘어질까봐 염려되었기 때문이다. 눈을 치우는 동안은 힘들었지만, 이웃들이 안전한 보도로 다닐 수 있도록 해 주었다는 마음에 뿌듯하고 보람 있는 하루였다.

2. 나라 사랑 실천하기

❶

- **대**: 대한민국을 사랑하는 마음을 담아 쓰레기 줍기
- **한**: 한 나라의 국민으로서 태극기 게양하기
- **민**: 민주주의 시민으로서 투표하기
- **국**: 국가의 의무 다하기

❷

- **나라 사랑 행동**: 일회용 컵이 아니라 머그잔 사용하기
- **실천 계획**: 카페에 가서 머그잔으로 음료 주문하기

❸ 20△△년 △월 △일. 친구들과 모둠 활동 수행평가를 위해 카페에 갔다. 음료를 주문하려는데 점원이 일회용 컵으로 음료를 주문할 것인지 머그잔에 음료를 주문할 것인지 물어보았다. 순간, 지난 도덕 시간에 나라 사랑 실천 계획으로 세운 '머그잔으로 음료 주문하기'가 생각났다. 일회용품을 줄이는 것이 나라 사랑을 실천하는 방법이라고 생각하였기 때문이다. 그래서 머그잔으로 음료 주문을 마친 후 친구들에게도 머그잔으로 음료를 주문할 것을 권유하였다. 환경 오염을 줄였다는 뿌듯함과 함께 앞으로 계속 실천할 것을 다짐하였다.

02. 사회 정의

개념 확인 문제

087쪽

01 (1) O (2) X (3) O (4) X **02** 과정의 공정성 **03** 견리사의
04 (1) 이기심 (2) 사회 구조, 관행 (3) 학연, 지연

01 (2) 계급제 사회는 출생이라는 우연에 의해 소득이나 지위가 결정되기 때문에 정의로운 사회라고 할 수 없다.
(4) 자본주의는 완벽하게 공정한 제도라 할 수 없다. 개인의 노력이나 능력의 차이만으로 설명할 수 없는 불평등한 대우가 현실 사회에 존재하기 때문이다.

02 공정한 경쟁이 이루어지기 위해서는 우선 경쟁의 과정이 공정해야 한다. 경쟁의 기회를 동등하게 준다고 해도 타고난 소질, 재능, 환경 등에서 차이가 난다면 그 경쟁은 공정하지 않다. 따라서 경쟁에 참여하는 사람들 간의 차이를 인정하고 조정해야 한다.

03 '이것'은 견리사의이다. 부패 행위를 예방하기 위해서는 옳지 않은 이익은 취하지 않는 견리사의의 자세를 확립해야 한다.

04 (1) 부패의 개인적 원인은 지나친 이기심이다.
(2) 부패의 사회 윤리적 원인은 부패를 조장하는 사회 구조나 비합리적인 관행으로부터 발생한다.
(3) 혈연, 학연, 지연을 중시하는 관습은 부정부패의 대표적인 예이다.

실력 점검 문제

087~089쪽

01 ① **02** ① **03** ③ **04** ④ **05** ④ **06** ③ **07** ⑤ **08** ⑤
09 ① **10** ④ **11** ⑤ **12** ③ **13** 해설 참조 **14** 해설 참조
15 해설 참조

01 오늘날의 사회 정의는 '각자에게 정당한 몫'을 주는 분배 정의 측면이 강조된다.

02 개인의 노력이나 능력의 차이만으로 설명할 수 없는 불평등한 대우가 현실 사회에 존재하기 때문에 자본주의 역시 완벽하게 공정한 제도라고 할 수 없다.

03 소수계 우대 정책은 사회 정의를 실현한다는 측면에서 긍정적인 평가를 받지만, 동시에 역차별이라는 비판을 받기도 한다.

04 공정한 경쟁은 개인 자신과 공동체 전체의 발전을 이끌고 사회의 효율성을 증대하여 국가가 발전할 수 있게 한다. 무조건 이기기 위해 불공정한 수단과 방법을 사용하면 사회 구성원 간의 신뢰와 협력이 불가능해진다.

왜 틀렸을까?
ㄷ. 도핑은 운동선수가 일시적으로 경기 능력을 높이기 위하여 금지된 약물을 복용하는 것으로 불공정한 경쟁 수단이다.

05 선공후사는 사(私)보다 공(公)을 앞세운다는 뜻으로, 사사로운 일이나 이익보다 공익을 먼저 생각하라는 의미이다.

왜 틀렸을까?
① 견리사의는 눈앞의 이익을 보면 의리를 먼저 생각함을 뜻한다.
② 관포지교는 우정이 아주 돈독한 친구 관계를 이르는 말이다.
③ 사필귀정은 모든 일은 반드시 바른길로 돌아감을 의미한다.
⑤ 역지사지는 처지를 바꾸어서 생각해 본다는 뜻이다.

06 참다운 경쟁은 자신과의 경쟁을 포함한 선의의 경쟁이며 공동체 의식의 시작인 사회적 협력 속에서 경쟁하는 것이다.

왜 틀렸을까?
ㄷ. 경쟁에 이기는 것에 집중해 불공정한 수단과 방법을 사용하면 사회 전체를 갈등과 혼란에 빠뜨릴 수 있다.

07 혈연을 중시하는 관습은 부정부패의 대표적인 예이다.

08 라이벌은 적과 다르다. 적은 그저 섬멸의 대상이지만, 라이벌은 때로 대립하고 때로 협력하는 관계이며 나아가 서로를 존재하게 하는 숙명의 관계이다.

09 청렴 의식은 부패 행위를 예방하는 개인 윤리적 차원의 노력이다. 반면, 부패 방지법, 내부 고발자 및 공인 신고자 보호 제도의 시행, 시민의 감시 활동과 견제 수단 마련 등은 부패 행위를 예방하는 사회 윤리적 차원의 노력이다.

10 부패는 구성원 사이의 신뢰를 깨뜨려 사회 통합과 발전을 가로막고, 사회 경쟁력 악화를 초래한다. 부패로 인한 무질서와 혼란 등의 피해는 개인과 사회 전체에 돌아가게 된다.

11 제시된 글은 동양과 서양의 '정의'에 대한 설명이다. 정의를 뜻하는 동양의 '의(義)'와 서양의 '저스티스(Justice)'는 모두 '몫을 나눈다.'라는 뜻이 담겨 있다.

12 대형 할인점 영업시간 제한 제도는 대기업과 소상공인의 기술, 자본, 인력 등의 격차를 줄이기 위한 법적 제도이다. 공정한 경쟁을 위해서는 경쟁에 참여하는 상대의 차이를 인정하고 조정해 불리한 위치에 있는 사회적 약자를 배려하여 적절한 기회를 제공해야 한다.

13 **[모범 답안]**

참다운 경쟁이란 자신과의 경쟁을 포함한 선의의 경쟁을 말하며, 공동체 의식의 시작인 사회적 협력 속에서 경쟁하는 것이다.

득점	채점 기준
상	자신과의 경쟁, 선의의 경쟁, 사회적 협력 속에서의 경쟁을 모두 서술한 경우
중	자신과의 경쟁, 선의의 경쟁, 사회적 협력 속에서의 경쟁 중 한 가지만 서술한 경우
하	자신과의 경쟁, 선의의 경쟁, 사회적 협력 속에서의 경쟁을 모두 서술하지 못한 경우

14 **[모범 답안]**

공정한 경쟁은 경쟁 과정이 공정해야 한다. 경쟁의 기회를 동등하게 준다 하더라도 토끼와 거북은 서로 타고난 재능과 소질, 환경 등이 다르고 그 차이가 크기 때문에 동일 선상에서 경주를 하는 것은 공정한 경쟁이 될 수 없다.

득점	채점 기준
상	경쟁 과정의 공정성을 명확히 알고 논리적으로 서술한 경우
중	경쟁 과정의 공정성을 명확히 알지 못하나 적절하게 서술한 경우
하	경쟁 과정의 공정성의 의미를 서술하지 못한 경우

15 **[모범 답안]**

부패 행위 예방을 위한 개인 윤리적 차원의 노력은 청렴 의식을 갖는 것이다. 부패 문제에 대한 인식을 전환하고 견리사의와 선공후사의 자세를 확립해야 한다. 사회 윤리적 차원의 노력으로는 부패 방지법이나 내부 고발인 보호 제도와 같은 사회적 제도를 법적으로 강화하고, 부패 행위에 대한 시민의 감시 활동과 견제 수단을 마련하는 것이다.

득점	채점 기준
상	개인 윤리적 차원의 노력과 사회 윤리적 차원의 노력을 모두 서술한 경우
중	개인 윤리적 차원의 노력과 사회 윤리적 차원의 노력 중 한 가지만 서술한 경우
하	개인 윤리적 차원의 노력과 사회 윤리적 차원의 노력을 모두 서술하지 못한 경우

수행평가 모범 답안

090~091쪽

1. 정의로운 인물 탐색하기

조사 방법	인터넷 조사, 다큐멘터리 감상
인물 이름	조영래
인물의 특징	정의를 위해 몸 바친 진정한 인권 변호사
선정 이유	돈보다는 사람을 먼저 중시하는 그의 가치관을 본받고 싶기 때문이다.
정의롭다고 평가되는 점	빈민, 노동자, 여성 등 사회적 약자의 편에서 그들의 인권을 보장하고자 노력하였기 때문이다.
인물을 조사하며 느낀 점	부정의한 사회 속에서 정의의 실현을 위해 홀로 당당히 맞서 싸워나가는 조영래 변호사의 모습이 위대하다고 생각하였다. 보고서를 작성하면서 그의 삶을 본받아야겠다고 다짐하였다.

2. 부정부패로 인한 몰락은 어디까지인가?

❶
- **부정부패 행위:** 대통령의 정권 연장을 위한 국회 해산, 부통령 가족들의 식량 배급 개입, 군부의 식량 빼돌리기
- **개인적·사회적 문제:** 굶주림, 치솟는 물가, 각종 시위와 저항, 국가 부채

❷ 부정부패로 한순간에 몰락한 베네수엘라의 상황을 보고 사회 정의에 대해 다시 한번 생각하는 계기가 되었다. 단지 몇 사람의 부정한 행위로 인해 국민 전체가 피

해를 볼 수 있다는 사실이 무섭기도 하였다. 정의로운 삶을 위해서는 정의로운 국가가 기반이 되어야 하며, 정의로운 국가를 위해서 개개인의 정의로운 삶 또한 중요하다는 것을 느낄 수 있었다. 따라서 부패로 인한 피해는 개인과 사회 전체에 돌아감을 알고, 정의로움을 위해 국민 모두 청렴 의식을 갖고 나아가 사회 제도의 공정함을 위해 노력하는 사회가 되었으면 좋겠다.

03. 북한 이해

개념 확인 문제 103쪽

01 (1) 이중적 (2) 집단주의 02 북한 이탈 주민 03 (1) O (2) X (3) X (4) O 04 인도주의

01 (1) 북한은 우리에게 경계의 대상인 동시에 통일을 해야 하는 한 민족이라는 이중적 성격을 갖고 있다.
(2) 북한 주민들은 대부분 인간의 존엄성, 자유와 평등, 인권 등과 같은 보편적 가치보다 북한 당국이 강조하는 집단주의 가치관에 익숙하다.

02 북한을 벗어난 후 대한민국 이외의 국적을 취득하지 않은 사람을 북한 이탈 주민이라고 한다.

03 (1) 북한 사회는 외형상으로는 수령과 당, 인민이 평등하게 생활한다고 하지만, 실제로는 출신 성분과 계급에 따라 차별이 존재한다.
(2) 북한에서 문학과 예술은 당국이 지향하는 이념을 선전하는 것을 목표로 한다.
(3) 북한의 교육은 개인의 자아실현보다 지도자에게 충성하고 집단주의 원칙에 복종하는 인간상을 지향한다.
(4) 북한은 수령이 모든 권력을 가진 정치 체제를 유지하고 있다.

04 제시된 글에서 설명하는 개념은 인도주의이다. 군사적으로 북한 당국은 안보상 위협적 존재이지만, 북한 주민은 인도주의의 측면에서 장차 우리와 함께 통일 국가를 이루고 살아야 할 한겨레이다.

실력 점검 문제 103~105쪽

01 ③ 02 ① 03 ④ 04 ③ 05 ④ 06 ④ 07 ② 08 ④ 09 ③ 10 ⑤ 11 ① 12 해설 참조 13 해설 참조 14 해설 참조

01 북한 정권이 보여 주는 북한의 외형적 모습이 아니라, 객관적 사실과 보편적 가치에 기초하여 북한을 이해해야 한다.

02 북한은 우리에게 경계의 대상인 동시에 통일해야 하는 한 민족이라는 이중적 성격을 가지고 있다. 편견과 고정 관념을 갖고 북한을 부정적으로만 바라보거나, 반대로 긍정적 관점으로만 보는 태도는 바람직하지 않다.

왜 틀렸을까?
채영: 북한 당국은 남북한 간 군사적 대결 구도에서 볼 때 안보상 위협적인 존재이다.
찬목: 북한 정권을 정치적·군사적 경계 대상으로 인식함과 동시에 민족 공동체 형성을 위한 동반자로 이해해야 한다.

03 북한은 우리에게 안보상 위협적인 존재인 동시에 인도주의 측면에서 함께 통일을 이루어야 하는 한 민족이라는 이중적 성격을 갖고 있다. 이러한 북한의 이중성을 정확하게 인식하여 균형 있게 이해해야 한다.

04 국가 안보는 우리의 안전을 보장하여 평화 통일의 바탕이 된다.

05 북한을 균형 있게 이해한다는 것은 북한 정권은 정치적·군사적으로는 경계 대상으로 인식하는 것과 동시에 북한 주민은 민족 공동체의 형성을 위한 동반자라는 점을 균형 있게 이해한다는 뜻이다.

06 북한 사회는 집단주의 원칙을 강조하고 있다.

07 북한은 수령이 모든 권력을 가진 정치 체제를 유지하고 있다. 북한 주민의 정치 참여는 조선 노동당의 결정과 정부 기관의 통제 속에서 제한적으로 이루어지고 있다.

08 북한에서는 국가 계획에 따라 모든 경제 활동이 통제된다. 생산 수단은 대부분 국가의 소유로 분류되며, 근로 소득 같은 제한적인 수준에서만 개인의 소유를 인정하고 있다. 일부 선택받은 계층을 제외하고 대다수의 북한 주민들은 식량난을 겪으며 고통받고 있다.

09 북한에서 문화는 주민들의 사상을 철저히 통제하여 체제를 유지하기 위한 수단으로 작용한다.

왜 틀렸을까?
① 북한의 교육은 지도자에 충성하고 집단주의 원칙에 복종하는 인간상을 목표로 한다.
④ 북한의 문학과 예술은 당국이 지향하는 이념을 선전하는 것을 목표로 한다.

10 북한 이탈 주민은 탈북 과정에서 겪는 고통, 북한에 두고 온 가족에 대한 죄책감, 새로운 생활에 대한 불안감 등의 심리적인 어려움과 취업난으로 경제적인 어려움을 겪기도 한다. 또한 개인의 자유와 권리를 중시하는 남한의 사회·문화와 자본주의 체제에 적응하는 데에도 시간이 걸린다.

11 북한 이탈 주민이 겪는 어려움을 해결해 주기 위해서 개인적으로는 북한 이탈 주민을 포함한 북한 주민에 대한 인식을 개선해야 한다. 또한, 사회와 국가 차원의 물질적·제도적 지원이 필요하다. 성공적으로 정착한 북한 이탈 주민들은 통일 과정과 이후의 사회·문화적 통합을 위한 버팀목이 될 수 있다.

12 [모범 답안]

북한은 남북한 간 군사적 대결 구도에서 볼 때 안보상 위협적 존재로 경계의 대상이지만 동시에 함께 통일 국가를 이루어나가야 하는 한 민족으로서 협력의 대상이라는 이중적 성격을 갖고 있다.

득점	채점 기준
상	경계의 대상과 협력의 대상 두 가지를 모두 서술한 경우
중	경계의 대상이나 협력의 대상 중 한 가지 위주로 서술한 경우
하	이중적 성격의 의미를 서술하지 못한 경우

13 [모범 답안]

북한 이탈 주민의 어려움을 해결하기 위해 첫째, 북한 이탈 주민과 북한 주민에 대한 우리의 잘못된 인식을 개선해야 한다. 예를 들어 편견이나 무시하는 태도를 버리고 북한 이탈 주민들을 대해야 한다. 둘째, 성공적인 사회·문화적 통일을 돕기 위해 사회와 국가적인 차원에서 물질적·제도적 지원을 해 주어야 한다.

득점	채점 기준
상	개인적 차원과 사회·국가적 차원을 모두 서술한 경우
중	개인적 차원과 사회·국가적 차원 중 한 가지만 서술한 경우
하	개인적 차원과 사회·국가적 차원을 모두 서술하지 못한 경우

14 [모범 답안]

정치적인 측면에서 남한은 정치적 자유를 보장하고 있으나 북한은 정부 기관의 통제 속에서 정치 참여가 제한적으로 이루어진다. 경제적인 측면에서 남한은 자본주의 사회로 경제적 자유를 보장하지만, 북한은 생산 수단을 대부분 국가가 소유하고 제한적인 수준에서만 개인의 소유를 인정하고 있다. 마지막으로 사회·문화적인 측면에서 남한은 개인의 자유로운 창작 활동이 가능하지만, 북한의 문화는 주민을 통제하고 체제를 유지하기 위한 수단으로 작용하여 당국이 지향하는 이념을 선전하는 것을 목표로 한다.

득점	채점 기준
상	정치적, 경제적, 사회·문화적인 측면에서 북한 주민의 삶과 남한 주민의 삶의 차이점을 모두 서술한 경우
중	정치적, 경제적, 사회·문화적 측면 중 두 가지 측면만 이해하여 서술한 경우
하	정치적, 경제적, 사회·문화적 측면 중 한 가지 측면만 이해하여 서술한 경우

수행평가 모범 답안

106~107쪽

1. 통일에 대한 우리 반 친구들의 인식 알아보기

❶

① 통일이 필요하다고 생각하십니까?

매우 필요하다	15 명
그저 그렇다	5 명
필요하지 않다	8 명

• 기타 의견: 잘 모르겠다 (2명)

② 통일되면 어떤 일을 하고 싶습니까?

북한 인권 전문 변호사 / 생태 연구원 / 중학교 국어 선생님 등

③ 통일되어야 하는 가장 큰 이유는 무엇입니까?

1. 경제 발전 (10 명)
2. 이산가족의 아픔 해소 (6 명)
3. 평화 추구 (5 명)
4. 한민족 결합 (2 명)
5. 북한 주민의 인권 문제 해결 (7 명)

④ 통일되면 어느 지역에서 거주할 생각입니까?

남한	20 명
북한	8 명
상황에 따라 선택	1 명
기타	1 명

• 그 이유는?
살던 곳이 더 좋을 것 같아서 남한을 선택하였다. / 새로운 곳에서 새로운 일을 하며 살면 재밌을 것 같아 북한에서 살고 싶다.

❷

• **같은 점:** 나는 통일이 필요하다고 생각하였는데, 우리 반 친구 중 절반 역시 통일이 필요하다고 생각하였다.
• **다른 점:** 통일이 되면 새로운 곳에서 새로운 일을 하며 살고 싶다는 생각이 들어 북한에서 살고 싶다고 생각하였는데, 친구들은 대부분 남한에서 살고 싶어 하였다. / 나는 북한 주민의 인권 문제를 해결하기 위해 통일이 되어야 한다고 생각하였는데, 많은 친구가 경제 발전을 위해서 통일이 필요하다고 생각하였다.

❸ 통일이 되면 새로운 일자리가 많아질 것 같고 우리가 살아갈 수 있는 터전이 더 넓어지는 것이므로 좋은 점이 참 많다는 것을 알았다.

2. 북한의 인권 문제 제대로 알기

❶ 북한 사람들의 인권이 제대로 보호되지 않고 있으며 이로 인해 많은 사람이 고통받고 있다. / 북한 주민들은 모든 생활에서 자유를 보장받지 못하고 있다. / 대부분의 북한 주민들이 경제적 어려움을 겪고 있다.

❷ 북한은 종교의 자유가 없다. / 국가에 반대하는 사상을 가지면 정치범 수용소에 갇혀 탄압을 받는다. / 항상 통제를 당하고 표현의 자유를 억압받는다. / 북한 이탈 주민이 다시 북한으로 돌려보내진 경우, 수용소에 갇혀 폭행을 당한다. / 식량이 차별적으로 배급되어 많은 주민이 식량난을 겪고 있다.

❸ 가장 좋은 방법은 통일이 되어 모든 국민의 인권이 보장되는 것이다. / 분단 상황이지만 북한의 인권 문제에 관심을 갖고 도울 방법들을 생각해야 한다. / 경제적 어려움을 지원해 줄 수 있어야 한다.

04. 통일 윤리 의식

개념 확인 문제 119쪽

01 (1) ○ (2) X (3) ○ (4) ○ 02 평화 03 (1) 이산가족 (2) 민족 공동체 04 자유 민주주의

01 (1) 남북의 분단 상황은 우리가 할 수 있는 일이나 만날 수 있는 사람들의 범위를 제한하고 있다.
(2) 분단 상황은 우리가 인간다운 삶을 살아가는 데 필요한 보편적 가치의 실현에 장애가 되고 있다.
(3), (4) 인권의 관점에서 분단은 우리에게 심각한 위협이 되며, 특히 북한 주민들의 인권 보장을 위해 통일이 필요하다.

02 통일은 우리가 전쟁의 공포에서 벗어나 평화를 실현할 수 있는 가장 확실한 길이다.

03 (1) 남북 분단으로 이리저리 흩어져서 서로 소식을 모르는 가족을 이산가족이라고 한다.
(2) 통일은 새로운 민족 공동체 건설의 중요한 밑거름이 될 수 있다. 남북 통합 과정에서 민족의 동질성을 회복하여 구성원 간의 이해와 신뢰를 증진해 나가야 한다.

04 통일 한국은 자유 민주주의를 지향하는 국가 체제이어야 한다. 인간 개개인의 존엄성을 존중하며, 개인의 자유와 권리가 보장되는 민주 국가를 구현해 나가야 한다.

실력 점검 문제 119~121쪽

01 ③ 02 ② 03 ② 04 ⑤ 05 ④ 06 ② 07 ④ 08 ⑤ 09 ④ 10 ① 11 ① 12 해설 참조 13 해설 참조 14 해설 참조

01 통일을 해야 하는 이유 중 하나는 민족 동질성을 회복하기 위해서이다. 전쟁과 분단으로 인해 한 민족임에도 정체성이 훼손되고 이질성이 심화하였기 때문이다.

02 남북 분단으로 인해 북한 주민들은 인간다운 삶을 살지 못하고 있다. 그렇기 때문에 북한 주민이 겪고 있는 비인간적인 상황을 해소하기 위해서 통일이 이루어져야 한다.

03 제시된 글은 남북 분단으로 인해 제한되었던 자유에 대한 설명이다. 자유 증진 외에도 통일을 통해 실현해야 하는 보편적 가치에는 인권 보호, 한반도 평화 실현 등이 있다.

04 바람직한 통일 한국은 자유 민주주의를 지향하는 국가 체제이어야 하며, 시장 경제를 바탕으로 구성원이 모두 행복하게 살 수 있는 선진 복지 국가이어야 한다.

05 통일 한국은 여러 가지의 대내적·대외적 효과를 볼 수 있다. 특히 남북 갈등이 해소되어 소모적 외교전에 들어갔던 경제적 비용들이 줄어들고 대신 자유로운 외교 역량을 발휘해 외교적 입지가 강화될 것이다.

06 남북한 교류·협력의 모습은 금강산 관광, 이산가족 상봉, 대북 지원 사업, 개성 공단 사업 등에서 찾아볼 수 있다.

07 통일이 되면 남한의 높은 기술력과 북한의 풍부한 노동력이 합쳐져 지금보다 경제가 발전할 것이다.

08 통일 국가 형성을 위한 남북한의 교류·협력은 상호 간의 이익과 민족의 화해와 공동 번영이라는 목표를 가지고 진행해야 한다.

왜 틀렸을까?
① 정치 체제의 통합보다 상호 간의 충분한 신뢰를 쌓는 것이 우선시 되어야 한다.
② 군사적 위협과 침략에 대한 문제와 더불어 평화적 교류를 통한 신뢰 관계도 조성해야 한다.
③ 남북통일을 위해서 남북한 간의 교류·협력은 반드시 거쳐야 하는 중요한 과정이다.
④ 점진적이고 단계적인 평화적 교류를 통해 상호 간의 충분한 신뢰 관계를 조성해야 한다.

09 남북의 평화적 교류·협력 방안으로는 스포츠 분야에서의 교류, 자원 공동 개발 및 이산가족 상봉 등이 있다.

왜 틀렸을까?
㉠ 평화적 교류·협력의 방안은 군비 증가가 아닌 축소이다.
㉤ 통일을 위해서 남북 간의 경제 협력이 활발히 이루어져야 한다.

10 통일이 되면 우리는 개방적인 자세를 취하고 인류의 보편적 가치를 바탕으로 더불어 사는 삶을 위해 노력해야 한다.

11 한반도의 통일은 민족 내부의 문제인 동시에 주변 국가의 관심과 이해가 얽힌 국제적 문제이다. 이 점을 명심하여 냉철하고 균형 잡힌 태도로 나라 안팎의 갈등을 조정하고 통일에 유리한 환경을 조성해 나가야 한다.

12 [모범 답안]

첫째, 통일은 이산가족과 실향민, 북한 주민이 겪고 있는 비인간적인 상황을 해소하기 위해서 필요하다. 둘째, 통일은 전쟁의 위협을 제거하고 평화를 실현하는 데 꼭 필요한 요소이다.

득점	채점 기준
상	통일을 해야 하는 이유를 두 가지 이상 서술한 경우
중	통일을 해야 하는 이유를 한 가지만 서술한 경우
하	통일을 해야 하는 이유에 대해 제대로 서술하지 못한 경우

13 [모범 답안]

분단 상황은 우리가 인간다운 삶을 살아가는 데 필요한 보편적 가치의 실현에 장애가 되고 있다. 우리가 통일을 통해 실현해야 하는 가치는 첫째, 남북 분단으로 인해 제한되었던 자유를 증진해야 한다. 둘째, 통일을 통해 모든 국민의 인권을 보호해야 한다. 셋째, 한반도의 평화를 실현해야 한다.

득점	채점 기준
상	자유 증진, 인권 보호, 평화 실현을 모두 서술한 경우
중	자유 증진, 인권 보호, 평화 실현 중 두 가지만 서술한 경우
하	자유 증진, 인권 보호, 평화 실현 중 한 가지만 서술한 경우

14 [모범 답안]

통일 한국은 정치적으로는 자유 민주주의를 지향하는 국가 체제이어야 한다. 인간 개개인의 존엄성을 최고의 가치로 존중하며, 개인의 자유와 권리가 보장되는 민주 국가를 구현해 나가야 한다. 또한 경제적으로는 시장 경제를 바탕으로 국민이 모두 풍요롭고 안정된 삶을 영위할 수 있는 선진 복지 국가이어야 한다.

득점	채점 기준
상	정치적인 측면에서 자유 민주주의, 인간의 존엄성 실현, 경제적인 측면에서 시장 경제, 선진 복지 국가 등을 서술한 경우
중	정치적인 측면과 경제적인 측면 중 한 측면의 서술만 정확한 경우
하	정치적인 측면과 경제적인 측면에서의 서술이 명확하지 않은 경우

수행평가 모범 답안

122~123쪽

1. 통일 한국의 국기 만들기

❶

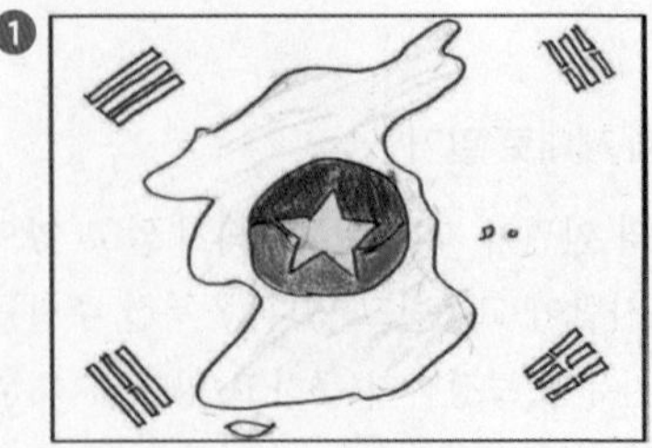

❷ 한반도 모습 안에 남한과 북한의 국기를 합쳐서, 한반도 위에서 하나가 되었다는 의미를 담았다.

❸ 분단되지 않은 온전한 한반도의 모습과 남북 국기를 조화롭게 합쳐 통일 한국이라는 의미가 잘 전달된다.

2. 통일 버킷리스트 만들기

❶

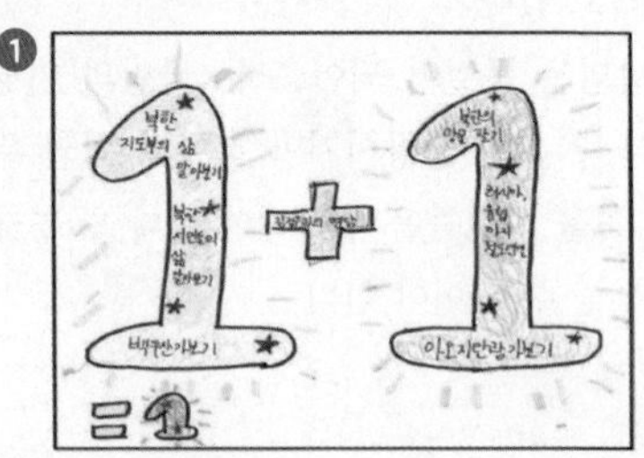

❷ 통일은 '남한(1)+북한(1)=1'이라는 뜻을 표현하고, 통일되면 가 보고 싶은 곳과 알아보고 싶은 것들을 적었다.

❸ 통일을 우리는 하나라는 의미로 잘 표현한 것 같다. '1' 속에 버킷리스트를 적어 한눈에 알아볼 수 있었다.

대단원 마무리 문제

127~129쪽

01 ④ 02 ② 03 ② 04 ② 05 ⑤ 06 ③ 07 ① 08 ⑤ 09 ⑤ 10 ③ 11 ⑤ 12 ④ 13 ⑤ 14 해설 참조 15 해설 참조 16 해설 참조

01 국가가 지향하는 가치와 정책은 개인의 도덕적 삶에도 큰 영향을 미친다.

02 우리는 태어남과 동시에 한 국가의 구성원이 되며, 개인과 국가는 밀접한 관련을 맺고 있다. 공동체가 없으면 개인의 행복과 안녕을 보장받기 어려우며, 개인의 능력이 뛰어나더라도 자아실현과 행복을 누리기 힘들 것이다.

03 제시문에서 설명하는 보편적 가치는 '복지'이다. 도덕적으로 바람직한 국가는 모든 국민의 행복을 추구하며, 국민이 인간답게 살아갈 수 있도록 보편적 가치를 실현하는 국가이다.

04 정의로운 국가가 추구하는 보편적 가치에는 자유, 평등, 인권, 공정, 평화, 복지 등이 있다. 공정은 사회적 약자를 보호하고 모든 구성원을 정당하게 대우해야 한다는 것이다. 평등은 누구나 정당한 이유 없이 다른 대우를 받지 않고 균등한 기회가 주어져야 한다는 것이다.

05 세금을 더 거두어들이더라도 국가가 광범위한 복지 혜택을 제공하는 것이 국민 전체의 생활을 윤택하게 만든다고 보는 입장은 적극적 국가관이다.

왜 틀렸을까?
①, ②, ③, ④는 소극적 국가관에 대한 설명이다. 소극적 국가관은 국가의 개입을 최소화하여 자유와 권리를 최대한 보장하고자 한다. 국가가 공정한 경쟁이 가능하도록 질서만 유지해 주면 자유로운 개인의 창의성과 잠재력을 발휘할 수 있다는 입장이다.

06 지나친 사익 추구는 자칫 다른 사람의 권리를 침해할 수 있고, 국가 구성원의 책임과 의무를 소홀히 하기 쉽다는 문제점이 있다.

07 자신의 국가를 사랑하고 헌신하려는 마음은 애국심이다. 바람직한 애국심은 인류의 보편적인 가치에 따라 옳고 그름일 가릴 줄 아는 분별력 있는 애국심이다.

08 규범은 사회 구성원 간의 약속이므로 이를 어기는 것은 다른 사람의 자유와 권리를 침해하는 것이다. 특히 법은 모든 시민이 따라야만 하는 강제적 규범이며 인간의 존엄성, 자유, 평등을 보장하려는 목적을 지닌다.

왜 틀렸을까?
① 국가의 혜택을 받기에 법을 지켜야 하는 점은 어느 정도 옳지만, 그 이유 때문만은 아니다. 법은 사회 구성원 간의 약속이며 이를 준수함으로써 바람직한 시민으로 살아갈 수 있다.
② 법은 단순히 인간의 자유를 제한하려는 것이 아니라 상호 이익과 공동체의 정의를 실현하기 위한 약속이다.
③ 준법은 다른 사람의 자유와 권리를 침해하는 것이 아니라 보장하려는 것이다.
④ 법은 모든 구성원이 반드시 따라야 하는 강제적 규범이다.

09 시민 불복종의 조건은 목적의 정당성, 처벌의 감수, 비폭력성, 최후의 수단이다. 시민 불복종은 끝까지 비폭력적인 방법으로 시행해야 한다.

10 무조건 이기기 위해서 불공정한 수단과 방법을 사용하면 사회 구성원 간의 신뢰와 협력을 기대할 수 없다.

11 제시문은 경쟁 과정의 공정성에 대한 내용이다. 공정한 경쟁을 하기 위해서는 경쟁에 참여하는 사람들 간의 차이를 인정하고 조정해야 한다.

12 청렴 의식은 개인 윤리의 차원에서 부패 행위를 예방하는 방법이다. 청렴 의식이 강조되는 사회 분위기가 형성된다면 부패 행위의 발생이 줄어들 것이다.

13 제시문은 북한 이탈 주민들에 대한 편견과 선입견에 관련된 내용이다. 북한 이탈 주민을 편견을 갖고 바라보거나 무시하는 태도는 그들에게 소외감과 좌절감을 줄 수 있으며, 사회·문화적 통일을 늦추는 요인이 될 수 있다.

14 **[모범 답안]**
국가 공동체 안에서 성숙한 시민은 개인적인 선과 공동선, 사익과 공익의 조화를 이루기 위해 노력하며, 공동체 의식을 지니고 자신의 책임과 의무를 다하면서 권리도 올바르게 행사할 수 있는 사람이다.

득점	채점 기준
상	공동체 의식, 책임, 의무, 권리 등의 키워드를 세 가지 이상 포함하여 서술한 경우
중	공동체 의식, 책임, 의무, 권리 등의 키워드를 두 가지 이상 포함하여 서술한 경우
하	공동체 의식, 책임, 의무, 권리 등의 키워드를 한 가지 이상 포함하여 서술한 경우

15 **[모범 답안]**
시민 불복종은 첫째, 불복종 이유가 공동선에 부합하는 등 그 목적이 정당해야 한다. 둘째, 불복종으로 인해 받게 되는 처벌을 기꺼이 받아들여야 한다. 셋째, 합법적인 절차를 거친 후 최후의 수단으로 이루어져야 한다. 마지막으로 비폭력적인 방법으로 시행해야 한다.

득점	채점 기준
상	시민 불복종의 조건의 두 가지 이상 서술한 경우
중	시민 불복종의 조건의 한 가지 이상 서술한 경우
하	시민 불복종의 조건을 서술하지 못한 경우

16 **[모범 답안]**
정의로운 국가를 추구하기 위해서는 적극적인 국가관이 더 적합하다고 생각한다. 그 이유는 개인의 자유를 보장하는 것도 중요하지만, 그러한 자유를 잘 누릴 수 있도록 국가가 적극적으로 기본적인 조건을 만들어 주는 것이 중요하다고 생각하기 때문이다. 국가가 적극적으로 개입하는 것이 자유를 침해하는 것이 아니고 국민에게 혜택을 제공하기 위한 것이므로 필요하다고 생각한다.

득점	채점 기준
상	자신의 적합하다고 생각하는 국가관을 명확히 제시하고, 그 이유를 명확하게 설명한 경우
중	자신의 적합하다고 생각하는 국가관을 제시하였으나 그 이유를 제시하는 데 한계가 있는 경우
하	국가관에 대한 이해가 부족한 경우

Ⅲ 자연·초월과의 관계

01. 자연관

개념 확인 문제 (141쪽)

01 (1) ○ (2) X (3) ○ 02 자정 능력 03 (1) ㉠ (2) ㉢ (3) ㉡
04 탄소 포인트 제도

01 자연에 속하는 수많은 생명체가 우리에게 혜택을 주는 것은 사실이지만, 혜택을 주는 것과 별개로 그것들은 각자 그 자체로 소중한 본래적 가치를 지니고 있다.

02 자연은 본래 스스로 건강한 생태계를 유지할 수 있는 자정 능력을 지니고 있으나, 현대의 산업화와 도시화로 인해 되돌릴 수 없을 정도로 훼손되고 변형되었다.

03 자연을 이해하는 관점에는 인간 중심주의, 생명 중심주의, 생태 중심주의 등이 있다.

04 탄소 포인트 제도는 국민 개개인의 참여를 유도하는 사회적 제도이다. 탄소 배출량을 감축하는 것은 지구 온난화 등 이상 기후 현상을 해결하는 데 있어 중요한 문제이므로, 이에 대한 사회적 노력이 필요하다.

실력 점검 문제 (141~143쪽)

01 ④ 02 ⑤ 03 ③ 04 ③ 05 ⑤ 06 ① 07 ④ 08 ⑤
09 ④ 10 ① 11 해설 참조 12 해설 참조 13 해설 참조

01 오늘날의 환경 문제는 그 범위가 넓고 오랫동안 지속한 것이므로 쉽게 해결하기 어려우며, 이를 해결하기 위해서는 장기간에 걸친 전문적인 노력과 막대한 비용이 필요하다.

02 환경친화적 자연관이란 모든 생명의 가치를 고려하여 건강한 생태계를 미래 세대까지 전달하고자 하는 자연관이다.

왜 틀렸을까?
② 합리적 소비는 비용을 최소로 아끼면서 만족감을 높이고자 하는 소비이다. 합리적 소비 역시 환경의 가치를 고려하는 소비라고 볼 수 있지만, 제시문은 환경친화적 자연관에 관한 내용이다.

03 우리는 인간의 삶과 자연환경의 보전 사이에서 조화로운 관계를 위한 환경친화적 자연관을 모색할 필요가 있다.

왜 틀렸을까?
① 인간만을 생각한 결과 현대 사회의 다양한 환경 오염을 가져왔다. 이는 인간 중심적 가치관을 반성하는 계기가 되었고 점차 자연에 속한 동식물과 무생물에 이르기까지 도덕적 고려의 범위를 확장하였다. 생명 중심주의와 생태 중심주의가 그 예이다.
② 자연을 정복의 대상이나 인간만의 도구로 보는 인간 중심적 가치관에 의해 무분별한 환경 파괴 및 심각한 환경 문제가 초래되었다.
④ 자연 보전을 위해 현재의 방식을 모두 포기하기보다는 인간과 자연환경의 보전 사이에서 조화를 추구하는 것이 중요하다.
⑤ 인간은 자연을 전혀 이용하지 않고 살아갈 수 없다.

04 생태 중심주의는 전체 환경에 대한 배려를 강조한다. 그러므로 자연에 속한 모든 것의 가치는 동등하기에 서로 존중해야 한다고 본다. 반면, 동식물 등 생명의 가치를 존중하는 관점은 생명 중심주의이다.

05 인간은 생활에 필요한 여러 물질적 자원을 자연으로부터 얻는다. 따라서 자원을 소비하는 습관과 자연은 밀접한 관련을 맺고 있다. 이처럼 자연을 어떻게 생각하느냐에 따라 우리의 소비 생활도 크게 달라진다.

왜 틀렸을까?
① 인간은 생활에 필요한 여러 자원을 자연에서 얻는다. 그렇기 때문에 소비와 자연은 밀접하게 관련되어 있다.
② 합리적 소비는 자연에 긍정적인 영향을 준다. 그러나, 지나친 소비 습관은 비합리적이며 자원의 낭비를 유발하여 환경에 악영향을 미친다.
③ 소비는 환경에 막대한 영향을 미치므로 어떤 물건을 구매할 때 환경에 미치는 영향을 고려하는 것이 중요하다.
④ 환경 오염이 발생하는 데에는 인간 중심주의적인 소비 습관 이외에도 산업화, 도시화, 일상생활의 습관 등 다양한 원인이 있다.

06 환경친화적 소비 생활은 소비하는 제품의 생산과 유통, 소비 과정과 이용, 폐기와 재생의 전 과정에 관심을 두는 것이다.

07 윤리적 소비에는 공정 무역, 슬로 푸드, 로컬 푸드 등이 있다. 공정 무역은 개발 도상국에게 더욱 유리한 무역 조건을 제공하는 무역 형태를 말한다. 슬로 푸드는 패스트 푸드를 반대하며 자연의 시간에 맞추어 생산하는 음식을 소비하자는 것이다. 로컬 푸드는 지역에서 생산된 먹을거리를 지역에서 소비하자는 운동으로 생산지에서 소비지까지의 거리를 최대한 줄이고자 한다.

08 환경친화적 삶을 위해 일상생활에서 대중교통 이용하기, 재활용하기, 불필요한 쓰레기 줄이기 등과 같은 다양한 노력을 할 수 있다. 그러나, 샴푸에 있는 화학 성분은 수질 오염을 초래하므로 적정량만을 사용해야 한다.

09 환경친화적 삶을 실천하기 위해서는 나부터 실천하겠다는

마음가짐을 가지고 노력하는 자세가 필요하다.

10 현대 사회의 환경 문제는 그 범위가 넓고 오랫동안 지속한 것이므로 개인적 차원의 노력만으로는 해결하기 힘들다.

왜 틀렸을까?

② 사회적 노력과 개인적 노력 모두 필요하다.

③ 경제 발전과 환경 문제의 해결이 조화를 이룰 수 있도록 해야 한다.

④ 탄소 포인트 제도, 에코 마일리지 등 환경친화적 삶을 위한 사회적 실천 방안이 존재한다.

⑤ 개인의 노력만으로 모든 환경 문제를 해결할 수는 없지만, 개인적 차원의 노력이 환경 문제 해결에 미치는 영향력이 미미하지는 않다.

11 **[모범 답안]**

생명 중심주의와 생태 중심주의는 인간 중심주의에 대한 반성에서부터 시작하여 도덕적 고려의 범위가 확산된 것으로, 이 두 관점은 인간을 다른 생명체보다 우월한 존재로 보지 않는다. 반면, 인간 중심주의는 인간을 다른 어떤 존재보다 가장 우월한 존재로 보고 있다.

득점	채점 기준
상	생명 중심주의와 생태 중심주의의 공통점과 인간 중심주의와의 차이점에 대해 정확히 서술한 경우
중	생명 중심주의와 생태 중심주의의 공통점에 관해서만 서술한 경우
하	생명 중심주의, 생태 중심주의, 인간 중심주의의 내용만 각각 서술한 경우

12 **[모범 답안]**

지나친 소비 습관은 비용을 무분별하게 낭비하고 자신의 욕구를 채우기에만 급급한 소비로, 이는 비합리적이며 비윤리적이라고 할 수 있다. 합리적 소비는 최소의 비용으로 만족감을 높이는 소비이고 윤리적 소비는 사회와 환경에 미치는 영향을 고려하는 소비인데, 지나친 소비 습관은 이를 둘 다 어기는 것이기 때문이다.

득점	채점 기준
상	지나친 소비 습관이 비합리적이면서도 비윤리적인 소비인 이유에 대해 모두 서술한 경우
중	지나친 소비 습관이 비합리적이거나 비윤리적인 이유 중 한 가지만을 서술한 경우
하	지나친 소비 습관이 비윤리적이면서도 비합리적인 이유에 대해 서술하지 못한 경우

13 **[모범 답안]**

불필요한 쓰레기 배출 줄이기, 사용한 물건 재활용하기, 대중교통 이용하기, 녹색 소비 실천하기, 사용하지 않는 전자 제품 끄기, 양치 컵 사용하기 등이 있다.

득점	채점 기준
상	일상생활 속 환경친화적 삶을 실천하는 방법을 세 가지 이상 서술한 경우
중	일상생활 속 환경친화적 삶을 실천하는 방법을 두 가지 서술한 경우
하	일상생활 속 환경친화적 삶을 실천하는 방법을 한 가지 서술한 경우

수행평가 모범 답안

144~145쪽

1. 나는 친환경 마크 수집가

- 저탄소 마크
- 음료수 포장지 사진
- 최근 지구 온난화 문제가 심각하다는 것을 뉴스를 통해 알게 되었다. 그런데, 지구 온난화의 원인이 도시화 및 산업화로 인한 이산화 탄소의 과도 배출 때문이라고 하여 이 마크를 선택하게 되었다.
- 제품을 구매할 때, 해당 제품에 환경 마크가 붙어 있는지 크게 고려하지는 않았는데, 앞으로는 환경을 위해 꼼꼼히 확인해야겠다는 생각이 들었다.

2. 환경친화적 소비 프로젝트

❶ 자신의 실천 내용에 맞추어 실천 지수를 작성한다.

❷

- **번호**: 1번
- **관련된 구체적 사례 및 경험**: 마트에 갔을 때, 엄마와 가격과 용량이 비슷한 두 가지의 제품을 놓고 고민하였다. 고민하던 중 내가 하나의 제품에 친환경 마크가 붙어 있는 것을 확인하고 엄마께 말씀드렸다. 엄마께서는 그 제품을 구매하면서 평소에 이런 것을 확인하지 않았는데, 내가 알려 준 덕분에 이제부터는 친환경 마크를 확인하고 구매하겠다고 말씀하셔서 뿌듯하였다.

❸

- **번호**: 2번
- **지키지 못한 원인**: 가족과 다 같이 외식을 하였는데, 기본 반찬으로 나오는 것 중 평소 알레르기가 있는 가지가 있어서 다 먹지 못하였다.
- **구체적 개선 방안**: 앞으로는 미리 먹기 전에 기본적으로 제공되는 반찬에 무엇이 있는지 확인하고 원하는 것만 달라고 말씀드려야겠다.

❹ 물건을 구매하기 전 다시 한번 친환경 마크를 확인하는 습관이 생겼다. 이 단원을 배우기 전에는 친환경 마크가 있는지도 몰랐는데, 수업과 프로젝트 활동을 통해 여러 가지 종류의 친환경 마크에 대해 알게 되었다.

02. 과학과 윤리

개념 확인 문제 (157쪽)

01 (1) ○ (2) ○ (3) X 02 유전자 가위 03 인간 존엄성
04 (1) ㉡ (2) ㉢ (3) ㉠

01 과학 기술은 다양한 과학 분야의 객관적 지식을 실제 현실에 적용하여 인간이 생활하는 데 유용하게 가공하는 수단을 말한다. 과학 기술의 전제는 인간의 존엄성과 인간 삶에 대한 도덕적 고려이기 때문에 과학과 도덕은 밀접한 관련을 맺고 있다.

02 유전자 가위란 손상된 DNA를 잘라내고 정상 DNA를 갈아 끼우는 기술로 난치병 치료와 유전자 조작 식품의 생산, 멸종 위기에 빠진 생물의 복원 등 다양한 분야에서 활용될 수 있다.

03 과학 기술의 궁극적 목적은 삶의 질 향상을 통해 인간의 존엄성을 구현하는 데 있다. 과학 기술 개발에 있어서 인간의 주체성과 존엄성을 항상 유념해야 한다.

04 과학 기술은 우리의 삶에서 차지하는 비중이 매우 크다. 그러므로 과학 기술에 부정적 영향을 미칠 수 있는 요소를 고려하여 바람직한 과학 기술의 활용에 관해 생각해 볼 필요가 있다.

실력 점검 문제 (157~159쪽)

01 ③ 02 ① 03 ⑤ 04 ① 05 ⑤ 06 ③ 07 ④ 08 ⑤
09 ② 10 ④ 11 해설 참조 12 해설 참조 13 해설 참조

01 과학 기술의 목적은 우리 삶에 필요한 다양한 수단을 제공함과 동시에 삶의 질 향상을 통해 인간의 존엄성을 구현하는 데 있다.

왜 틀렸을까?
① 과학 기술의 수단적 목적에 대한 설명이다.
② 과학 기술의 궁극적 목적이 삶의 질 향상을 통한 인간의 존엄성을 구현하는 것임을 볼 때 도덕적으로 올바른 과학 기술의 이용은 중요한 문제이다.
④ 긍정적인 목적으로 개발된 과학 기술이라도 사용하는 사람의 의도에 따라 부정적으로 활용될 수도 있다.
⑤ 과학 기술의 궁극적 목적이 인간의 존엄성을 구현하는 것은 맞지만, 이것이 오로지 인간만을 생각한다는 것은 아니다.

02 CCTV 설치로 인해 사생활 침해가 증가한 것은 과학 기술 발달로 인한 부작용의 한 예라고 할 수 있다.

03 과학이 발전할수록 사회의 변화는 과학에 의해 주도될 가능성이 크다. 제시문에서도 과학 기술로 인해 여성의 사회 참여가 늘어났다는 사회적 현상을 설명하고 있다.

04 배아 복제는 생명 과학 기술의 발달에 따라 등장한 윤리 문제 중 하나로 생명의 존엄성을 훼손한다는 의견이 있다.

05 우리는 새로운 과학 기술을 실제로 적용해 보기 전까지 발생할 수 있는 모든 문제를 예상할 수 없다.

왜 틀렸을까?
③ 과학 기술이 제공하는 현재의 편리함 또는 미래에 기대되는 긍정적인 영향만을 강조하면, 과학 기술의 한계와 위험성을 지나치기 쉽다. 그러므로 이러한 부정적인 한계와 그 위험성에 대해서도 신중하게 대비하는 자세를 지녀야 한다.

06 천동설은 과거에 과학적 진리로 여겨졌던 이론이 시간이 지나 잘못된 이론으로 판명되는 경우가 있을 수 있다는 과학 기술의 한계에 대한 사례로 볼 수 있다.

07 피험자의 동의를 받지 않거나 실험에 대한 충분한 정보 없이 이루어지는 인체 실험은 인간의 생명권을 위협하는 것이므로 과학 기술의 궁극적 목적인 인간 존엄성의 실현에 맞지 않는 일이다.

08 현대 사회에서 도덕적인 고려를 하지 않은 과학 연구는 인류를 멸망시킬 수도 있다. 때문에 과학자에게는 자신의 연구 성과에 대한 다각적인 고민과 높은 수준의 도덕성이 요구된다.

09 과학 기술이 전제로 삼아야 하는 것은 인간의 존엄성과 인간 삶에 대한 도덕적 고려이다. 그렇기에 과학 기술은 도덕적 고려의 대상이며, 우리는 과학 기술의 개발과 활용에 대한 도덕적 책임감을 지녀야 한다.

왜 틀렸을까?
③ 자원의 효율적 이용은 과학 기술이 가져온 긍정적 변화이다. 하지만, 과학 기술이 궁극적으로 고려해야 할 점은 아니며 수단적 목적이라고 볼 수 있다.

10 과학 기술의 목적은 지식을 축적하는 것이 아니라 인간의 존엄성을 구현하는 것에 있다. 그렇기 때문에 우리는 과학 기술이 제공하는 편리함과 혜택에만 집착하지 말고, 도덕적으로 올바른 과학 기술이 어떤 것일지 비판적으로 생각하는 자세가 필요하다.

11 **[모범 답안]**
과학 기술의 수단적 목적은 삶에 필요한 다양한 수단을 제공함으로써 삶의 질을 향상하는 것이다. 그러나, 이에 그쳐서는 안되고 삶의 질 향상이라는 수단적 목적을 통해 궁극

적으로는 인간 존엄성을 실현할 수 있어야 한다.

득점	채점 기준
상	과학 기술의 수단적 목적과 궁극적 목적에 대해 모두 올바르게 설명한 경우
중	과학 기술의 수단적 목적과 궁극적 목적 중 한 가지에 대해서만 올바르게 설명한 경우
하	과학 기술의 수단적 목적과 궁극적 목적을 올바르게 설명하지 못한 경우

12 **[모범 답안]**

과학 기술의 긍정적 변화로는 풍요롭고 편리한 생활, 인간관계의 확장 등이 있다. 반면 과학 기술이 가져온 부작용으로는 인간의 주체성 상실과 비인간화, 생명의 존엄성을 훼손하는 윤리적 문제 등이 있다.

득점	채점 기준
상	과학 기술을 통한 삶의 긍정적 변화와 부작용 모두에 대해 올바르게 설명한 경우
중	과학 기술을 통한 삶의 긍정적 변화와 부작용 중 한 가지에 대해서만 올바르게 설명한 경우
하	과학 기술을 통한 삶의 긍정적 변화와 부작용 모두에 대해 올바르게 설명하지 못한 경우

13 **[모범 답안]**

과학 기술자에게 일반인보다 높은 수준의 도덕적 책임감이 필요한 이유는 첫째, 과학 기술자는 과학 기술의 장단점을 일반인보다 더 잘 알고 있기 때문이다. 둘째, 예상되는 문제를 예방하기 위해서는 그들의 전문적 능력이 필요하기 때문이다.

득점	채점 기준
상	과학 기술자에게 일반인보다 더 높은 도덕적 책임감이 필요한 이유를 두 가지 모두 설명한 경우
중	과학 기술자에게 일반인보다 더 높은 도덕적 책임감이 필요한 이유를 한 가지 설명한 경우
하	과학 기술자에게 일반인보다 더 높은 도덕적 책임감이 필요한 이유에 대해 설명하지 못한 경우

수행평가 모범 답안

160~161쪽

1. 자율 주행차 상용화 토론하기

❶

- **주장**: 자율 주행차는 상용화 되어서는 안 된다.
- **근거**: 자율 주행차가 모든 문제점을 알고 있을 수는 없기 때문이다. / 자율 주행차 때문에 사고가 났을 때 그 책임을 물을 사람이 없기 때문이다. / 도덕적인 상황에서 자율 주행차는 특정한 의견을 가질 수 없기 때문이다.

자율 주행차는 상용화되어야 한다	
주장	근거
교통사고를 줄일 수 있다.	교통사고의 원인 중 대부분은 운전자의 실수이다.
시각 장애인과 같은 교통 약자들이 편리한 삶을 누릴 수 있다.	스스로 운전할 수 없는 사람도 자율 주행차로 운전이 가능하다.
경제적 측면에서 효율적이다.	유지비, 세금 등의 비용이 사라진다.

자율 주행차는 상용화되어서는 안 된다	
주장	근거
자율 주행차는 안전하지 않다.	예기치 못한 상황에 대한 대처 능력이 떨어져서 사고가 일어날 수 있다.
운전하는 즐거움을 빼앗기 때문이다.	운전을 하며 얻을 수 있는 즐거움은 다른 곳에서는 얻을 수 없기 때문이다.
자율 주행차는 악용될 가능성이 있다.	프로그램을 기반으로 자율 주행차를 움직일 수 있기 때문이다.

❸

- **변화된 생각**: 자율 주행차에 대한 법과 제도가 마련된다면 상용화되어도 괜찮을 것 같다.
- **새롭게 알게 된 점**: 자율 주행차가 줄 수 있는 긍정적인 점에 대해 많이 알게 되었다. 특히 시각 장애인과 같은 교통 약자가 배려받을 수 있다는 점은 미처 생각하지 못했던 것이었다.

2. 도덕적 책임에 대한 포스터 만들기

- **표어**: 과학 기술의 두 얼굴, 어떤 얼굴을 쓰시겠습니까?
- **그림**: 표어에 맞게 도덕적 책임에 대한 포스터를 그린다.

03. 삶의 소중함

개념 확인 문제 173쪽

01 (1) X (2) X (3) O (4) X **02** 삶의 유한성 **03** 불가피성
04 (1) 소중함 (2) 죽음

01 (1) 한 번뿐이라는 점에서 모든 생명은 그 자체로 소중한 가치를 지닌다.
(2) 죽음에 관한 생각은 인생의 가치를 깨닫는 계기가 되므로, 두려움의 대상으로만 생각할 필요가 없다.
(3) 서로를 존중하는 자세를 통해 생명의 가치를 진정으로 이해한다면 결코 생명을 가볍게 여길 수 없을 것이다.
(4) 의미 있는 삶을 살기 위해서는 정신적 가치도 함께 추구하여 삶의 지평을 넓혀야 한다.

02 인간은 삶의 유한성을 통해 더욱 의미 있고 가치 있는 삶을 살기를 원하는 존재이다.

03 죽음의 대표적인 특징으로는 모든 사람이 맞이한다는 의미인 '보편성', 누구도 피할 수 없는 것이라는 의미인 '불가피성', 누구나 단 한 번 겪는 것이라는 의미인 '일회성'을 들 수 있다.

04 (1) 삶의 소중함을 깨닫는 것은 자신과 자신을 둘러싼 모든 가치, 그리고 인생의 가능성을 실현하기 위한 근본적인 조건이 된다.
(2) 그 누구도 영원히 살 수는 없으며, 생명이 있는 존재는 모두 언젠가는 반드시 죽음을 맞이한다.

실력 점검 문제 173~175쪽

01 ⑤ **02** ① **03** ⑤ **04** ⑤ **05** ② **06** ③ **07** ⑤ **08** ⑤
09 ② **10** ⑤ **11** 해설 참조 **12** 해설 참조 **13** 해설 참조

01 지속적이고 장기적인 행복을 위해서는 가족과 친구처럼 나를 아껴 주는 사람들과의 관계 속에서 가치 있는 삶을 추구해야 한다.

02 인간은 이성적 존재로서 존엄하고 귀한 존재이므로 자신이나 타인의 생명을 가볍게 여겨서는 안 된다. 인간뿐만 아니라 모든 생명은 살아있다는 그 자체만으로 소중히 여겨야 할 대상이므로 인간의 생명을 다른 생명에 비해 무조건 우선시하는 태도는 도덕적인 태도라고 볼 수 없다.

03 소에게 줄 건초를 만드는 것과 같이 인간의 생존을 위해서 불가피하게 다른 생명을 해치게 되는 상황이 있더라도, 인간은 그 생명에 대해 책임 의식을 느끼고 반성해야 한다.

왜 틀렸을까?
① 제시문은 꽃을 꺾는 것을 그릇된 상황으로 보고 있다. 그렇기 때문에 식물의 동물의 생명을 둘 다 소중하게 생각하고 있음을 알 수 있다.
② 제시문에서 알 수 없는 내용이다.
③ 제시문은 소에게 줄 건초를 만드는 것과 같이 불가피하게 생명을 해치는 상황을 금지하고 있지는 않다.
④ 제시문의 꽃의 생명도 중요하게 여기고 있는데, 꽃은 유용성과는 관련이 없는 내용이기에 맞지 않는 선택지이다.

04 죽음은 보편성, 불가피성, 일회성이라는 특징을 갖는다.

왜 틀렸을까?
ㄹ. 우리는 죽음을 직접 경험할 수 없고 주변 사람들의 경우를 통해 간접적으로만 경험할 수 있다.

05 죽음은 스스로 잊고 있던 인생의 가치를 깨닫는 계기가 되기 때문에, 소중한 삶을 보람 있게 만들어 준다는 데 의의가 있다.

06 생명 존중은 '살아있는 목숨을 가진 것들을 드높이고 귀중하게 여긴다.'라는 의미를 지닌다.

왜 틀렸을까?
⑤ 삶이 유한하기에 소중한 삶의 가치를 깨달을 수 있지만, 삶의 유한성이라는 의미가 살아있는 것의 가치를 드높이거나 귀중한 존재로 여기는 것은 아니다.

07 의미 있는 삶을 살기 위해서는 순간적·육체적 쾌락만 추구하기보다는 정신적인 가치를 같이 추구함으로써 자아를 실현하는 것이 중요하다.

08 죽음이 다가왔을 때 인간은 존재하지 않으므로 죽음 그 자체를 경험할 수 있는 사람은 없다. 따라서 우리는 결코 죽음을 두려워할 필요가 없다.

왜 틀렸을까?
③ 건강을 유지하는 등의 노력을 통해 죽음을 잠시 미룰 수는 있지만, 근본적으로 인간은 죽음을 극복할 수 없다.

09 '웰다잉법'의 정식 명칭은 '호스피스·완화 의료 및 임종 과정에 있는 환자의 연명 의료 결정에 관한 법률'이다. 이 법은 살아날 가능성이 없는 환자에게 무의미한 생명 연장 활동을 중지하는 것을 목적으로 한다. 현재 이 법의 시행과 관련하여 찬성과 반대의 입장이 대립하고 있다.

왜 틀렸을까?
④ 웰다잉법은 인위적으로 인간의 생명 활동을 중단하는 것이기에 생명을 그 자체로 소중히 여기지 않는다는 비난을 받기도 한다.

10 제시문은 『논어』에 등장하는 일화이다. 공자는 귀신이나 죽음에 대해서 탐구하기보다는 사람을 섬기고 삶의 일에 힘쓰는 자세를 강조하였다. 이를 통해 공자가 인본주의적·현세중심적 자세를 강조하고 있음을 알 수 있다.

11 [모범 답안]

생명 경시 풍조는 자신 또는 타인의 생명을 가볍게 여기는 태도이다. 이와 같은 태도는 인간의 존엄성을 부정하고 진정한 생명의 가치를 이해하지 못한다는 문제점을 낳는다.

득점	채점 기준
상	생명 경시 풍조의 의미와 문제점을 모두 적절하게 설명한 경우
중	생명 경시 풍조의 의미와 문제점 중 하나만 설명한 경우
하	생명 경시 풍조의 의미와 문제점 모두 설명하지 못한 경우

12 [모범 답안]

죽음을 대하는 올바른 태도는 첫째, 죽음을 자연스러운 과정으로 이해하는 것이다. 둘째, 갑작스러운 사건에 의한 죽음을 예방하기 위해 노력하는 것이다. 셋째, 충동적이고 돌이킬 수 없는 죽음을 예방하기 위해 노력하는 것이다.

득점	채점 기준
상	죽음을 대하는 태도에 대해 두 가지 이상 서술한 경우
중	죽음을 대하는 태도에 대해 한 가지만을 서술한 경우
하	죽음을 대하는 태도에 대해 한 가지도 서술하지 못한 경우

수행평가 모범 답안

176~177쪽

1. 죽음에 대한 토론

- **장점**: 죽음에 대한 공포가 없을 것이다. / 자신이 하고 싶은 활동, 체험, 공부 등을 시간의 제약을 받지 않고 다양하게 할 수 있다. 이를 통해 많은 경험과 지식을 축적할 수 있다.
- **단점**: 주변의 사랑하는 사람들이 죽어 가는 모습을 보아야 한다. 한 곳에 오래 머물 수 없고 자신의 신분을 숨기며 계속 이동해야 한다.

❷

- **나의 의견**: 죽지 않고 영원히 사는 것은 좋지 않다. 물론 죽지 않는다면 하고 싶은 일을 다 경험하면서 즐기면서 살 수도 있겠지만, 영화 속 주인공처럼 매번 자신의 신분을 숨기며 살아야 하기에 힘들 것 같다.
- **짝꿍의 의견**: 죽지 않고 영원히 사는 것은 행복이다. 우리는 생명이 유한하다는 이유로 항상 고통과 불안 속에 놓여 있다. 죽음으로부터 해방된다면 항상 즐기면서 행복하게 살 것 같다.

❸ 나는 죽지 않고 영원히 사는 것은 불행이라고 생각한다. 왜냐하면, 우리는 삶의 유한성으로부터 삶의 소중함을 느낄 수 있기 때문이다. 죽지 않고 영원히 산다면 하루하루 열심히 살아가는 것에 대한 기쁨을 느끼지 못할 것이다. 그러므로 우리는 죽음을 두려워하거나 무서워하는 것이 아니라, 죽음을 자연스러운 과정을 받아들이고 삶의 소중함을 깨닫는 계기로 삼아야 한다.

2. 지금 이 순간, 의미 있는 삶

❶ 지금 이 순간이 소중한 이유는 다시는 돌아오지 않기 때문이다. 지금 이 순간들이 모여 오늘을 만들고, 오늘이 모여 나의 미래를 만든다. 긍정적이고 행복한 미래를 만들기 위해 오늘 하루 최선을 다하며 보내야 한다. 나는 나의 삶을 의미 있게 꾸려가기 위해서 나의 재능과 적성을 찾아 꿈을 이루도록 노력할 것이다. 또한, 주변 사람들을 돕고 베푸는 삶을 살 것이다.

❷ 오늘은 나의 인생 중 마지막 남은 하루이다. 그렇기 때문에 오늘 하루를 잘 정리하고 마무리하려고 한다. 나는 가족들을 만나서 아낌없이 사랑을 표현할 것이다. 한 명씩 포옹도 하고 서로 덕담도 나눌 것이다. 그다음에 내가 모아둔 돈을 사회에 기부하여 사회를 이롭게 만들 것이다.

04. 마음의 평화

개념 확인 문제

187쪽

01 (1) X (2) O (3) X (4) O **02** (1) 마음 (2) 신독 (3) 용기
03 (1) 예배(성경 읽기, 기도) (2) 도덕적 이상

01 (1) 인간의 삶 속에서 고통을 영원히 피해갈 수는 없다. 따라서 고통을 삶의 일부로 받아들이고, 삶을 긍정적으로 바꿀 수 있는 요소로 이해하려는 자세가 필요하다.

(2) 정신적인 고통을 통해 삶의 가치를 발견할 수 있다. 예를 들어 소중한 사람을 잃는 경험을 통해 나에게 주어진 삶의 가치와 주변의 사람들에 대한 소중함을 느낄 수 있다. 또한, 일상생활에서 성취하지 못한 것으로 인한 불만족은 나의 욕심이나 집착의 문제를 반성하게 하고 새로운 도전을 하는 데 도움이 된다.

(3) 희망은 목표를 이루려는 방법을 알아내고, 그것을 실천할 수 있다는 확신으로 이루어져 있으므로 막연한 기대나 상상과는 차이가 있다.

(4) 자신이 처한 어려움을 탓하는 태도는 평정심을 유지하기 어렵게 하기에, 나에게 주어진 조건과 환경을 긍정적으로 이해할 수 있어야 한다.

02 (1) 자신의 고통을 받아들이고, 이러한 고통의 상태를 평온하게 관리하기 위해서는 반드시 우리 안의 마음을 다스려야 한다.

(2) 유교에서는 마음의 평화를 얻기 위해서 '자기 홀로 있을 때도 도리에 어긋나는 일을 하지 않고 삼간다.'라는 의미인 신독을 강조하였다.

(3) 어려운 상황 속에서 희망을 품으면 용기를 얻게 되어 자신을 신뢰하고 더 큰 어려움에 도전할 수 있도록 만들어준다.

03 (1) 도가 사상가인 장자는 세상을 편견 없이 열린 마음으로 대하기 위해 마음을 비우는 심재를 수양 방법으로 제시하였으며, 그리스도교에서는 예배와 성경 읽기 및 기도를 통해 평안을 얻고자 노력하였다.

(2) 우리는 도덕적으로 바르지 못한 것까지 희망할 수는 없기에 도덕적 이상을 추구하는 가운데 삶에서 필요한 것을 희망하는 태도를 지녀야 한다.

실력 점검 문제

187~189쪽

01 ① **02** ② **03** ② **04** ⑤ **05** ④ **06** ④ **07** ① **08** ⑤ **09** ⑤ **10** ⑤

01 행복을 실현하기 위해서는 우리 삶 속에 뒤따르는 고통을 삶의 일부로 받아들이고, 이를 통해 삶을 긍정적으로 바꾸는 요소로 이해할 필요가 있다.

02 고통의 발생 원인에는 신체적인 것과 정신적인 것이 있다. 신체적 고통은 물리적인 충격 등을 의미하고, 정신적 고통은 심리적 갈등이나 고민 등을 의미한다.

03 친구와의 말다툼, 노력한 만큼 보상받지 못한 것, 강아지의 죽음, 장래 희망과 관련된 고민 등은 정신적 고통에 해당한다. 반면, 독감은 건강상의 이유에 해당하는 것이므로 신체적 고통에 해당한다.

04 감각적·순간적 즐거움은 장기적으로 고통을 낳을 수도 있다. 반면에 정신적·심리적 고통은 인간의 삶을 성숙시키는 계기로 작용할 수도 있다. 따라서 즐거움을 언제나 좋은 것으로, 고통을 항상 나쁜 것으로만 생각해서는 안된다.

05 고통은 언제 어디서나 예상하지 못하게 발생할 수 있다. 그러므로 고통을 불러일으키는 모든 대상과의 관계를 단절하기보다 고통의 진정한 원인을 파악하고 삶을 긍정적으로 바꿀 수 있도록 노력해야 한다.

06 중국 전국시대 사상가인 장자는 어지러운 시대 상황 속에서 편견 없이 열린 마음으로 자연의 만물과 하나되어 편안함을 추구하는 심재를 수양 방법으로 제시하였다.

왜 틀렸을까?

③ 장자에게 도덕이란 인간이 만든 행동 규칙에 불과하므로, 자연의 만물과 평화로운 관계를 추구하는 데 방해가 된다고 보았다.

07 그리스도교에서는 마음의 평안을 얻기 위해 예배를 드리고, 성경을 읽으면서 항상 기도하는 자세를 강조하였다.

08 인간은 아무리 힘든 위기에 처해 있더라도 희망을 가짐으로써 좌절과 고통을 극복하고 어려움을 헤쳐 나갈 힘을 얻을 수 있는 존재이다.

09 친구는 시험공부를 나름대로 열심히 하였음에도 불구하고 성적이 나오지 않아 짜증이 나 있는 상태이다. 따라서 작지만, 구체적인 목표를 세우고 이뤄가면서 자신감을 기를 수 있도록 조언해주는 것이 희망적 조언에 해당한다.

왜 틀렸을까?

④ 스스로 열심히 노력하였다고 생각하는 친구에게 노력이 부족하였다고 질책하는 것은 오히려 공부에 대한 두려움을 느끼게 만들 수도 있다. 이러한 조언은 현재 상황에서의 희망적인 조언이라고 볼 수 없다.

10 타인을 고통스럽게 함으로써 자신의 고통을 줄이려고 하는 시도는 결국 더욱 큰 고통을 낳게 되어 바람직한 인간관계를 해칠 수 있다.

11 **[모범 답안]**

희망은 막연한 기대나 상상과는 다르다. 희망은 목표를 이루려는 방법을 알아내고, 그것을 실천할 수 있다는 확신으로 이루어져 있기 때문이다.

득점	채점 기준
상	희망과 막연한 기대의 차이점을 구체적으로 설명한 경우
중	희망과 막연한 기대의 차이점을 추상적으로 설명한 경우
하	희망과 막연한 기대의 차이점을 설명하지 못한 경우

12 **[모범 답안]**

희망이 필요한 이유는 첫째, 어려움을 극복할 용기를 얻고 목표에 집중함으로써 문제를 해결할 수 있게 도와준다. 둘째, 자신을 깊이 신뢰하고 더 큰 어려움에 도전할 수 있는 용기를 준다.

득점	채점 기준
상	희망의 필요성을 두 가지 이상 제시한 경우
중	희망의 필요성을 한 가지만 제시한 경우
하	희망의 필요성을 제시하지 못한 경우

13 [모범 답안]
마음의 평화를 얻기 위해서는 첫째, 자신의 감정과 욕구를 잘 다스려 마음이 평정심을 지녀야 한다. 둘째, 다른 사람에게 상처가 되는 말이나 행동을 하지 말아야 한다. 셋째, 다른 사람을 용서하고 이해해야 한다. 넷째, 나에게 주어진 조건과 환경을 긍정적으로 이해해야 한다. 다섯째, 도덕적 이상을 추구하는 가운데 삶에서 필요한 것을 희망하는 태도를 지녀야 한다.

득점	채점 기준
상	마음의 평화를 얻기 위한 방안을 두 가지 이상 제시한 경우
중	마음의 평화를 얻기 위한 방안을 한 가지만 제시한 경우
하	마음의 평화를 얻기 위한 방안을 한 가지도 제시하지 못한 경우

수행평가 모범 답안

190~191쪽

1. 희망 편지 쓰기

❶ 아들아, 나의 소식을 듣고 많이 놀랐지? 어릴 때 많이 놀아 주지도 못하고 무뚝뚝한 아빠였는데, 죽음이 곧 다가온다는 사실을 알고 나니 지난날이 후회되는구나. 조금 더 잘해 줄걸, 조금 더 표현할걸. 이제 나는 곧 떠나겠지만 너무 슬퍼하지 말렴. 네가 내 아들이라서 자랑스럽고 행복했단다. 사랑한다. 나의 아들아.

❷ 아버지는 아들에게 마지막 선물을 주기 위해 친구에게 부탁한다. 그 선물은 바로 지금까지 아버지가 써 온 일기장이다. 아버지의 일기를 건네받은 성주는 일기를 읽으며 울고 만다. 아버지의 일기 대부분은 성주의 이야기였다. 성주가 처음 태어났을 때의 기쁨, 성주가 처음 학교에 들어갔을 때의 설렘, 성주가 다쳤을 때의 속상함 등 성주가 성장하면서 느꼈던 아버지의 감정들이 고스란히 담겨 있었다. 이제야 아버지의 사랑을 느끼게 된 성주는 아버지를 위한 책을 써 감사 인사를 대신한다.

❸
- **친구**: 수학 성적이 오르지 않아 걱정이다. / 내가 수학 공부를 도와준다.
- **엄마**: 집안일을 하기 힘들다. / 일주일에 한 번 다 같이 대청소를 한다.

2. 나의 소중한 가치 찾기

❶ 건강, 긍정, 성실

❷ 나는 건강, 긍정, 성실의 가치를 중요하게 생각한다. 나는 마음의 평화를 위해 위의 가치들을 다음과 같이 활용할 것이다. 먼저 나는 규칙적인 생활로 건강해질 것이다. 몸과 마음이 건강하고 굳세야 외부의 안 좋은 영향을 덜 받기 때문이다. 또한 늘 긍정적인 생각으로 마음을 평화롭게 만들 것이다. 어려움이 닥치더라도 할 수 있다는 긍정적인 믿음으로 극복할 것이다.

❸ 마음의 평화를 어떤 가치로 이룰 수 있을지를 고민하며, 자습서의 예시를 참고하여 타이포셔너리를 작성한다.

대단원 마무리 문제

195~197쪽

01 ③ 02 ② 03 ② 04 ⑤ 05 ③ 06 ⑤ 07 ③ 08 ④
09 ① 10 ③ 11 해설 참조 12 해설 참조 13 해설 참조

01 갑은 생명 중심주의 사상가이다. 생명 중심주의 사상가는 인간을 다른 생명체보다 우월한 존재로 보지 않고 동식물을 포함한 모든 생명의 가치를 동등하게 존중한다.

02 갑은 생명 중심주의 사상가이고 을은 인간 중심주의 사상가이다. 생명 중심주의의 입장에서 인간 중심주의는 인간의 필요와 이익에 따라 자연을 수단으로 삼기에 자연환경을 파괴하는 무분별한 소비 습관을 확산시킬 것이라 비판한다. 또한 인간 중심주의는 인간만을 도덕적 고려의 대상으로 삼는다. 그렇기에 갑의 입장에서는 도덕적 고려 대상을 인간으로만 한정하지 않고 동물, 식물 등 생명 전체로 확장하라는 조언을 할 수 있다.

03 △△전자가 핸드폰을 단순 폐기하면 자원이 낭비될 것이라는 그린피스의 지적은 환경친화적인 생활 태도를 보여 주는 것이다.

04 과학 기술은 유용함과 편리함이라는 혜택을 인류에게 가져다주지만, 인류와 환경에 상상할 수 없는 커다란 문제를 가져오기도 한다. 따라서 요나스는 과학 기술이 가져올 문제점에 주목하고, 예측 가능한 문제에 대한 대책을 마련함으로써 과학 기술에 대한 결과에도 책임질 것을 강조한다. 그는 이러한 책임을 현 인류뿐만 아니라, 자연환경과 미래세대에 대한 책임까지 확장할 것을 주장한다.

05 과학자는 관찰과 실험을 통해 자연에 대한 객관적 원리와 법칙을 발견하고 이를 활용하여 생활의 다양한 필요를 충족해 주는 역할을 한다. 그러나 과학 기술자는 과학 기술의 장단점과 이로 인해 가져올 결과에 대해 더 잘 예측할 수 있으므로 연구 결과에 대한 도덕적 책임을 반드시 지녀야 한다.

06 의미 있는 삶을 위해 추구해야 하는 가치는 정신적 가치이다.

07 죽음은 피할 수 없다는 불가피성에 관한 내용이다. 우리는 이를 자연스러운 과정으로 받아들여야 하고, 억지로 죽음을 외면하거나 두려워하지 않아야 한다.

08 제시문은 해가 하루만 살고 지는 것처럼 인간의 삶도 한정적이기 때문에 현재의 소중한 삶을 낭비하지 않고 충실히 살아야 한다는 교훈을 담고 있다. 삶은 유한하기에 지금 해야 할 일에 최선을 다하는 것이 의미 있는 삶이다.

왜 틀렸을까?

⑤ 자신의 이익만을 추구하는 삶은 의미 있는 삶이 아니다. 진정으로 의미 있는 삶은 자아실현을 하고 전 인류에 봉사하는 것이다.

09 고통은 반드시 나쁜 것만은 아니다. 신체적 고통을 통해 신체를 단련하기도 하며, 정신적 고통을 겪으며 삶에 대해 성찰할 수도 있다. 이러한 과정을 통해 타인에 대한 성숙한 태도를 지니거나 새로운 도전을 하는 원동력이 되기도 한다. 하지만, 고통의 긍정적인 측면이 있는 것은 사실이나 고통을 즐긴다고 해서 고통을 느끼지 않게 되는 것은 아니다.

10 마음의 평화를 얻기 위해 도덕적 희망을 지녀야 한다.

11 **[모범 답안]**

과학 기술의 발달로 긍정적인 측면도 있지만, 그에 따른 부작용도 발생하고 있다. CCTV 개발 및 설치로 인해 풍요롭고 편리한 생활이 가능해졌고, 범죄를 예방하는 효과가 생겼다. 하지만 CCTV로 인한 인권 및 사생활 침해가 늘고 CCTV를 악용하는 사례가 생기게 되었다.

득점	채점 기준
상	과학 기술의 양면성에 대해 정확하게 서술한 경우
중	과학 기술의 긍정적인 측면과 부정적인 측면 중 한 가지에 대해서만 서술한 경우
하	과학 기술의 양면성에 대해 서술하지 못한 경우

12 **[모범 답안]**

마음의 평화를 위한 동서양의 실천 방법은 다음과 같다. 첫째, 불교에서는 교리 공부나 참선을 통해 마음을 다스려 깨달음을 얻는 방법을 강조한다. 둘째, 유교에서는 경과 신독을 통해 일상생활에서 마음을 다스리려는 노력을 강조한다. 셋째, 도가에서는 세상을 편견 없이 열린 마음으로 대하기 위해 마음을 비우는 심재를 강조한다. 넷째, 그리스도교에서는 예배와 성경 읽기, 기도를 통해 평안을 얻는 것을 강조한다.

득점	채점 기준
상	마음의 평화를 위한 동서양의 실천 방법을 세 가지 이상 서술한 경우
중	마음의 평화를 위한 동서양의 실천 방법 두 가지를 서술한 경우
하	마음의 평화를 위한 동서양의 실천 방법 한 가지를 서술한 경우

13 **[모범 답안]**

자살률이 증가하는 것은 사회적인 문제도 있지만, 생명을 가볍게 여기고 존중하지 않는 개인적인 태도의 문제도 있다. 생명을 존중하지 않는 자세는 자신의 생명뿐만 아니라 타인의 생명도 가볍게 여기기 때문에 생명을 쉽게 포기하거나 주변의 어려움에 귀 기울이지 않기도 한다. 이러한 문제를 해결하기 위해서는 생명 존중을 실천하기 위한 노력이 필요하다. 생명 존중을 위한 노력은 다음과 같다. 첫째, 생명을 포기하거나 쉽게 좌절하지 않는 것이다. 둘째, 나의 생명을 포함한 다른 사람의 생명도 소중하다는 인식을 가져야 한다. 셋째, 다른 사람을 괴롭히거나 위협하지 않아야 한다.

득점	채점 기준
상	자살률 증가의 원인과 생명 존중 실천 방법을 구체적으로 서술한 경우
중	자살률 증가의 원인과 생명 존중 실천 방법 중 한 가지에 대해서만 서술한 경우
하	자살률 증가의 원인과 생명 존중 실천 방법을 서술하지 못한 경우